Diverso 2

Curso de español para jóvenes

Encina Alonso
Jaime Corpas
Carina Gambluch

Primera edición, 2015
Tercera edición, 2018

Produce: SGEL – Educación
Avda. Valdelaparra, 29
28108 Alcobendas (Madrid)

Dirección editorial: Javier Lahuerta
Edición: Yolanda Prieto y Ana Sánchez
Corrección: Jaime Garcimartín

Diseño de cubierta: Thomas Hoermann
Fotografías de cubierta: Shutterstock
Diseño de interior y maquetación: Leticia Delgado

Ilustraciones: Pablo Torrecilla: págs. 16 (viñetas), 25 (viñetas), 27 (viñeta), 36 (viñetas), 44 (viñetas), 54 (viñeta), 67 (dibujos), 69 (mapa Casiquiare), 76 (dibujo), 97 (dibujo), 117 (viñeta) y 140 (dibujo); Shutterstock (resto de ilustraciones y cartografía)

Fotografías: CORDON PRESS: pág. 19 foto 5; pág. 38 foto tereré; pág. 39 foto Augusto Roa Bastos; pág. 48 foto C; pág. 49 fotos G y Rubén Darío; pág. 53 foto chikunguña; pág. 65 foto conferencia; pág. 68 fotos Carolina Herrera y Pastor Maldonado; pág. 74 foto Uruguay; pág. 79 fotos Eduardo Galeano y Daniel Viglietti; pág. 81 fotos Quino, Julieta Venegas, Fernando Botero y Gustavo Dudamel; pág. 82 fotos 1 y 2; pág. 90 foto 5; pág. 96 fotos A, B, C y D; pág. 132 fotos Albert Einstein, Coco Chanel, Martin Luther King, Steve Jobs, J.R. Rowling, Nelson Mandela; pág. 175 foto Jorge Luis Borges. DREAMSTIME: pág. 38 foto Ciudad del Este; pág. 93 foto Canal (© Picturemakersllc - Dreamstime.com). ENCINA ALONSO: pág. 58 fotos C, D y E. JAIME CORPAS: pág. 68 foto superior; pág. 71 foto Barcelona; pág. 75 foto El Raval. INGIMAGE: pág. 67 foto reciclar. MISERICORDIA GARCÍA: pág. 90 foto 4. SHUTTERSTOCK: Resto de fotografías, de las cuales, solo para uso de contenido editorial: pág 11 foto 4 (Jamie Roach / Shutterstock.com); pág. 15 (Vlad Galenko / Shutterstock.com); pág. 17 cine (Joe Seer / Shutterstock.com); pág. 18 foto 1 (Vlad Karavaev / Shutterstock.com), foto 2 (Dmitry Burlakov / Shutterstock.com), foto 3 (Elzbieta Sekowska / Shutterstock.com) y foto 8 (Vlad Galenko / Shutterstock.com); pág. 19 foto 4 (jjspring / Shutterstock.com) y foto 6 (Vlad Karavaev / Shutterstock.com); pág. 22 icono Twitter (Rose Carson / Shutterstock.com) e iconos Facebook e Instagram (tanuha2001 / Shutterstock.com); pág. 28 foto la cumbia (max blain / Shutterstock.com); pág. 29 foto Fernando Botero (Prometheus72 / Shutterstock.com), foto taxis de Medellín (Michaelpuche / Shutterstock.com) y foto Shakira (DFree / Shutterstock.com); pág. 30 foto 1 (catwalker / Shutterstock.com), foto 3 (Oliver Hoffmann / Shutterstock.com), foto 4 (paul prescott / Shutterstock.com) y foto 5 (S-F / Shutterstock.com); pág. 31 foto 3 (withGod / Shutterstock.com); pág. 48 foto A (Anton_Ivanov / Shutterstock.com); pág. 55 foto Benicio del Toro (Featureflash / Shutterstock.com); pág. 59 foto Michelle Rodríguez (s_bukley / Shutterstock.com), foto Calle 13 (Helga Esteb / Shutterstock.com), foto Héctor Elizondo (Helga Esteb / Shutterstock.com), foto Jennifer López (Helga Esteb / Shutterstock.com) y foto Ricky Martin (DFree / Shutterstock.com); pág. 60 foto 3 (Kekyalyaynen / Shutterstock.com); pág. 64 foto D (Thomas La Mela / Shutterstock.com); pág. 70 foto transporte ecológico (mikecphoto / Shutterstock.com), foto ropa reciclada (Paolo Bona / Shutterstock.com) y foto coche eléctrico (d13 / Shutterstock.com); pág. 71 foto São Paulo (Vitoriano Junior / Shutterstock.com) y foto Nueva York (pio3 / Shutterstock.com); pág. 75 foto Barrio Sur (Kobby Dagan / Shutterstock.com) y foto Liberdade (T photography / Shutterstock.com); foto 76 foto Lavapiés (Tupungato / Shutterstock.com); pág. 78 foto gaucho (Kobby Dagan / Shutterstock.com) y foto el candombe (Kobby Dagan / Shutterstock.com); foto 80 foto 5 (IgorGolovniov / Shutterstock.com); pág. 82 foto 4 (Leonard Zhukovsky / Shutterstock.com); pág. 83 foto museo (Dmitro2009 / Shutterstock.com); pág. 84 foto biblioteca (sunsinger / Shutterstock.com); pág. 87 foto 2 (posztos / Shutterstock.com); pág. 88 foto pupusa (rj lerich / Shutterstock.com) y foto transporte 1 Juayúa (Milosz_M / Shutterstock.com); pág. 92 foto 0 (csp / Shutterstock.com) y foto 3 (Arseniy Krasnevsky / Shutterstock.com); pág. 148 foto revistas (Niloo / Shutterstock.com); pág. 157 foto contaminación (Humg Chung Chih / Shutterstock.com); pág. 158 foto Bill Gates (3777190317 / Shutterstock.com); pág. 161 foto conferencia (Tomasz Bidermann / Shutterstock.com); pág. 169 foto de Little Italy (cdrin / Shutterstock.com)

Para cumplir con la función educativa del libro se han empleado algunas imágenes procedentes de internet

Agradecemos a Benjamin Straub que nos haya cedido las imágenes Bitácora de viajes (pág. 98-99)

Audio: Bendito Sonido. **Locutores:** Luisa Ezquerra, Susana Pardo, Borja Fernández, Carlos Pérez, María Sánchez, Mark Gómez, Claudia Lahuerta, Eva Mackey, Frankie Mackey, Andrés Calero, Greighton Torres, Nancy Sánchez, Natalia de la Cruz, Roberto González, Joaquín Mulén.
Música pista 28: Apple Loops (jazz, rock, clásica, hip hop) y Bendito Sonido (tango, salsa)

ISBN: 978-84-9778-822-9

Depósito legal: M-18812-2015
Printed in Spain – Impreso en España
Impresión: Gómez Aparicio Grupo Gráfico

Índice

¿Cómo es *Diverso*?

DIVERSO es un curso para aprender español en un contexto global e intercultural. Ofrece un enfoque que atiende los valores y actitudes, la diversidad, la indagación, la acción y la reflexión sobre el mundo que nos rodea y sobre el propio aprendizaje. Cada unidad se plantea alrededor de un concepto (identidad, competición, hábitat, etc.).

Las unidades del **Libro del alumno** están divididas en cuatro partes:

1

Una portadilla para:

- presentar los contenidos de la unidad
- activar el conocimiento previo
- introducir y contextualizar los temas
- motivar a los alumnos

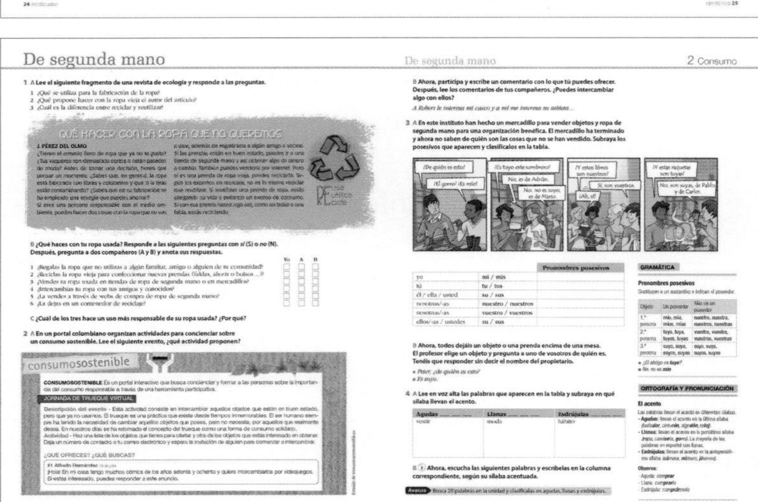

Tres secuencias didácticas que incluyen:

- distintos tipos de textos, tanto escritos como orales
- cuadros de léxico, gramática, comunicación, ortografía y pronunciación
- actividades variadas, motivadoras e interesantes en una secuencia que termina con la producción por parte del estudiante
- actividades y sugerencias que permiten repasar o profundizar los contenidos de la unidad

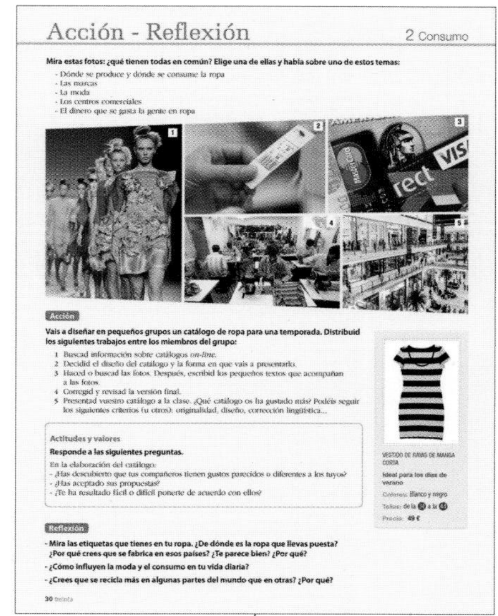

3

Una doble página sobre un país de habla hispana con:

- información general sobre el país
- actividades relacionadas con el concepto de la unidad

4

Una página final que contiene:

- una propuesta de trabajo oral a partir de fotografías
- una acción final que recoge los contenidos principales de la unidad
- un breve cuestionario sobre los valores y actitudes trabajados
- una reflexión final

Este volumen también contiene el **Cuaderno de ejercicios**, donde se practican los contenidos trabajados en la unidad y en el que se incluye una completa Autoevaluación.

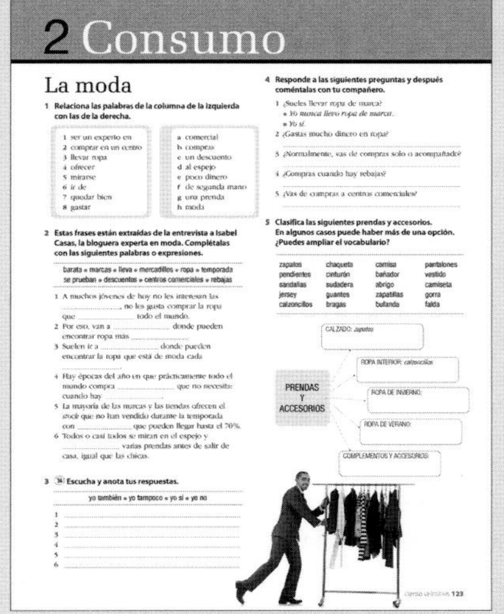

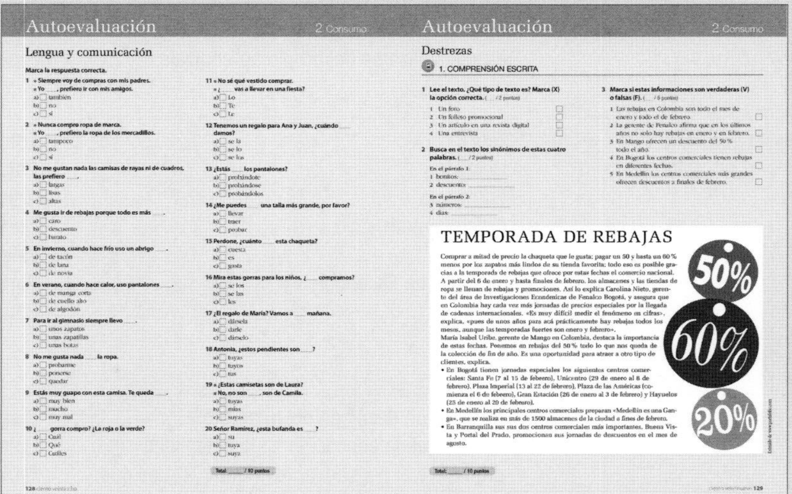

Además, el libro incluye:
- un anexo de gramática y léxico
- las transcripciones de las grabaciones

Contenidos

	1 Educación	2 Consumo
Conciencia crítica-reflexiva	Reflexionar sobre la importancia de la educación	Reflexionar sobre el reciclaje y la moda
Interculturalidad	La educación en otras culturas	La importancia de la ropa en las distintas culturas
Competencias lingüísticas	**Gramatical:** - Repaso presentes regulares e irregulares - Duración *(desde, desde hace, hace que)* - *Antes de / Después de* + infinitivo - El gerundio - Perífrasis verbales: *empezar a / acabar de / deber / tener que / poder / ir a + infinitivo, estar / seguir / llevar* + gerundio **Léxica:** - Sistemas educativos - Expresiones relacionadas con el estudio - Vocabulario relacionado con la educación - Colocaciones **Fonológica / Ortográfica:** ***b / v***	**Gramatical:** - Los pronombres personales de OI y la combinación con los de OD - Posesivos: *mío, tuyo...* - *¿Qué? / ¿Cuál(es)?* **Léxica:** - Vocabulario de compras - La ropa: materiales, medidas, precios, accesorios y complementos, lugares de compras **Fonológica / Ortográfica:** El acento tónico: agudas, llanas y esdrújulas
Competencia pragmática y sociolingüística	- Responder un test - Valorar la importancia de distintas afirmaciones en un texto - Intercambiar opiniones sobre sistemas educativos y cambios en la educación - Expresar obligación	- Hablar sobre las compras - Reaccionar ante afirmaciones de otros - Identificar al propietario de un objeto - Escribir un comentario en un portal interactivo - Mostrar acuerdo y desacuerdo
Procedimientos y estrategias	- Decidir cuál es la información relevante en un texto - Leer de manera crítica - Interpretar información visual y oral	- Extraer información importante de un texto - Diferenciar entre distintas variantes del español - Responder a un cuestionario - Comparar textos
Actitudes y valores	Responsabilizarse del propio aprendizaje	Respetar los criterios y los gustos de los otros
Tipologías textuales	- Test - Decálogo - Entrevista - Artículo informativo - Agenda - Mensaje de Facebook - Blog	- Entrevista - Catálogo - Artículo - Cuestionario - Viñeta - Portal interactivo - Canción
Acción - Reflexión	- Elaborar un decálogo del buen profesor - ¿Crees que la educación en la actualidad promueve el pensamiento crítico? ¿Crees que tu educación te ayuda a ser mejor persona?	- Diseñar un catálogo de ropa - Opinar sobre el origen, la fabricación y el reciclaje de la ropa - ¿Cómo influyen la moda y el consumo en tu vida diaria?
País	**Bolivia**	**Colombia**

3 Trabajo	4 Salud	5 Comunicación
Reflexionar sobre la importancia del trabajo	Reflexionar sobre qué significa una vida sana	Reflexionar sobre el poder y la fiabilidad de los medios
El trabajo en distintas culturas	El concepto de vida sana en diferentes culturas	Las redes sociales y la cultura global
Gramatical: - *Soler* + infinitivo - *Lo bueno / malo de...* - Pretérito indefinido (verbos regulares e irregulares) - Marcadores temporales para hablar de momentos del pasado: *ayer, el año pasado, hace tres años..., de ... a, al ... siguiente, al cabo de, durante, a los 25 años...* **Léxica:** - Profesiones - Vocabulario para hablar de trabajo - Habilidades y capacidades - Datos personales, estudios y aficiones - Trabajos temporales **Fonológica / Ortográfica:** Consonantes oclusivas: ***p, t, k / b, d, g***	**Gramatical:** - *Doler, tener + fiebre / dolor de, estar + enfermo / cansado / agotado* - *¿Por qué no...?* - *Es necesario / importante / conveniente* - *Lo mejor es...* - *Debes* + infinitivo - *Hay que* + infinitivo - Conectores textuales - Usos de *tú* y *usted* **Léxica:** - Partes del cuerpo - Estados físicos y mentales y estados de ánimo - Síntomas, enfermedades, dolores, remedios **Fonológica / Ortográfica:** El acento ortográfico: la tilde	**Gramatical:** - Contraste pretérito perfecto / pretérito indefinido - *Ya / Todavía no* - Frases exclamativas: ¡*Qué* + adjetivo / adverbio / sustantivo!; ¡*Qué* + sustantivo + *tan / más* + adjetivo! **Léxica:** - Vocabulario relacionado con los medios de comunicación: los periódicos, la radio y la televisión, las redes sociales **Fonológica / Ortográfica:** Los signos de puntuación
- Expresar aspectos positivos y negativos de un trabajo - Hablar de acciones pasadas y de momentos especiales en la vida - Hablar de personajes importantes y de sus vidas - Dar y entender información sobre experiencias laborales	- Hablar sobre los hábitos diarios para llevar una vida sana - Expresar sensaciones físicas, estados de ánimo y malestares - Dar consejos - Expresar obligación - Relacionarse con otras personas de manera formal e informal *(tú / usted)*	- Hablar de experiencias en el pasado - Valorar experiencias - Expresar preferencias - Expresar un cambio de situación - Comparar prensa en papel y digital - Analizar noticias - Contar y reaccionar noticias - Expresar formalidad o informalidad por carta o correo electrónico
- Elaborar un currículum - Comprender un texto de forma general - Identificar textos y su posible procedencia - Extraer información detallada de un texto	- Escribir sobre las rutinas - Representar una visita al médico - Analizar y escribir un artículo	- Analizar los medios de comunicación y distinguir su papel en la sociedad actual - Diseñar una portada de periódico
Valorar la formación para el futuro laboral	Valorar nuestro cuerpo y llevar una vida sana	Mostrarse críticos ante la información de los medios
- Reportaje - Artículo - Programa de radio - *Biodata* - Biografía - Resumen - Currículum	- Test - Artículo - *Podcast* - Viñeta - Correo electrónico - Artículo legal - Poema	- Noticia - Artículo - Viñeta - Entrevista - Mensaje - Correo electrónico - Carta formal - Blog - Canción
- Elaborar un currículum - ¿Qué importancia tiene el trabajo en la vida de una persona? ¿Qué crees que es lo más importante en un trabajo: el sueldo, el tiempo libre, la motivación...?	- Escribir un artículo de opinión - ¿Qué es una vida sana? ¿Cómo puedes ayudar a una persona con malos hábitos? ¿Qué importancia tienen los buenos hábitos, el ejercicio, la comida y la relajación?	- Publicar una portada en un periódico - ¿Podrías vivir sin los medios de comunicación? ¿Qué características deberían de tener los medios de comunicación? ¿Qué papel tienen las redes sociales en tu vida diaria?
Paraguay	**Nicaragua**	**Puerto Rico**

Contenidos

	6 Medio ambiente	7 Migración
Conciencia crítica-reflexiva	Reflexionar sobre nuestra contribución al medio ambiente	Reflexionar sobre la multiculturalidad
Interculturalidad	La cultura en la conciencia ambiental	La influencia de las migraciones en las culturas
Competencias lingüísticas	**Gramatical:** - Construcciones causales, finales, adversativas y consecutivas: *porque, a causa de (que), para* + infinitivo, *sino (que), sin embargo, por eso* - Nominalización de los verbos: sustantivos terminados en *-ción*, *-o* y *-miento* - *Estar de acuerdo / Estar seguro* **Léxica:** - Vocabulario relacionado con el medio ambiente y la ecología: calentamiento global, cambio climático, fenómenos naturales, recursos naturales, animales en peligro de extinción, etc. **Fonológica / Ortográfica:** El diptongo	**Gramatical:** - El presente histórico - El pretérito imperfecto - *Ya no / Todavía* - Marcadores temporales del pasado y del presente: *de joven, cuando..., hoy en día, actualmente...* - *Acordarse / Recordar* **Léxica:** - Fechas y siglos - Los números romanos - Etapas de la vida - Vocabulario relacionado con la historia, la política y las migraciones **Fonológica / Ortográfica:** El hiato
Competencia pragmática y sociolingüística	- Hablar sobre problemas ambientales y expresar opinión, acuerdo o desacuerdo - Analizar formas de tomar conciencia para ayudar a la educación medioambiental	- Referirse a hechos históricos - Describir y recordar el pasado - Expresar la interrupción o continuidad de una acción
Procedimientos y estrategias	- Reflexionar sobre los problemas ambientales - Preparar una conferencia - Planificar un debate - Exponer opiniones	- Extraer información detallada de una grabación - Crear un texto informativo cronológico - Analizar un poema y una canción
Actitudes y valores	Valorar los recursos naturales	Valorar el trabajo en equipo
Tipologías textuales	- Entrevista - Folleto informativo - Infografía - Conferencia - Eslogan - Blog - Debate - Poema	- Texto informativo - Cronología - Ensayo - Artículo - Poema - Presentación - Test - Citas - Listín telefónico - Canción
Acción - Reflexión	- Preparar un debate sobre el medio ambiente - ¿Eres verdaderamente consciente de los problemas ambientales? ¿Cómo puedes ser más responsable de tus acciones con respecto al medio ambiente? ¿Cómo contribuyes a hacer del planeta un lugar mejor?	- Preparar una presentación - ¿Hay compañeros de tu clase que tienen orígenes diferentes a los tuyos? ¿Cómo han influido las corrientes migratorias en tu país? ¿Cuáles son tus orígenes?
País	**Venezuela**	**Uruguay**

8 Arte	9 Tecnología
Reflexionar sobre la estética y la comunicación en el arte	Reflexionar sobre el impacto de la tecnología
El arte como unión de culturas	La tecnología y el desarrollo global
Gramatical: - *Está prohibido / permitido* + sustantivo / infinitivo; *prohibido* + infinitivo; *se prohíbe* + sustantivo / infinitivo; *no se permite* + sustantivo / infinitivo - Contraste pretérito indefinido / pretérito imperfecto - Cuantificadores: *(casi) todos/-as, todo/-a* + sustantivo, *muchos/-as, mucho/-a, la mayoría de* + sustantivo, *algunos/-as, algún(o/a), ningún(o/a)* **Léxica:** - Vocabulario relacionado con la pintura, la literatura y la música **Fonológica / Ortográfica:** Acentuación de pronombres interrogativos y exclamativos	**Gramatical:** - Repaso de los tiempos de pasado: pretérito perfecto, pretérito indefinido, pretérito imperfecto - Imperativos afirmativos en 2.ª persona del singular y del plural - Colocación de los pronombres con imperativos **Léxica:** - Vocabulario relacionado con la tecnología: los inventos, la ingeniería, la informática, internet y las redes sociales, la ciencia ficción **Fonológica / Ortográfica:** Los acentos diacríticos
- Describir una obra de arte y lo que transmite - Expresar prohibición - Expresar impersonalidad - Interpretar un relato y un poema	- Describir y contar hechos en el pasado - Escribir en un foro - Dar instrucciones - Dar consejos y hacer una petición
- Exponer opiniones - Contrastar los tiempos del pasado - Crear señales - Analizar y crear manifestaciones artísticas	- Reflexionar sobre los tiempos del pasado - Crear un foro - Reconocer anuncios, instrucciones y consejos
Apreciar la importancia del arte	Responsabilizarse del uso de la tecnología
- Señal - Blog - Fragmento de novela - Sinopsis - Poema - Test - Artículo informativo - Entrevista - Microcuento	- Artículo - Concurso de radio - Texto informativo - Entrada de foro - Anuncio - Sinopsis de película - Fragmento de novela - Blog
- Preparar un trabajo sobre una manifestación artística - ¿Qué presencia tiene el arte en nuestra vida cotidiana? ¿Ha cambiado tu concepto del arte con la unidad? ¿Qué es el arte para ti? ¿Cuál es la manifestación del arte que más te emociona: la música, la literatura, la pintura…? ¿Qué es lo más importante en el arte: la estética o el mensaje?	- Participar en un foro sobre tecnología - ¿Es todo positivo respecto a la tecnología? ¿Cómo influye la tecnología en nuestras vidas? ¿Somos esclavos o dueños de la tecnología?
Honduras y El Salvador	**Panamá**

Mapas

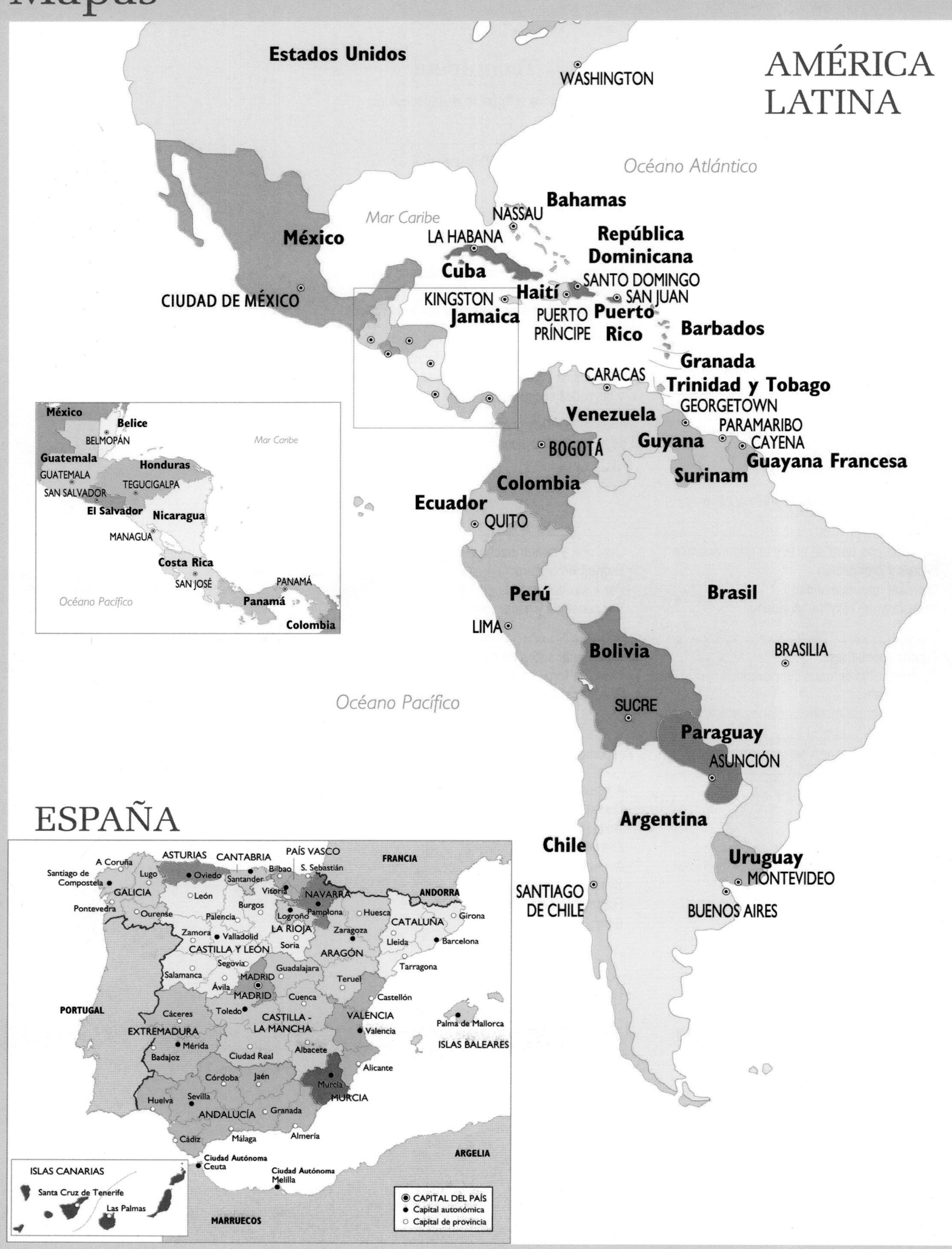
AMÉRICA LATINA
Estados Unidos
WASHINGTON
Océano Atlántico
Mar Caribe
Bahamas
NASSAU
LA HABANA
México
Cuba
República Dominicana
SANTO DOMINGO
CIUDAD DE MÉXICO
KINGSTON
Haití
SAN JUAN
Jamaica
PUERTO PRÍNCIPE
Puerto Rico
Barbados
Granada
CARACAS
Trinidad y Tobago
GEORGETOWN
Venezuela
PARAMARIBO
BOGOTÁ
Guyana
CAYENA
Guayana Francesa
Surinam
Colombia
Ecuador
QUITO
Perú
Brasil
LIMA
Bolivia
BRASILIA
Océano Pacífico
SUCRE
Paraguay
ASUNCIÓN
Argentina
Chile
Uruguay
MONTEVIDEO
SANTIAGO DE CHILE
BUENOS AIRES
México
Belice
BELMOPÁN
Mar Caribe
Guatemala
GUATEMALA
Honduras
TEGUCIGALPA
SAN SALVADOR
El Salvador
Nicaragua
MANAGUA
Costa Rica
SAN JOSÉ
PANAMÁ
Océano Pacífico
Panamá
Colombia
ESPAÑA
ASTURIAS
CANTABRIA
PAÍS VASCO
A Coruña
FRANCIA
Santiago de Compostela
Lugo
Oviedo
Santander
Bilbao
S. Sebastián
Vitoria
NAVARRA
ANDORRA
GALICIA
León
Burgos
Pontevedra
Ourense
Palencia
Logroño
Pamplona
Huesca
Girona
CATALUÑA
Zamora
Valladolid
LA RIOJA
Zaragoza
CASTILLA Y LEÓN
Soria
Lleida
Barcelona
ARAGÓN
Segovia
Guadalajara
Tarragona
Salamanca
MADRID
Teruel
Ávila
MADRID
Cuenca
Castellón
PORTUGAL
Cáceres
Toledo
CASTILLA - LA MANCHA
VALENCIA
Palma de Mallorca
EXTREMADURA
Valencia
Mérida
ISLAS BALEARES
Badajoz
Ciudad Real
Albacete
Alicante
Córdoba
Jaén
Murcia
Huelva
Sevilla
MURCIA
ANDALUCÍA
Granada
Cádiz
Málaga
Almería
Ciudad Autónoma Ceuta
ARGELIA
ISLAS CANARIAS
Ciudad Autónoma Melilla
Santa Cruz de Tenerife
Las Palmas
CAPITAL DEL PAÍS
Capital autonómica
Capital de provincia
MARRUECOS

1 Educación

- Valorar las características de un buen alumno
- Intercambiar opiniones sobre sistemas educativos
- Hablar sobre otras formas de educarse
- Elaborar un decálogo del buen profesor
- Reflexionar sobre la importancia de la educación
- País: Bolivia
- Interculturalidad: La educación en otras culturas
- Actitudes y valores: Responsabilizarse del propio aprendizaje

1. Mira las fotografías. ¿Crees que representan parte de la educación de una persona?
2. ¿Qué hacen las personas de las fotografías?
3. ¿Qué foto crees que define mejor la educación?
4. ¿Puedes pensar en otras actividades educativas?

Aprender a aprender

1 ¿Cuál(es) de estas citas crees que define mejor lo que significa *educación*? Coméntalo con tu compañero.

1 «La educación es un proceso que no termina nunca», Josefina Aldecoa.
2 «La educación consiste en ayudar a un niño a llevar a la realidad sus aptitudes», Erich Fromm.
3 «Donde hay educación, no hay distinción de clases», Confucio.
4 «La vida debe ser una continua educación», Gustave Flaubert.
5 «La creatividad es tan importante en la educación como la alfabetización y, por eso, debemos tratarla con la misma importancia», Ken Robinson.
6 «La educación es el vestido de gala para asistir a la fiesta de la vida», Miguel Rojas Sánchez.

2 A ¿Crees que eres un persona creativa en tu clase de español? Responde a las preguntas del test y averígualo.

¿Qué estrategias utilizas para aprender mejor?

1 Si el profesor explica un tema nuevo, …
- ☐ a me cuesta concentrarme y me aburro.
- ☑ b siento mucha curiosidad, participo en clase y tomo apuntes.
- ☐ c a veces me interesa.

2 Si tengo que desarrollar ideas para una prueba escrita, …
- ☑ a siempre escribo ideas sencillas.
- ☐ b tengo ideas originales y bastante complejas.
- ☐ c propongo alguna idea compleja, pero no me arriesgo demasiado.

3 Cuando hago las actividades en clase, …
- ☐ a sigo siempre los mismos pasos.
- ☐ b busco nuevas estrategias para hacerlas y me adapto según la actividad.
- ☑ c a veces las realizo de forma diferente.

4 Si tengo que realizar un proyecto nuevo, …
- ☐ a hago lo necesario para no suspender y siempre utilizo recursos que conozco.
- ☑ b utilizo diferentes ideas y recursos.
- ☐ c tengo algunas ideas nuevas, pero intento solo utilizar las que conozco bien.

5 Si tengo que escribir una redacción libre, …
- ☐ a siempre elijo un tema que conozco bien.
- ☐ b soy original y escribo algo totalmente nuevo.
- ☑ c trato de escribir sobre algo interesante.

6 Cuando hago una presentación oral, …
- ☐ a me cuesta utilizar ideas nuevas porque no quiero equivocarme y sacar una mala nota.
- ☐ b presento algo completamente nuevo y no tengo miedo a suspender.
- ☑ c intento variar algo, pero siempre quiero aprobar.

7 Mi cuaderno de trabajo para la clase de español es…
- ☑ a bastante funcional y sin nada personal.
- ☐ b original y muy personal.
- ☐ c bastante sencillo y con un toque personal.

8 Si tengo que hablar con un nativo, …
- ☐ a me pongo muy nervioso, no me gusta hacer el ridículo.
- ☑ b disfruto y trato de comunicarme, no me importa si cometo errores. Me arriesgo.
- ☐ c intento tener una conversación, pero si puedo evitarla, mejor.

- Si la mayoría de las respuestas es *a*: no te arriesgas mucho, prefieres continuar con tus costumbres y lo que conoces bien para no equivocarte. No demuestras tu creatividad a menudo.
- Si la mayoría de las respuestas es *b*: te gustan el riesgo y las respuestas originales. No te importa equivocarte. Demuestras ser muy creativo.
- Si la mayoría de las respuestas es *c*: eres algo arriesgado y original, pero prefieres mantenerte en un territorio seguro. Demuestras creatividad, pero no toda de la que eres capaz.

COMUNICACIÓN

Expresiones relacionadas con los hábitos de estudio

- ***Costar / Interesar***
  (A mí) ***Me cuesta*** *concentrarme.*
  (A mí) ***Me interesa*** *la música.*
  Las matemáticas no ***me cuestan****.*
- ***Aburrirse / Divertirse / Arriesgarse***
  Me aburro *con los ejercicios repetitivos.*
  Me divierto *cuando hacemos presentaciones.*
  Me arriesgo *cuando construyo frases diferentes.*
- **Otros verbos relacionados con el estudio:**
  Participo *en clase.*
  Tomo *apuntes.*
  Busco *nuevas estrategias.*
  Saco *buenas / malas notas.*
  Apruebo / Suspendo *un examen.*

Repasa El presente y los verbos reflexivos en la sección de Gramática al final del libro.

B **Vuelve a leer el test y añade las palabras que van con los siguientes verbos.**

1 explicar: *un tema* 3 buscar: __________ 5 utilizar: __________
2 desarrollar: __________ 4 hacer: __________ 6 sacar: __________

C **¿Estás de acuerdo con el resultado del test? ¿Cuáles crees que son las mejores estrategias para aprender en la clase de español? Coméntalo con tu compañero y decididlo juntos.**

D **¿Tienes buenos o malos hábitos de estudio en la clase de español? Te damos algunos ejemplos; añade tres más en cada columna.**

Buenos hábitos	Malos hábitos
Participar en clase. *Tomar apuntes.*	*No hacer los deberes.* *No escuchar al profesor.*

Avanza Recoge los buenos hábitos de los compañeros y confecciona un póster con las contribuciones de todos los miembros del grupo.

3 **A** **Lee este decálogo del buen alumno. Elige los tres puntos que consideras más importantes.**

UN BUEN ALUMNO

1. Debe respetar a sus compañeros y a su profesor.
2. Debe hacer preguntas y ser curioso.
3. Debe cumplir con los plazos para entregar los trabajos.
4. Debe conocer sus capacidades y limitaciones.
5. Debe colaborar con el profesor y los compañeros.
6. Debe ser activo.
7. Debe explorar intereses personales.
8. Debe ser autónomo.
9. Debe tener una mentalidad abierta.
10. Debe reflexionar sobre su propio aprendizaje.

B **¿Cómo debe ser un buen músico, un buen pintor o un buen cantante? Elige uno de ellos y escribe tres puntos que tú consideras importantes.**

LÉXICO

Las colocaciones

Las palabras aparecen normalmente en combinación con otras. Estas combinaciones reciben el nombre de colocaciones. Algunos tipos son:

- **Verbo + sustantivo:**
  Elegir un tema
  Cometer errores
  Aprobar un examen

- **Nombre + adjetivo:**
  Mentalidad abierta
  Toque personal
  Ideas originales

Conocer las colocaciones de las palabras es necesario para el uso correcto de la lengua.

COMUNICACIÓN

Expresar obligación

Deber

(yo)	**debo**		
(tú)	**debes**		
(él, ella, usted)	**debe**	+	**infinitivo**
(nosotros/-as)	**debemos**		
(vosotros/-as)	**debéis**		
(ellos/-as, ustedes)	**deben**		

Un buen alumno ***debe hacer*** *preguntas.*
Un buen alumno ***debe ser*** *responsable de su aprendizaje.*

Estrategias

Son procedimientos que utilizamos para aprender mejor. No todos tenemos las mismas estrategias, cada persona tiene las suyas.

- *Hacer asociaciones de palabras.*
- *Utilizar colores y dibujos.*
- *Deducir por el contexto.*
- *Preguntar a la persona que habla.*
- *Consultar una gramática o un diccionario.*
- *Usar ejemplos si no conocemos la palabra concreta.*
- *Subrayar.*
- *Contrastar con la lengua materna u otras lenguas.*
- *Planificar lo que queremos.*

Cambios en los sistemas educativos

1 A (1) **Escucha y lee esta entrevista a un experto en educación. Actualmente, ¿cuáles son los cambios en la educación y qué papel tiene el profesor?**

Es un honor tener con nosotros al experto en educación Eduardo Vallejo, que nos habla hoy de los cambios que están ocurriendo en la educación a nivel mundial. Vamos con la primera pregunta: ¿cuál cree que es el cambio más importante en la educación actual?

Creo que la educación está cambiando, principalmente por las tecnologías. Las TIC* están revolucionando la forma de enseñar.

¿Eso quiere decir que el rol del profesor está perdiendo importancia?

No, en absoluto; al contrario, el profesor sigue teniendo un papel muy importante, crucial, pero como guía, como facilitador del aprendizaje, y no como transmisor de conocimientos. El profesor debe promover el pensamiento crítico, es decir, los estudiantes deben cuestionar, analizar y criticar antes de tomar una decisión.

Está diciendo algo muy interesante, que me lleva a la próxima pregunta: ¿cuáles son los retos principales para este cambio que está sucediendo en la educación actual?

El alumno debe prepararse con diversas herramientas; estas herramientas son capacidades, actitudes o habilidades que ayudan a aprender a vivir en este mundo globalizado. Muchos gobiernos están invirtiendo en los sistemas educativos, pero su contribución debe ser mayor. La educación, en mi opinión, está cambiando positivamente en muchos países, pero, a la vez, está viviendo una crisis en muchos otros aspectos (...).

*Tecnologías de la Información y la Comunicación

B Subraya en el texto anterior el gerundio de estos verbos. Hay dos irregulares, ¿cuáles son?

cambiar • revolucionar • tener • suceder • perder • ocurrir • invertir • vivir • decir

C (1) **Escucha otra vez la entrevista y, sin leerla, completa las frases.**

Los gobiernos	1	________ está cambiando a nivel mundial.
La educación	2	________ están revolucionando la enseñanza.
Los profesores	3	________ no están perdiendo importancia.
Las TIC	4	________ están invirtiendo en los sistemas educativos.

GRAMÁTICA

El gerundio

Se forma sustituyendo las terminaciones del infinitivo *(-ar, -er, -ir)* por:
-ando: infinitivos terminados en ***-ar***
-iendo: infinitivos terminados en ***-er***, ***-ir***

*La educación está **cambiando**.*
*¿El rol del profesor está **perdiendo** importancia?*
*La educación está **viviendo** una crisis.*

Algunos gerundios irregulares:

decir: **diciendo**	oír: **oyendo**
contribuir: **contribuyendo**	leer: **leyendo**
pedir: **pidiendo**	ir: **yendo**
dormir: **durmiendo**	venir: **viniendo**

Perífrasis verbales con gerundio:

Son construcciones de un verbo + gerundio:
- ***Estar*** + **gerundio:** expresa el desarrollo de la acción:
  ***Están ocurriendo** cambios en la educación.*
- ***Seguir*** + **gerundio:** expresa el desarrollo sin interrupción de la acción:
  *El profesor **sigue teniendo** un papel importante.*

estoy / sigo **estás / sigues** **está / sigue** **estamos / seguimos** **estáis / seguís** **están / siguen**	**+ gerundio**

2 A Estos alumnos opinan sobre los cambios en la educación en una revista de actualidad. Completa sus opiniones utilizando perífrasis verbales con gerundio.

¿QUÉ ESTÁ CAMBIANDO Y QUÉ SIGUE IGUAL EN LA EDUCACIÓN?

B ¿Está cambiando la educación en tu comunidad? Coméntalo con tu compañero.

3 A Los siguientes títulos han sido extraídos de un artículo informativo sobre el sistema educativo en Bolivia. Lee el artículo y coloca los títulos. Compara tu respuesta con la de un compañero.

La estructura del sistema educativo	La educación en Bolivia	El futuro	Algunos datos

Presente y futuro de nuestra educación

CARLOS MANUEL BLÁZQUEZ

(1) La Educación en Bolivia

El objetivo de la educación boliviana es formar al individuo integralmente para su realización como persona. A continuación, se presenta un resumen de la estructura del sistema educativo y la situación de la educación en este país.

(2) La estructura del sistema educativo

La organización educativa está constituida por niveles y modalidades y tiene como fundamento el desarrollo psicosocial de los alumnos y las características de cada región del país.

Los niveles del sistema educativo son graduales en función de los diferentes estados de desarrollo de los alumnos. Estos son cuatro:

a) Educación Preescolar
b) Educación Primaria
c) Educación Secundaria
d) Educación Superior

Los niveles se aplican en modalidades de acuerdo con las características del alumno y las condiciones socioeconómicas del país. Estos son:

-De menores -De adultos -Especial

(3) Algunos datos

- La mayoría de los maestros en Bolivia son mujeres.
- La población escolar comprende alumnos de 4 a 6 años para la Educación Preescolar, y de 6 a 19 años para la Primaria y Secundaria.
- La Educación Primaria es obligatoria y gratuita, y dura 8 años; la Secundaria no es obligatoria. La escolaridad, para algunos, se prolonga más allá de los cuarenta años (Educación de adultos).
- 8 de cada 10 chicos y chicas de entre 6 y 19 años van a la escuela. Esto significa que hay miles que no disfrutan de este derecho.

(4) El futuro

Bolivia ha progresado a nivel educativo y ocupa un lugar importante entre los países latinoamericanos. Muchos centros educativos están estableciendo iniciativas para cambiar lo que se llama la educación tradicional boliviana. Los especialistas están hablando de tres conceptos claves para cambiar la situación de la educación en el país y como reto de la educación del futuro: investigación, innovación y cooperación.

Información obtenida de www.dgb.sep.gob.mx y *El timbrazo*

B ¿Es similar el sistema educativo en tu país? ¿Cómo son los niveles y las modalidades? Coméntalo con tu compañero.

C Lee la información en los dos últimos apartados del artículo y decide si estas afirmaciones son verdaderas (V) o falsas (F). Justifica tu respuesta con palabras del texto.

		V	F
1	En Bolivia no hay maestros del sexo masculino. Justificación: *La mayoría de los maestros en Bolivia son mujeres.*	☐	☒
2	El período de escolaridad obligatoria es hasta los 19 años. Justificación: La Secundaria no es obligatoria	☐	☒
3	Hay muchos chicos y chicas que no van a la escuela. Justificación: ~~8 de cada 10 chicos entre 6 y 19 va a la escuela~~	☒	☒
4	El sistema educativo boliviano es mejor que antes. Justificación: Bolivia ha progresado a nivel educativo	☒	☐
5	La educación en Bolivia ha sido siempre moderna. Justificación: Muchos centros están estableciendo iniciativas para cambiar de la educación tradicional boliviana	☐	☒

Avanza Escribe un breve artículo sobre la situación actual de la educación en tu país u otro país utilizando el artículo informativo de Bolivia como modelo.

LÉXICO

La estructura del sistema educativo

Niveles:
- Educación Preescolar
- Educación Primaria
- Educación Secundaria
- Educación Superior (Universitaria)

Modalidades:
- Educación de menores
- Educación de adultos
- Educación especial

Comunidad educativa:
- Alumno/-a / Estudiante
- Maestro/-a
- Profesor(a)
- Director(a)
- Padres / Madres

Instituciones educativas:
- La guardería
- El colegio
- La escuela
- El instituto
- La universidad

Otras formas de educarse

1 **A Señala qué actividades has hecho alguna vez dentro o fuera de tu centro educativo.**

baile • deporte • talleres de escritura / lectura • fotografía • teatro • danza
patinaje • escultura • cocina • canto • voluntariado en una ONG • acrobacia
gimnasia • idiomas • música • yoga • pintura • viajes • natación

B Mira las actividades que ha hecho David desde el comienzo de la escuela secundaria hasta ahora y relaciona las frases de la columna de la izquierda con los datos de la columna de la derecha.

1 David toca la guitarra y estudia francés **desde** — a poco tiempo
2 **Hace** años **que** — b 2009
3 Practica natación **desde hace** — c canta en un coro

C Pregunta a tu compañero qué actividades realiza y desde cuándo.

estudiar idiomas • practicar deportes • pintar • hacer deportes acuáticos • hacer gimnasia
practicar ciclismo • hacer yoga • jugar al ajedrez • tocar un instrumento musical • hacer teatro

- *¿Estudias italiano?*
- *Sí.*
- *¿Desde cuándo estudias italiano?*
- *Desde hace 2 años.*

2 **A Mira la agenda de Marta y completa las frases.**

16:00 *El lunes, **antes de** hacer el voluntariado en la ONG, Marta practica natación.*
18:00 *El lunes, **después de** practicar natación, Marta hace el voluntariado en la ONG.*

07:00 1 El lunes, antes de ________________, Marta ________________.
17:00 2 El martes, antes de ________________, Marta ________________.
18:00 3 El miércoles, después de ________________, Marta ________________.
07:00 4 El jueves, antes de ________________, Marta ________________.
17:00 5 El viernes, después de ________________, Marta ________________.

	Lunes 5	Martes 6	Miércoles 7	Jueves 8	Viernes 9
07:00	correr			yoga	
08:00	instituto	instituto	instituto	instituto	instituto
16:00	natación		teatro		clase de violín
17:00		curso de alemán			curso de alemán
18:00	voluntariado ONG		natación		
19:00		clase de violín			

Repasa Los días de la semana.

COMUNICACIÓN

Expresar duración

- *Desde*

Nos referimos a un punto concreto en el pasado, expresa el momento en que comienza algo: ***desde*** *ayer / 2013 / septiembre.*

*Trabajo allí **desde** el año pasado.*

- ***Desde hace / Hace ... que***

Nos referimos a todo el periodo de tiempo que ha transcurrido desde el comienzo de algo: ***desde hace / hace*** *dos días / meses / años.*

- *¿Cuánto tiempo **hace que** / **Desde** cuándo estudias alemán?*
- ***Desde hace** un año. / **Hace** un año **que** estudio alemán.*

Relacionar dos hechos en el tiempo

- ***Antes de / Después de*** **+ infinitivo:**

Antes de *ir a la clase de alemán…*
Después de *practicar yoga…*

B Escribe las actividades que haces durante la semana en una agenda similar a la de Marta e intercámbiala con tu compañero. Ahora, escribe cinco cosas que hace tu compañero utilizando *antes de* y *después de*.

Tim va a la clase de francés después de salir del instituto.

3 A (2) Mira los tableros de Marta en Pinterest y escúchala hablando sobre una actividad que es muy útil para su equilibrio físico y emocional. ¿De qué actividad habla?

B Marta le escribe un mensaje en Facebook a una amiga contándole su nueva actividad. Completa el texto con las formas adecuadas de los siguientes verbos.

acabar de • poder • tener que • empezar a • ir a

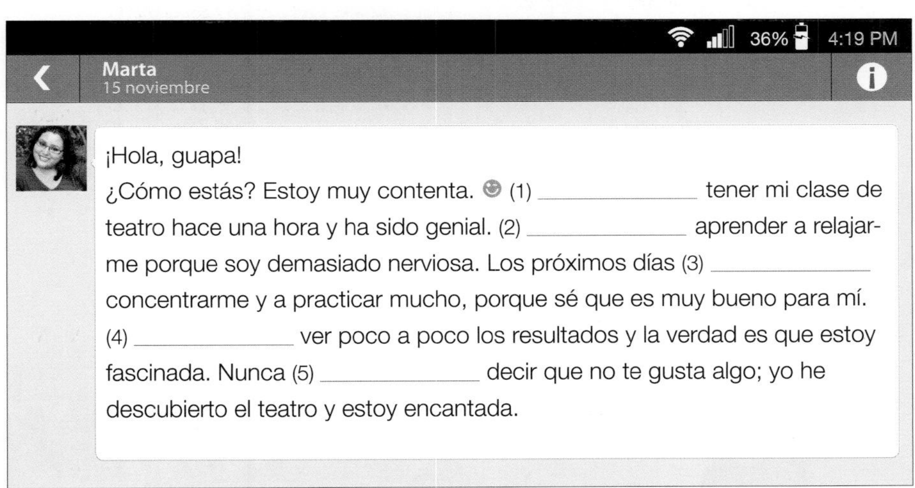

¡Hola, guapa!
¿Cómo estás? Estoy muy contenta. (1) ____________ tener mi clase de teatro hace una hora y ha sido genial. (2) ____________ aprender a relajarme porque soy demasiado nerviosa. Los próximos días (3) ____________ concentrarme y a practicar mucho, porque sé que es muy bueno para mí. (4) ____________ ver poco a poco los resultados y la verdad es que estoy fascinada. Nunca (5) ____________ decir que no te gusta algo; yo he descubierto el teatro y estoy encantada.

GRAMÁTICA

Perífrasis verbales con infinitivo

- ***Empezar a* + infinitivo:** expresa el comienzo de una acción.
  Empiezo a sentir *cambios.*
- ***Acabar de* + infinitivo:** expresa el final muy reciente de una acción.
  Acabo de salir *de mi clase de música.*
- **Otras perífrasis con infinitivo:**
  ***Deber* + infinitivo:** expresa obligación.
  ***Tener que* + infinitivo:** expresa obligación.
  ***Poder* + infinitivo:** expresa posibilidad.
  ***Ir a* + infinitivo:** expresa futuro.

4 A (3) Estas palabras de la unidad tienen las letras *b* y *v*. Escucha cómo se pronuncian. ¿Notas alguna diferencia entre la *b* y la *v*?

B Ahora, escribe *b* o *v* según corresponda.

1 creati_idad	5 ni_el	9 cam_iar	13 acro_acia
2 de_er	6 educati_os	10 in_estigacion	14 _iajes
3 alfa_etización	7 esta_lecer	11 inno_ación	15 aca_ar
4 _oli_ia	8 iniciati_as	12 acti_idades	16 _ida

Avanza Escribe palabras de la misma familia a partir de las siguientes: *nivel, innovar, investigación, cambiar.*

ORTOGRAFÍA Y PRONUNCIACIÓN

B / V

La ***b*** (be, be alta o be larga) y la ***v*** (uve, ve baja o ve corta) representan un mismo fonema (una consonante bilabial y sonora) y se pronuncian igual. La diferencia está en la ortografía:

- A principio de sílaba puede ser ***b*** o ***v***: ***b****uscar /* ***v****ida.*
- Se escribe ***b*** antes de ***l*** o ***r***: *ha****bl****ar / a****br****ir.*
- Al final de sílaba solo ***b***: ***ab****soluto.*

Bolivia

Cobija
BRASIL
PERÚ
Lago Titicaca
Trinidad
BOLIVIA
LA PAZ
Cochabamba
Oruro
Santa Cruz
SUCRE
Potosí
OCÉANO PACÍFICO
PARAGUAY
Tarija
CHILE
ARGENTINA

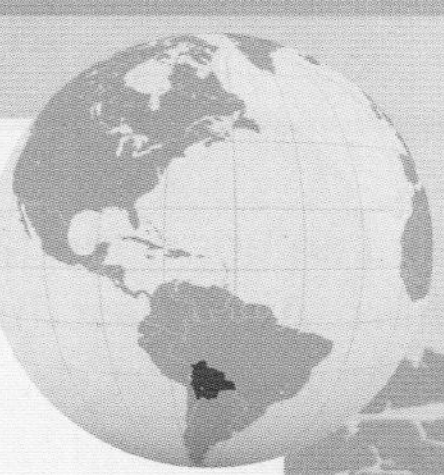

8

1 Relaciona las fotos de La Paz con las siguientes descripciones.

a El Palacio de Gobierno de Bolivia está situado frente a la Plaza Murillo y es de estilo neoclásico.

b La unidad militar del ejército boliviano recibe el nombre de *Colorados de Bolivia* y son escoltas del gobierno.

c Los pueblos indígenas bolivianos se agrupan en tres grandes regiones: la Amazónica, el Chaco y los Andes.

d Los amuletos son muy variados. Muchos son amuletos de la suerte y muchos otros, en honor a la *Pachamama* (de *pacha*, que en quechua significa 'tierra, universo, lugar', y *mama*, 'madre').

e La venta ambulante en las calles de La Paz es muy común. Se vende de todo, pero especialmente alimentos, como empanadas, frutas, zumos, etc.

f La industria textil es muy importante en Bolivia y muestra características de cada región y lugar donde se produce. En Bolivia encontramos tejidos muy típicos y coloridos. Son muy populares los llamados *ponchos*, conocidos en todo el mundo.

g Las calles de La Paz son una mezcla de tradición y modernidad.

h Los mercados callejeros son una parte muy importante de esta ciudad. En estos mercados se pueden encontrar una extensa variedad de productos: comida, artesanía, juguetes, libros, etc.

2 Lee el blog de Edi, un estudiante de español en Bolivia, y contesta a las siguientes preguntas.

1 ¿Por qué dice Edi que Bolivia es un vivo ejemplo de la unidad en la diversidad?
2 ¿Por qué se llama el curso *Idioma* +?
3 ¿Está contento Edi? ¿Por qué?
4 ¿En qué ciudad de Bolivia está Edi?
5 ¿Has hecho un curso de este tipo alguna vez?
6 ¿Crees que es importante aprender un idioma en el país donde se habla?

BLOG DE EDI GUZMÁN

CURSO IDIOMA +
(Potosí)

Bolivia es un vivo ejemplo de la unidad en la diversidad. Este país nos ofrece no solo bellos y diferentes lugares para visitar, sino una magnífica cultura representada por sus habitantes de decenas de etnias. En este contexto, he decidido inscribirme en un curso que se llama Idioma +. Este curso combina el aprendizaje de la lengua con la práctica de una actividad específica. Una lengua es el reflejo de una cultura, una civilización, y este curso ofrece acceso al descubrimiento de esa cultura a través de actividades como la música, la danza, el cine, la cocina, el deporte y muchas otras más. Estoy aprendiendo muchísimo y realmente estoy muy contento con esta forma de aprender la lengua. También tengo la posibilidad de hacer una parte del curso aquí en Potosí y la otra parte al lado del Lago Titicaca, ¡todo un lujo! ¡Muy recomendable!

3 En Bolivia se habla español, quechua, aimara, guaraní y muchas más lenguas indígenas. Lee con tu compañero las siguientes palabras, ¿puedes buscar alguna más?

QUECHUA
sí = *ari*
no = *mana*
gracias = *yusulpayki*

AIMARA
sí = *jisa*
no = *jani*
gracias = *pachi*

GUARANÍ
sí = *hêe*
no = *ahániri*
gracias = *aguyje*

La Paz
BOLIVIA

7 6 5 4

Acción - Reflexión

**Mira las fotografías. ¿Qué tipo de actividad están haciendo en cada una?
Y a ti, ¿qué tipo de actividad te gusta más hacer en clase?**

Acción

En parejas, elaborad el decálogo del buen profesor para exponerlo en la clase. Toda la clase tiene que votar para elegir el mejor decálogo. Son importantes la lengua utilizada y la presentación.

1. Tened en cuenta el decálogo del buen alumno que hemos visto en la unidad.
2. Utilizad el vocabulario y la estructura lingüística apropiada.
3. Presentadlo oralmente con un formato original.

Actitudes y valores

¿Eres un estudiante responsable? Responde *sí* o *no*.

	Sí	No
- Realizo todas las tareas que me asigna el profesor.	☐	☐
- Trabajo bien en equipo.	☐	☐
- Pongo atención en todo lo que hago.	☐	☐
- Soy responsable a la hora de gestionar el tiempo.	☐	☐

Reflexión

- **¿Crees que la educación en la actualidad promueve el pensamiento crítico, es decir, ayuda a los estudiantes a cuestionarse y analizar las cosas, así como a formarse su propia opinión?**
- **¿Crees que tu educación te ayuda a ser mejor persona?**

2 Consumo

- Hablar sobre ropa y moda
- Ir de compras
- Valorar qué es el consumo responsable
- Diseñar un catálogo de ropa
- Reflexionar sobre el reciclaje y la moda
- País: Colombia
- Interculturalidad: La importancia de la ropa en las distintas culturas
- Actitudes y valores: Respetar los criterios y los gustos de los otros

1 2 5

3

4

6

1 **Observa las fotos, ¿con qué tipo de ropa te identificas más?**

2 **¿Es importante para ti la apariencia exterior: ropa, peinado, maquillaje, accesorios?**

3 **¿Llevas siempre el mismo tipo de ropa o depende de la ocasión?**

4 **¿Crees que los jóvenes de otros países visten de una forma diferente?**

7

8

La moda

1 A Antes de leer una entrevista a una bloguera, comenta las preguntas con tus compañeros en pequeños grupos.

1 ¿Dónde compras la ropa normalmente?
2 ¿Te gusta la ropa de marca?
3 ¿Compras en las rebajas?
4 ¿Crees que la moda es solo cosa de chicas?

B Ahora, marca si las siguientes frases son verdaderas (V) o falsas (F). Después, justifica tus respuestas señalando en qué líneas del texto se encuentra la información.

1 Los jóvenes de hoy en día tienen un criterio propio a la hora de elegir la ropa. ☐
2 Hay muchas opciones para comprar la ropa. ☐
3 A todos los jóvenes les gusta vestir de una manera diferente. ☐
4 En las rebajas la gente compra más ropa. ☐
5 La moda es más importante para las chicas. ☐

TEMAS DE MODA Virginia Pérez

Hoy entrevistamos a Isabel Casas, una conocida bloguera experta en moda.

¿Dónde compran la ropa los jóvenes actualmente?
Los hábitos en la manera de comprar han cambiado mucho en los últimos años. A muchos jóvenes de hoy no les interesan las marcas, no les gusta comprar la ropa que lleva todo el mundo. Quieren llevar ropa especial, diferente, pero no pueden gastar mucho y, por eso, van a mercadillos donde pueden encontrar ropa más barata, porque en muchos casos se trata de ropa de segunda mano o de diseñadores poco conocidos, pero mucho más original que la que encuentran en las tiendas. Otros utilizan internet para comprar. Existen muchas tiendas *on-line* que les ofrecen precios muy interesantes y en las que pueden comprar la ropa de su marca favorita. Pero también hay jóvenes que no quieren ser «diferentes» y prefieren comprar una prenda de la marca que les gusta y que saben que les queda bien; suelen ir a centros comerciales donde pueden encontrar la ropa que está de moda cada temporada. Es lo bueno de la moda: se adapta a la personalidad de cada uno.

¿Por qué compramos ropa que no necesitamos?
La publicidad influye mucho a la hora de consumir. La moda es una industria, y cada temporada se lleva un color diferente, un diseño diferente, una tela diferente... Si no vestimos *a la moda* no formamos parte del grupo y, en general, nadie quiere quedarse excluido. Además, hay épocas del año en que prácticamente todo el mundo compra ropa que no necesita: cuando hay rebajas. La mayoría de las marcas y las tiendas ofrecen el *stock* que no han podido vender durante la temporada con descuentos que pueden llegar hasta el 70%.

¿Crees que la moda es cosa de chicas?
En absoluto. A los chicos también les gusta la ropa y tener un estilo propio. Muchos prefieren un estilo más deportivo, más cómodo, pero todos, o casi todos, se miran al espejo y se prueban varias prendas antes de salir de casa, igual que las chicas. Es verdad que la moda para chicas es más variada, posiblemente porque tienen opciones que los chicos no tienen, como los vestidos o las faldas. Además, las chicas suelen llevar más accesorios...

C En parejas, escribid una frase con la información más importante de cada respuesta que da Isabel Casas.

Avanza Subraya en el texto las palabras y expresiones relacionadas con la ropa.

2 A Lee estos pequeños diálogos y señala si B está de acuerdo con lo que dice A.

		De acuerdo
1	A Siempre voy a comprar cuando hay rebajas. B **Yo no**. A mí no me gustan nada las rebajas.	
2	A Yo no gasto mucho dinero en ropa. B **Yo sí**. Creo que gasto demasiado.	
3	A Siempre me pongo ropa deportiva. B **Yo también**. Me gusta la ropa cómoda.	
4	A Nunca compro ropa cara. B **Yo tampoco**. Prefiero gastar el dinero en otra cosa.	

LÉXICO

Comprar ropa

- ***Ir de compras / rebajas***
  *No me gusta nada **ir de compras**.*
- ***Gastar mucho / poco dinero***
  *Cuando voy de rebajas, **gasto** mucho dinero.*
- ***Probarse** una prenda*
  *Nunca **me pruebo** la ropa antes de comprarla.*
- ***Ponerse** una prenda*
  *Cuando voy a la playa, **me pongo** un sombrero.*
- ***Llevar** una prenda*
  *Voy a **llevar** el vestido rojo a la fiesta.*
- ***Quedar bien / mal** una prenda*
  ● *Este vestido me **queda muy mal**.*
  ■ *¡Que no, que te **queda muy bien**!*

B En parejas, leed las siguientes frases: uno lee una frase y el otro reacciona.

1 Voy de compras todas las semanas.
2 Siempre compro mi ropa por internet.
3 Yo nunca compro ropa en un centro comercial.
4 Nunca voy solo a comprar ropa.
5 Normalmente, me pruebo mucha ropa antes de comprar algo.
6 Yo siempre llevo accesorios.

yo también
yo tampoco
yo sí
yo no

3 A Observa cómo se llaman las prendas de vestir, ¿qué ropa llevas para cada una de estas ocasiones?

ir a una fiesta de un amigo • ir a una entrevista de trabajo • ir a una boda
dar un paseo por el campo en invierno • pasar un día en la playa

Yo para ir a una fiesta llevo un vestido...

MODA OUTLET

Ropa para hombre y para mujer con grandes descuentos. Envíos gratis por compras superiores a 29 euros.

MARCAS NIÑOS MUJER HOMBRE HOGAR OUTLET

ROPA

ROPA DE BAÑO

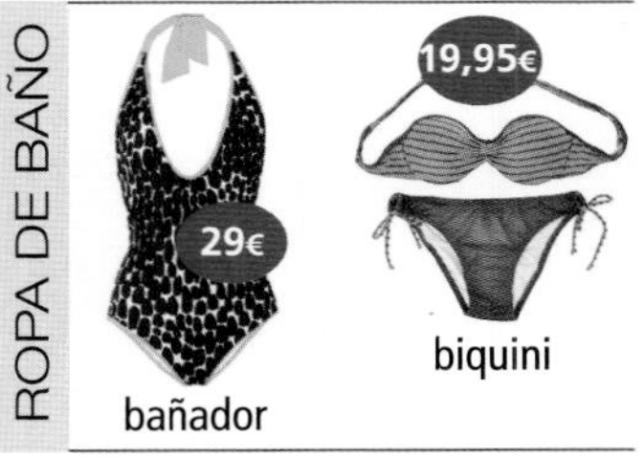

COMPLEMENTOS

ROPA INTERIOR

12€ calzoncillos

8,95€ bragas

CALZADO

Repasa Los colores y los números.

B (4) Algunas prendas de vestir se dicen de otra forma en cada país de habla hispana. Escucha y escribe cómo se dicen las siguientes prendas en Colombia.

1 zapatillas: ________ 3 pendientes: ________ 5 bañador: ________
2 bragas: ________ 4 sudadera: ________ 6 gorra: ________

COMUNICACIÓN

Reaccionar

De acuerdo

- *Siempre compro en las tiendas de mi barrio.*
- ***Yo también.***
- *Nunca llevo gorras.*
- ***Yo tampoco.***

En desacuerdo

- *No voy nunca de compras con mis padres.*
- ***Yo sí.***
- *Siempre me pruebo mucha ropa antes de comprar algo.*
- ***Yo no.***

LÉXICO

La ropa

Materiales y estilos:

- *una chaqueta / un abrigo* ***de piel / de lana***
- *una camiseta* ***de manga corta / larga***
- *un jersey* ***de cuello alto***
- *unos pantalones* ***largos / cortos / de deporte***
- *un abrigo* ***negro / de marca***
- *un vestido* ***de fiesta / de segunda mano***
- *una camisa* ***de rayas / de cuadros / lisa***
- *unos zapatos* ***de tacón***
- *una gorra* ***de béisbol***

Medidas:

- ***talla pequeña / mediana / grande*** *(para ropa)*
- ***número*** *(para calzado)*

Precios:

- *caro / barato*
- *rebajas*
- *descuentos*

Lugares:

- *una tienda*
- *un centro comercial*
- *un mercadillo*
- *una zapatería*

En cada país de habla hispana hay algunos nombres diferentes para las prendas de vestir. Por ejemplo, en Colombia: *calcetines = medias; sujetador = brasier; vaqueros =* jeans*; pantalones cortos = pantalonetas; medias = medias pantalón.*

De compras

1 A Lee el diálogo 1 y observa las palabras en negrita. Después, subraya el mismo tipo de palabras en el diálogo 2. ¿Qué cambios observas?

B Ahora escribe dos diálogos parecidos con las siguientes palabras.

1 camiseta – ir a la playa– ir a una fiesta
2 guantes – ir en moto – esquiar

Repasa Los pronombres de objeto directo en la sección de Gramática al final del libro.

GRAMÁTICA

Qué / Cuál / Cuáles

Para elegir entre varias opciones, podemos preguntar con ***qué*** o ***cuál / cuáles***.

- ***qué*** **+ sustantivo**
  *¿**Qué** bañador compro? / ¿**Qué** zapatos te gustan más?*
- ***cuál / cuáles*** **+** ***de estos/-as*** **(sustantivo / verbo)**
  Si la opción es singular, se usa ***cuál***:
  ● *(De estos vestidos) ¿**Cuál** te gusta más?*
  ■ *El vestido verde.*
  Si la opción es plural, se usa ***cuáles***:
  ● *¿**Cuáles** (de estos zapatos) te gustan más?*
  ■ *Los negros.*

2 A (5) Escucha y lee estos cuatro diálogos. Después, relaciónalos con los dibujos de la página siguiente.

A ☐
● Hola, ¿**le** puedo ayudar?
■ Hola, quiero un traje para ir a una boda.
● ¡Ah, muy bien! ¿Cómo **lo** quiere? ¿Gris, azul marino...?
■ No sé, ¿azul marino?
● Mire, ¿**le** gusta este?
■ ¿Es muy caro?
● Espere, que miro el precio en la etiqueta. Cuesta 150 euros. ¿Quiere probár**selo**?

B ☐
● ¿Y si **le** compramos este casco?
■ ¿No es muy caro?
● Pero somos cinco para el regalo, ¿no? ¿Y si **se lo** compramos juntos?
■ Vale, tienes razón. Vamos a comprár**selo**.

C ☐
● ¿**Les** gusta este vestido?
■ Sí, mucho, es muy bonito.
▲ Sí, **me** encanta, ¿cuánto cuesta?
● Antes, 60; ahora, 30 euros.
▲ ¡Qué barato!
■ ¿Por qué no **te lo** pruebas? Seguro que **te** queda muy bien.
▲ De acuerdo, voy a probár**melo**.

D ☐
● ¡Me gusta!
■ Sí, pero **te** queda un poco grande.
● Pero es que **me** gustan grandes. ¿**Me** puedes traer una talla más grande? ¡Por favor!
■ Vale, pero a mí **me** parece demasiado grande...

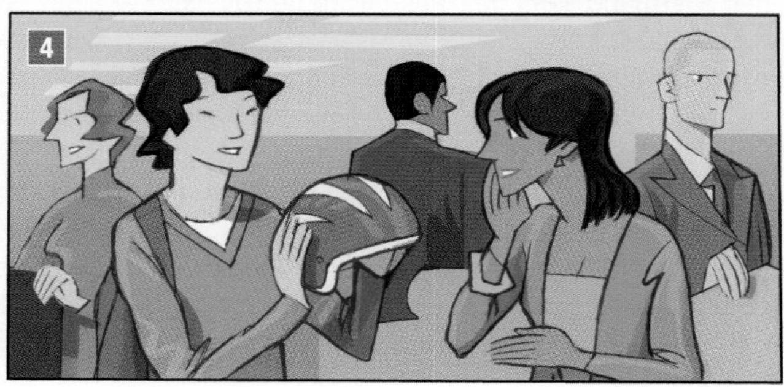

B En los diálogos hay muchos pronombres. Vuelve a leerlos y averigua a qué o a quién se refiere cada uno. Después, estudia el cuadro de gramática.

En «¿Le puedo ayudar?», «le» se refiere a «usted».

3 Completa las frases con los pronombres de OD o de OI que faltan.

1 Me gusta **esta chaqueta.** ¿Puedo probárme*la*?
2 **Le** vamos a regalar un sombrero **a Julián**. ¿_______ lo damos en la fiesta?
3 Mira **esta camisa**. ¿Quieres probárte_____?
4 Yo siempre me pongo **los pantalones** de mi hermano. Y siempre me _____ pongo para ir a bailar.
5 Estamos comprando el regalo de **Amanda**. _______ lo vamos a dar mañana.
6 Voy a comprar unas gorras **a los niños**. ¿_______ las compro rojas o azules?

4 A La madre de Alejo ha ido de rebajas y ha comprado ropa para toda la familia. Construye las frases de Alejo según el modelo.

¿A quién?	¿Qué?	¿Cuándo?
A papá	Unos vaqueros	Después de la cena
A Alejo	Unas botas marrones	Como regalo de Navidad
A mi hermana	Una camiseta blanca y un cinturón negro	El domingo
A mi hermano	Una sudadera gris	Esta noche
A su amiga	Unas gafas de sol	El día de su cumpleaños

A papá le ha comprado unos vaqueros y se los va a dar después de la cena.

B Y tú, ¿a quién haces regalos normalmente? ¿Cuándo se los das? Escribe tres frases y coméntalas con tu compañero.

Yo siempre le hago un regalo a mi hermano por su cumpleaños. Se lo doy el día de su cumpleaños o la noche antes.

Avanza Con un compañero, imagina que estás en una tienda de ropa: uno es el cliente y el otro, el dependiente. Representad un diálogo.

GRAMÁTICA

Los pronombres de objeto indirecto (OI)

- El objeto indirecto (OI) es un complemento del verbo e indica la persona destinataria de una acción.
  Hemos regalado una bicicleta a mi sobrino.
- El pronombre de OI se usa para sustituir a la persona, cosa o animal que actúa como objeto indirecto en una oración:

me	*¡**Me** han regalado una camiseta!*
te	***Te** doy el regalo de cumpleaños.*
le (se)	*A Luisa **le** han comprado un vestido.* * **Se** lo han comprado sus padres.*
nos	*¿**Nos** podemos probar las botas?*
os	*¿**Os** compro un regalo a cada uno?*
les (se)	*A ellos **les** han regalado unas gorras.* ***Se** las han regalado en la fiesta.*

- Es habitual utilizar en la misma frase el OI y también el pronombre de OI:
  *A Lucía **le** han regalado unos pendientes.*

Pronombres de OI y su combinación con el OD

- Siempre va primero el OI y después el OD:
  ***Me lo** han regalado por mi cumpleaños.*
  OI OD
- Cuando el OI es el de tercera persona ***(le, les)***, este se convierte en ***se***:
  - *¿Quién le da el regalo a Juan?*
  - ~~***Le***~~ ***lo** doy yo.* → ***Se lo** doy yo.*
  OI OD
- En las perífrasis con infinitivo o con gerundio los pronombres pueden ir delante o detrás:
  *Queremos regalár**selo** (un sombrero - a mi padre) = **Se lo** queremos regalar.*
  *Está probándo**selos** (unos pantalones - él) = **Se los** está probando.*

De segunda mano

1 A Lee el siguiente fragmento de una revista de ecología y responde a las preguntas.

1 ¿Qué se utiliza para la fabricación de la ropa?
2 ¿Qué propone hacer con la ropa vieja el autor del artículo?
3 ¿Cuál es la diferencia entre reciclar y reutilizar?

QUÉ HACER CON LA ROPA QUE NO QUEREMOS

J. PÉREZ DEL OLMO

¿Tienes el armario lleno de ropa que ya no te gusta? ¿Tus vaqueros son demasiado cortos o están pasados de moda? Antes de tomar una decisión, tienes que pensar un momento. ¿Sabes que, en general, la ropa está fabricada con fibras y colorantes y que si la tiras estás contaminando? ¿Sabes que en su fabricación se ha empleado una energía que puedes ahorrar?

Si eres una persona responsable con el medio ambiente, puedes hacer dos cosas con la ropa que no vas a usar, además de regalársela a algún amigo o vecino. Si las prendas están en buen estado, puedes ir a una tienda de segunda mano y así obtener algo de dinero a cambio. También puedes venderla por internet. Pero si es una prenda de ropa vieja, puedes reciclarla. Según los expertos en reciclaje, no es lo mismo reciclar que reutilizar. Si reutilizas una prenda de ropa, estás alargando su vida y evitando un exceso de consumo. Si con esa prenda haces algo útil, como un bolso o una falda, estás reciclando.

B ¿Qué haces con tu ropa usada? Responde a las siguientes preguntas con *sí* (S) o *no* (N). Después, pregunta a dos compañeros (A y B) y anota sus respuestas.

	Yo	A	B
1 ¿Regalas la ropa que no utilizas a algún familiar, amigo o alguien de tu comunidad?	☐	☐	☐
2 ¿Reciclas la ropa vieja para confeccionar nuevas prendas (faldas, *shorts* o bolsos…)?	☐	☐	☐
3 ¿Vendes tu ropa usada en tiendas de ropa de segunda mano o en mercadillos?	☐	☐	☐
4 ¿Intercambias tu ropa con tus amigos y conocidos?	☐	☐	☐
5 ¿La vendes a través de webs de compra de ropa de segunda mano?	☐	☐	☐
6 ¿La dejas en un contenedor de reciclaje?	☐	☐	☐

C ¿Cuál de los tres hace un uso más responsable de su ropa usada? ¿Por qué?

2 A En un portal colombiano organizan actividades para concienciar sobre un consumo sostenible. Lee el siguiente evento, ¿qué actividad proponen?

consumosostenible

CONSUMOSOSTENIBLE Es un portal interactivo que busca concienciar y formar a las personas sobre la importancia del consumo responsable a través de una herramienta participativa.

JORNADA DE TRUEQUE VIRTUAL

Descripción del evento - Esta actividad consiste en intercambiar aquellos objetos que están en buen estado, pero que ya no usamos. El trueque es una práctica que existe desde tiempos inmemorables. El ser humano siempre ha tenido la necesidad de cambiar aquellos objetos que posee, pero no necesita, por aquellos que realmente desea. En nuestros días se ha retomado el concepto del trueque como una forma de consumo solidario.

Actividad - Haz una lista de los objetos que tienes para ofertar y otra de los objetos que estás interesado en obtener. Deja un número de contacto o tu correo electrónico y espera la invitación de alguien para comenzar a intercambiar.

¿QUÉ OFRECES? ¿QUÉ BUSCAS?

#1 Alfredo Hernández 15 de julio
¡Hola! En mi casa tengo muchos cómics de los años setenta y ochenta y quiero intercambiarlos por videojuegos. Si estás interesado, puedes responder a este anuncio.

Extraído de www.consumosostenible.co

B Ahora, participa y escribe un comentario con lo que tú puedes ofrecer. Después, lee los comentarios de tus compañeros. ¿Puedes intercambiar algo con ellos?

A Robert le interesa mi casco y a mí me interesa su tableta…

3 A En este instituto han hecho un mercadillo para vender objetos y ropa de segunda mano para una organización benéfica. El mercadillo ha terminado y ahora no saben de quién son las cosas que no se han vendido. Subraya los posesivos que aparecen y clasifícalos en la tabla.

		Pronombres posesivos
yo	mi / mis	
tú	tu / tus	
él / ella / usted	su / sus	
nosotros/-as	nuestro / nuestros	
vosotros/-as	vuestro / vuestros	
ellos/-as / ustedes	su / sus	

B Ahora, todos dejáis un objeto o una prenda encima de una mesa. El profesor elige un objeto y pregunta a uno de vosotros de quién es. Tenéis que responder sin decir el nombre del propietario.

- *Peter, ¿de quién es esto?*
- *Es suyo.*

4 A Lee en voz alta las palabras que aparecen en la tabla y subraya en qué sílaba llevan el acento.

Agudas ___ ___ ___	Llanas ___ ___ ___	Esdrújulas ___ ___ ___
vestir	moda	hábito

B (6) Ahora, escucha las siguientes palabras y escríbelas en la columna correspondiente, según su sílaba acentuada.

Avanza Busca 20 palabras en la unidad y clasifícalas en agudas, llanas y esdrújulas.

GRAMÁTICA

Pronombres posesivos

Sustituyen a un sustantivo e indican el poseedor.

Objeto	Un poseedor	Más de un poseedor
1.ª persona	mío, mía, míos, mías	nuestro, nuestra, nuestros, nuestras
2.ª persona	tuyo, tuya, tuyos, tuyas	vuestro, vuestra, vuestros, vuestras
3.ª persona	suyo, suya, suyos, suyas	suyo, suya, suyos, suyas

- *¿El abrigo es **tuyo**?*
- *No, no es **mío**.*

ORTOGRAFÍA Y PRONUNCIACIÓN

El acento

Las palabras llevan el acento en diferentes sílabas.

- **Agudas:** llevan el acento en la última sílaba *(baña**dor**, cintu**rón**, algo**dón**, re**loj**)*.
- **Llanas:** llevan el acento en la penúltima sílaba *(**ro**pa, cami**se**ta, **go**rra)*. La mayoría de las palabras en español son llanas.
- **Esdrújulas:** llevan el acento en la antepenúltima sílaba *(**cá**mara, **nú**mero, **jó**venes)*.

Observa:

- Aguda: *com**prar***
- Llana: *com**prar**lo*
- Esdrújula: *com**prár**melo*

Colombia

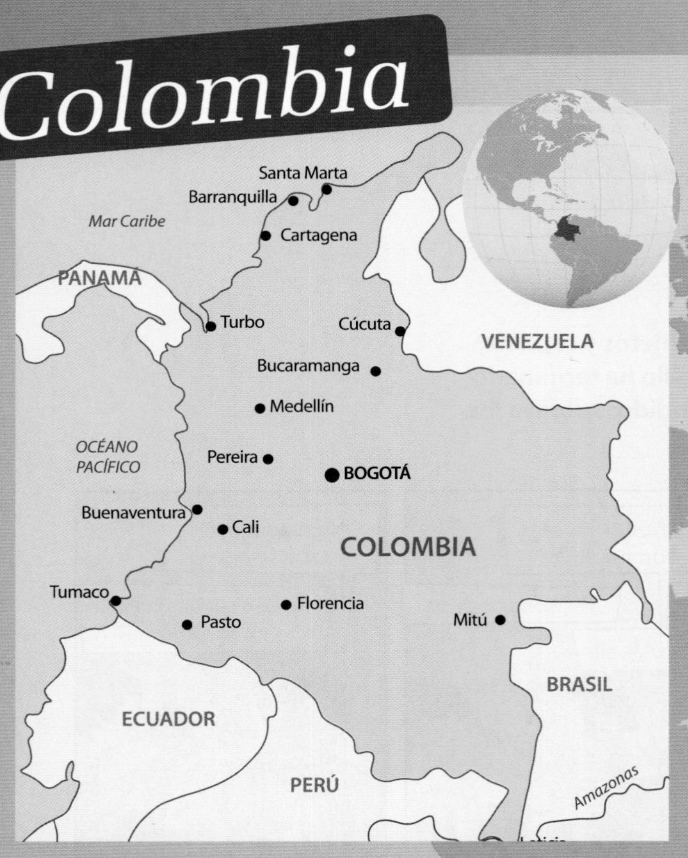

1 A Lee la siguiente información sobre Colombia y decide cuál es la opción correcta.

Colombia es un país situado en el noroeste de (1) **América del Sur / Centroamérica**. Tiene costas en el océano (2) **Índico / Pacífico** y también en el mar Caribe. Su nombre viene de Cristóbal Colón. Tiene casi (3) **cincuenta / veinte** millones de habitantes, que provienen del mestizaje entre europeos, indígenas y africanos. También hay inmigrantes de Oriente. En Colombia se habla español, que coexiste con más de (4) **sesenta / cinco** lenguas amerindias. Las ciudades más importantes son: Bogotá (la capital), Medellín, Santiago de Cali, Barranquilla y Cartagena de Indias. Escritores como Gabriel García Márquez y Álvaro Mutis, el artista Fernando Botero y los músicos (5) **Juanes y Shakira / Celia Cruz y Gloria Estefan** son colombianos. En Colombia se interpretan muchos tipos de música, pero el vallenato y la (6) **cumbia / salsa**, entre otros, son originarios de este país. Colombia es el tercer productor de (7) **café / aceite** del mundo.

B (7) Ahora, escucha y comprueba.

Cartagena de Indias

Salento (Eje Cafetero)

La cumbia

Bogotá

2 **Busca esta canción en internet de la cantante colombiana Shakira y escúchala. ¿Cómo termina la canción?**

PIENSO EN TI

Cada día pienso en ti,
pienso un poco más en ti.
Despedazo mi razón,
se destruye algo de mí.
Cada día pienso en ti,
pienso un poco más en ti.
Cada día pienso en ti,
pienso un poco más en ti.
Cada vez que sale el sol,
busco en algo el valor para
continuar así.

Y te veo así* no te toque,
rezo por ti cada noche,
amanece y pienso en ti.
Y retumba en mis oídos el
tic tac de los relojes
y ______________________
______________________.

* aunque

3 **A** **Las siguientes prendas son típicas de Colombia. ¿Qué prenda te gusta más? ¿Cuál te parece más útil?**

EL SOMBRERO VUELTIAO

El sombrero vueltiao es una prenda tradicional del Caribe colombiano, declarado Símbolo Cultural de la Nación en 2004. Está hecho con materiales vegetales de colores negro y beis, que se tejen en tramas geométricas. Muchos colombianos lo usan para protegerse del sol y del calor.

LA MOCHILA

La mochila es uno de los accesorios más usados y queridos por los colombianos. Se trata de un bolso de un tejido tradicional indígena que sirve para llevar objetos personales. Existen diversas clases de mochilas, pero las más populares son las de los indígenas wayúu (península de la Guajira) y las de los arhuacos (Sierra Nevada de Santa Marta). Estas mochilas se confeccionan con materiales vegetales que se tejen en dibujos geométricos.

EL CARRIEL

Este bolso de cuero de vaca es un accesorio típico de la región de Antioquia, situada en el noreste del país. El término *carriel* proviene de una adaptación de la expresión en inglés *carry all* (en español, *cargar todo*). El carriel se usa principalmente por los trabajadores de esta zona del país que se dedican a la ganadería y que montan a caballo.

B **¿Cuál es la prenda o complemento típico de tu país? Después, escribe un texto similar a los anteriores con su descripción.**

Mira estas fotos: ¿qué tienen todas en común? Elige una de ellas y habla sobre uno de estos temas:

- Dónde se produce y dónde se consume la ropa
- Las marcas
- La moda
- Los centros comerciales
- El dinero que se gasta la gente en ropa

1

2
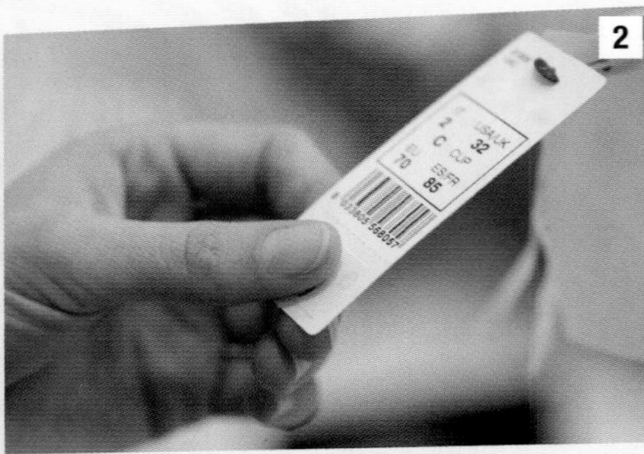

3

4

5

Acción

Vais a diseñar en pequeños grupos un catálogo de ropa para una temporada. Distribuid los siguientes trabajos entre los miembros del grupo:

1 Buscad información sobre catálogos *on-line*.
2 Decidid el diseño del catálogo y la forma en que vais a presentarlo.
3 Haced o buscad las fotos. Después, escribid los pequeños textos que acompañan a las fotos.
4 Corregid y revisad la versión final.
5 Presentad vuestro catálogo a la clase. ¿Qué catálogo os ha gustado más? Podéis seguir los siguientes criterios (u otros): originalidad, diseño, corrección lingüística...

VESTIDO DE RAYAS DE MANGA CORTA

Ideal para los días de verano

Colores: Blanco y negro

Tallas: de la 34 a la 44

Precio: **49 €**

Actitudes y valores

Responde a las siguientes preguntas.

En la elaboración del catálogo:
- ¿Has descubierto que tus compañeros tienen gustos parecidos o diferentes a los tuyos?
- ¿Has aceptado sus propuestas?
- ¿Te ha resultado fácil o difícil ponerte de acuerdo con ellos?

Reflexión

- **Mira las etiquetas que tienes en tu ropa. ¿De dónde es la ropa que llevas puesta? ¿Por qué crees que se fabrica en esos países? ¿Te parece bien? ¿Por qué?**
- **¿Cómo influyen la moda y el consumo en tu vida diaria?**
- **¿Crees que se recicla más en algunas partes del mundo que en otras? ¿Por qué?**

3 Trabajo

- Valorar aptitudes y habilidades para un trabajo
- Hablar de desarrollo profesional
- Informar sobre la vida laboral
- Elaborar un currículum
- Reflexionar sobre la importancia del trabajo
- País: Paraguay
- Interculturalidad: El trabajo en distintas culturas
- Actitudes y valores: Valorar la formación para el futuro laboral

1

2

3

4

1 **Observa las fotos, ¿qué profesiones tienen estas personas?**

2 **¿Qué hacen en sus trabajos?**

3 **¿Cuál de estos trabajos te parece más interesante?**

4 **¿Qué tipo de trabajo quieres tener en el futuro?**

5

6

Profesiones

1 A Lee el siguiente reportaje de una revista de tendencias. ¿Cuál es la profesión de estas tres personas?

asistente personal • creador(a) de aplicaciones • forense digital
bloguero/-a • probador(a) de videojuegos • cazador(a) de tendencias

¿Y TÚ, A QUÉ TE DEDICAS?

Actualmente, no todos somos médicos, abogados, contables o profesores. Cada día nacen nuevas profesiones, nuevas formas de ganarse la vida. Vivimos en un nuevo mundo y miles de personas en el planeta trabajan de otra forma. **BLANCA DÍAZ**

Jennifer, 21 años

Siento pasión por la moda y por la gente que viste de una manera diferente. Trabajo para una agencia de publicidad y me encanta mi trabajo. Lo bueno es que paso muchas horas en la calle, normalmente en el centro de las ciudades, y organizo mi horario como yo quiero. Soy como una detective: observo a la gente, analizo cómo visten, qué compran, a qué locales entran... Con una cámara pequeña o con mi móvil suelo hacer fotos a las personas que tienen un *look* especial. También paso parte de mi tiempo buscando información delante del ordenador.

Santiago, 26 años

Yo me dedico a un trabajo muy especial. Trabajo para un actor muy muy famoso y soy su secretario, recepcionista, chófer, agente de viajes, psicólogo, confidente, calendario y despertador. Para hacer mi trabajo, tienes que ser una persona muy organizada, tener un control absoluto de la agenda de tu jefe y, sobre todo, tener mucha paciencia. Lo bueno de mi trabajo es que viajo mucho y conozco a muchos famosos; lo malo es que no tengo un horario y no puedo separarme de mi ordenador ni de mi móvil, no tengo tiempo libre y tengo que estar siempre preparado porque en cualquier momento pueden llamarme. Suelo trabajar muchas horas al día, pero tengo un buen sueldo, me pagan muy bien.

Andrés, 25 años

Lo mío es la informática, me encantan las nuevas tecnologías. Me dedico a identificar y descubrir información relevante en fuentes de datos como imágenes de discos duros, memorias USB, hago «autopsias» a ordenadores... Recupero y leo información digital para resolver ciberdelitos, un tipo de delincuencia que cada vez aumenta más. Suelo trabajar para clientes particulares, pero a veces también trabajo para empresas. Lo malo de mi trabajo es que no tengo un sueldo fijo cada mes, porque soy autónomo.

COMUNICACIÓN

Expresar hábitos

Soler + infinitivo

(yo)	suelo	
(tú)	sueles	
(él, ella, usted)	suele	+ infinitivo
(nosotros/-as)	solemos	
(vosotros/-as)	soléis	
(ellos/-as / ustedes)	suelen	

*¿A qué hora **sueles llegar** a casa? = ¿A qué hora llegas normalmente a casa?*

Expresar aspectos positivos

***Lo bueno** de mi trabajo es que viajo mucho.*

Expresar aspectos negativos

***Lo malo** de ser cocinero es que me levanto muy temprano.*

Para hablar del trabajo

- ***Siento pasión por** la moda.*
- ***Lo mío es** la informática / **son** las matemáticas.*
- ***Trabajo para** una agencia de publicidad.*
- ***Suelo trabajar** muchas horas al día.*
- ***Paso mi tiempo** en la calle / haciendo fotografías.*
- ***Me dedico a** descubrir información / un trabajo muy especial.*

LÉXICO

El mundo laboral

- empresa
- empresario
- sueldo
- jefe
- empleado
- cliente
- horario fijo / flexible
- (trabajador) autónomo
- prácticas
- experiencia laboral

Repasa El presente en la sección de Gramática al final del libro.

B Vuelve a leer el reportaje. ¿A quién corresponden las siguientes informaciones?

1 Se dedica a recuperar información. *Andrés*
2 Lo suyo es la moda. ____________
3 Suele viajar mucho. ____________
4 Tiene un horario de trabajo flexible. ____________
5 Siente pasión por los ordenadores. ____________
6 Pasa muchas horas con su jefe. ____________
7 Trabaja para empresas y particulares. ____________
8 Está contento con su sueldo. ____________

C ¿Sabes qué hace una persona que se dedica a estas profesiones? Imagina que tú tienes uno de estos trabajos. Escribe un texto como los anteriores.

dependiente • asesor de imagen • diseñador gráfico • sociólogo • enfermero

Avanza Inventa una profesión y describe qué hace una persona que se dedica a ella.

2 A Lee el siguiente texto extraído de internet. ¿En qué tipo de página web puedes encontrarlo?

- especializada en psicología ☐
- especializada en *marketing* ☐
- especializada en recursos humanos ☐
- especializada en orientación académica ☐

Inicio | Opinión | Empleo | Cursos | Contacta

PROCESO DE SELECCIÓN

Para encontrar un trabajo, además de tener la titulación necesaria para el puesto, es importante demostrar una serie de habilidades básicas durante el proceso de selección. En primer lugar, normalmente, se suele hacer una prueba de conocimientos generales y, después, una prueba de conocimientos específicos para el trabajo que quieres conseguir (por ejemplo, de matemáticas, de ciencias o de idiomas).

Existen otras habilidades que son más difíciles de demostrar, pero que son necesarias para el trabajo, como tener la capacidad de aprender, trabajar en equipo y tomar decisiones. Hay capacidades que las empresas suelen esperar de sus empleados, como ser responsable, tener autocontrol, tener habilidades sociales, ser honesto, ser creativo o tener la capacidad de adaptarse a situaciones nuevas. También es importante saber presentarse, saber negociar y mostrar sentido común.

En la entrevista de trabajo, algunos empresarios también valoran mucho si sus futuros trabajadores son simpáticos, tienen sentido del humor o buen gusto en el vestir. Es decir, en un proceso de selección para un trabajo, el equipo de recursos humanos no suele valorar solo los conocimientos o las habilidades profesionales y sociales del candidato, sino también las cualidades personales.

B Completa la tabla con expresiones del texto para hablar de habilidades y capacidades.

Tener...	*la titulación necesaria*
Tener capacidad de...	
Ser...	
Saber...	

C ¿Qué habilidades crees que tienes tú? ¿Tienes otras? ¿Cuáles son las más importantes para ti? Coméntalo con tus compañeros.

Yo soy muy responsable...

3 A (8) Escucha las siguientes profesiones y completa la sílaba que falta.

1 ____luquero
2 a____gado
3 ____señador
4 mé____co
5 ____licía
6 blo____ro
7 violinis____
8 ____loto
9 farmacéu____co
10 ____marero
11 ____bero
12 filólo____

Avanza Escribe las profesiones anteriores en femenino.

B (9) Escucha las formas familiares de estos nombres y escríbelas. Después, léelas en voz alta.

1 Francisco: ____________
2 Catalina: ____________
3 Antonio: ____________
4 José: ____________
5 Pilar: ____________
6 Gabriel: ____________
7 Bibiana: ____________
8 Alberto: ____________

ORTOGRAFÍA Y PRONUNCIACIÓN

Consonantes oclusivas

Cuando pronunciamos estas consonantes, lo hacemos en dos pasos: primero bloqueamos completamente el aire y después lo dejamos salir (excepto cuando ***b, d*** o ***g*** están entre vocales, en ese caso no se bloquea el aire completamente al principio).

- **Sordas** (no vibran las cuerdas vocales):
P: ***p**ublicista*
T: *doc**t**or*
C (K): ***c**onserje*

- **Sonoras** (vibran las cuerdas vocales):
B: *a**b**ogado*
D: *mé**d**ico*
G: *lo**g**opeda*

Desarrollo profesional

1 A (10) **Lee y escucha: ¿en qué situación están las dos personas que hablan? ¿De qué tema hablan?**

Situación:		**Tema:**	
- Entrevista de trabajo	☐	- El desempleo juvenil	☐
- Programa de radio	☐	- Las prácticas en empresas	☐
- Conversación entre amigos	☐	- Hechos que cambian la vida laboral	☐
- Concurso de televisión	☐	- La importancia de la formación	☐

- ● Tenemos la primera llamada de la mañana. Hola, buenos días.
- ■ ¿Hola?
- ● Hola. ¿Nos dices tu nombre?
- ■ Fátima, Fátima Rodríguez.
- ● ¿Y cuántos años tienes?
- ■ Diecinueve.
- ● Muy bien, Fátima. Dinos, ¿qué fue lo más importante que te pasó el año pasado en tu vida profesional?
- ■ Pues lo más importante fue que aprendí a conducir un autobús.
- ● ¡Pero tú eres muy joven! ¿Y cómo aprendiste?
- ■ Me enseñó mi padre... Es que mi padre es conductor de autobuses... ¡Pero después fui a una autoescuela para sacarme el carné de conducir!
- ● ¿Y ahora estás trabajando como conductora de autobuses?
- ■ Sí, en la empresa de mi padre. ¡Y estoy encantada!
- ● Muchas gracias por tu llamada, Fátima. ¡Y enhorabuena!
- ■ Gracias. ¡Adiós!

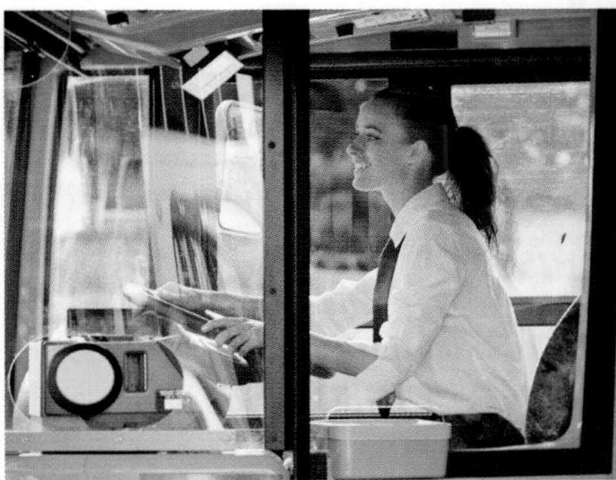

B (11) **Ahora escucha la grabación completa y marca cuál de las siguientes cosas le ocurrió a cada uno.**

	Fátima	Alberto	Lucía
1 Ganó un concurso internacional de música.			
2 Vendió su coche para estudiar un máster.			
3 Descubrió su verdadera vocación.			
4 Aprobó el examen de entrada a la universidad.			
5 Abrió su propio restaurante.			
6 Aprendió a conducir un autobús.			

C Las personas anteriores, al referirse a un momento concreto en el pasado, utilizan el pretérito indefinido. Clasifica los siguientes verbos según sus terminaciones.

gané ● aprendiste ● abrió ● aprendí ● abrí ● ganaste ● aprendió ● abriste ● ganó

1.ª persona (yo)	**2.ª persona** (tú)	**3.ª persona** (él, ella, usted)

Avanza ¿Cómo traduces este tiempo verbal en tu idioma o en otro idioma que conoces?

D Y a ti, ¿qué fue lo más importante que te pasó el año pasado? Coméntalo con tu compañero.

● *Yo aprendí a bailar salsa.*
■ *Pues yo gané un premio de dibujo.*

GRAMÁTICA

El pretérito indefinido

- Se usa para hablar e informar sobre acciones y acontecimientos del pasado que se presentan finalizadas.
- Se suele utilizar con marcadores temporales como *ayer, el año / mes pasado, hace tres días / años / meses...*
  ***Entré** en esta empresa hace dos años.*
  *El año pasado **abrí** mi propio negocio.*
  *Ayer, en la entrevista de trabajo, no **comprendí** una pregunta.*

Verbos terminados en *-ar*:

	entrar
(yo)	entr**é**
(tú)	entr**aste**
(él, ella, usted)	entr**ó**
(nosotros/-as)	entr**amos**
(vosotros/-as)	entr**asteis**
(ellos, ellas, ustedes)	entr**aron**

Verbos terminados en *-er*:

	comprender
(yo)	comprend**í**
(tú)	comprend**iste**
(él, ella, usted)	comprend**ió**
(nosotros/-as)	comprend**imos**
(vosotros/-as)	comprend**isteis**
(ellos, ellas, ustedes)	comprend**ieron**

Verbos terminados en *-ir*:

	descubrir
(yo)	descubr**í**
(tú)	descubr**iste**
(él, ella, usted)	descubr**ió**
(nosotros/-as)	descubr**imos**
(vosotros/-as)	descubr**isteis**
(ellos, ellas, ustedes)	descubr**ieron**

2 A ¿A qué persona se refieren los verbos que están en negrita?

yo • tú • él • usted • nosotros • vosotros • ellos

1 • ¿Y cuándo **acabaste** el máster? → *tú*
■ Lo **terminé** hace dos años. → ________
2 • ¿Cuándo **aprendió** tu hermano a cocinar profesionalmente? → ________
■ En 1980.
3 • ¿Y cuándo **empezasteis** las prácticas en la empresa? → ________
■ Las **empezamos** el martes pasado. → ________
4 • Tus abuelos **vivieron** en México, ¿no? → ________
■ Sí, hace muchos años. Creo que **emigraron** en los sesenta. → ________
5 • Fernando, ¿qué **estudiaste** cuando **acabaste** Bachillerato? → ________
■ No **estudié** nada, **trabajé** en un restaurante durante seis meses. → ________
6 • Señora Hernández, ¿cuándo **vendió** su empresa? → ________
■ No la **vendí**, la **cerré** en junio. → ________

B Lee las frases anteriores y haz una lista con los marcadores temporales que aparecen. Después, escoge tres y escribe una frase con cada uno.

3 A Lee estas informaciones sobre personajes paraguayos: ¿cuál es su profesión?

compositor(a) ☐ científico/-a y humanista ☐ político/-a ☐ futbolista ☐

1 Andrés Barbero (1877-1951)
Desarrolló la campaña de higiene más importante de Paraguay e hizo grandes aportaciones al servicio médico.

2 José Asunción Flores (1904-1972)
Creó el género musical autóctono de Paraguay: la guarania. Estuvo exiliado en Argentina desde 1954 hasta su muerte.

3 Arsenio Erico (1915-1977)
Fue uno de los mejores jugadores de Sudamérica de todos los tiempos y el más importante de Paraguay.

4 Carmen Casco de Lara Castro (1918-1993)
Fue una de las principales luchadoras a favor de los derechos humanos durante la dictadura de Stroessner (1954-1989). En esa época, entre otras cosas, defendió los derechos de los presos políticos y creó la Asociación Cultural de Amparo a la Mujer.

B ¿Qué otras cosas crees que hicieron los personajes anteriores? Relaciónalos con las siguientes informaciones.

A Jugó durante varios años en el Independiente de Avellaneda de Argentina, país en el que tuvo sus mayores éxitos y donde alcanzó el récord como máximo goleador de la historia. ☐
B Fundó la Comisión Paraguaya de los Derechos Humanos. ☐
C Fundó la Cruz Roja Paraguaya. ☐
D Compuso la famosa canción *Recuerdos de Ypacaraí* y dio muchos conciertos en toda su vida. ☐

Avanza Busca en internet la letra de la canción *Recuerdos de Ypacaraí* y escúchala.

C Subraya los verbos irregulares que aparecen en los textos y en las frases de los ejercicios 3A y 3B y lee la información del cuadro de gramática.

D Piensa en un personaje importante y escribe qué hizo (sin decir su nombre). Después, léelo en voz alta: tus compañeros tienen que adivinar quién es.

GRAMÁTICA

Verbos irregulares en pret. indefinido

	tener
(yo)	tuv**e**
(tú)	tuv**iste**
(él, ella, usted)	tuv**o**
(nosotros/-as)	tuv**imos**
(vosotros/-as)	tuv**isteis**
(ellos, ellas, ustedes)	tuv**ieron**

- Todos estos verbos con raíz irregular tienen las mismas terminaciones que *tener:*
estar: **estuv-** hacer: **hic-**
poner: **pus-** venir: **vin-**
poder: **pud-** saber: **sup-**
*Te **hice** una pregunta y no **supiste** qué contestar.*

- El verbo ***decir*** tiene una terminación diferente en la tercera persona del plural (***-jeron*** en lugar de *-jieron*): *dije, dijiste, dijo, dijimos, dijisteis, di**jeron**.* Los acabados en *-ducir (traducir, introducir, conducir),* también: *tradu**jeron**, introdu**jeron**...*

- Estos verbos irregulares, a diferencia de los regulares, que llevan el acento en la última sílaba en primera y tercera persona *(trabajé / trabajó, comí / comió...)*, se acentúan en la penúltima: *es**tu**ve / es**tu**vo, **pu**de / **pu**do...*

- Otros irregulares: los verbos ***ser*** e ***ir*** (que tienen la misma forma) y el verbo ***dar***.
***Fue** presidente entre 1990 y 1994.*
***Fui** a la universidad cuatro años.*
***Dio** los mayores éxitos a su equipo.*

	ser / ir	dar
(yo)	fui	di
(tú)	fuiste	diste
(él, ella, usted)	fue	dio
(nosotros/-as)	fuimos	dimos
(vosotros/-as)	fuisteis	disteis
(ellos, ellas, ustedes)	fueron	dieron

- Observa que los verbos que tienen una sola sílaba no llevan tilde: *fui / fue, di / dio.*

Vida laboral

1 A Graciela es una chica paraguaya que ha tenido una vida muy interesante. Relaciona las imágenes de su vida con las siguientes frases.

A 2 de febrero de 1986

B 1992

C 1995

D 2005-2008

E 2009-2010

F noviembre de 2010

G 2012

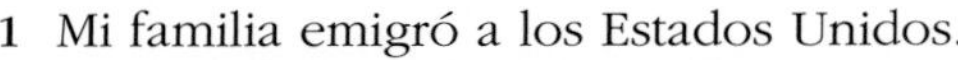
H 2014

1 Mi familia emigró a los Estados Unidos. ☐
2 Hice un máster en Sociología y Antropología en la Universidad de La Sorbona, en París. ☐
3 Me trasladé a Asunción con mi familia y aprendí a hablar español. ☐
4 Recibí un premio del gobierno paraguayo por mi trabajo en la defensa de la lengua guaraní. ☐
5 Volví a Paraguay y creé una editorial en lengua guaraní. ☐
6 Nací en el departamento de Amambay, en el norte de Paraguay, en una comunidad guaraní. ☐
7 Estudié Ciencias Políticas en la Universidad de Harvard. ☐
8 Pedí una ayuda al gobierno para mis publicaciones y traduje obras de la literatura universal al guaraní. ☐

B Ahora, lee el siguiente resumen sobre la vida de Graciela. Hay tres informaciones falsas, ¿puedes encontrarlas?

Graciela nació el 2 de febrero de 1986. **A los seis años**, cuando murió su padre, se trasladó a Asunción con su familia y aprendió español. **Cinco años después**, su familia emigró a los Estados Unidos. De 2005 a 2008 estudió Ciencias Políticas en la Universidad de Harvard. **Al año siguiente** se fue a Francia e hizo un máster en Sociología y Antropología en la Universidad de La Sorbona. Vivió en París **durante dos años**, hasta 2010, y **ese mismo año** regresó a su país y creó una editorial en lengua guaraní. **Al cabo de dos años** pidió una ayuda al gobierno para sus publicaciones y tradujo obras de la literatura universal al guaraní. **A los 30 años** recibió un premio del gobierno paraguayo por su trabajo en la defensa de la lengua guaraní.

C En el resumen anterior hay cinco verbos irregulares en pretérito indefinido, ¿puedes localizarlos?

COMUNICACIÓN

Situar acontecimientos del pasado

- *__A los 18 años__ terminó el Bachillerato.*
- *__Al año / mes / día siguiente__ encontró trabajó.*
- *__A la semana siguiente__ volví a la Universidad*
- *__Dos años / meses / días / semanas después__ se fueron a Berlín.*
- ***Al cabo de tres años / dos meses...***
- ***Ese mismo año / mes / día...***
- ***Esa misma semana...***
- *Estudié Medicina __de 1999 a 2004__.*
- *Estudié Medicina __hasta 2004__.*
- *Trabajó en la empresa __durante tres años__.*

GRAMÁTICA

Otros verbos irregulares en pretérito indefinido

Los siguientes verbos son irregulares en la tercera persona del singular y del plural:

	pedir (e > i)	**dormir** (o > u)	**leer** (i > y)
(yo)	pedí	dormí	leí
(tú)	pediste	dormiste	leíste
(él, ella, usted)	p**i**dió	d**u**rmió	le**y**ó
(nosotros/-as)	pedimos	dormimos	leímos
(vosotros/-as)	pedisteis	dormisteis	leísteis
(ellos/-as, ustedes)	p**i**dieron	d**u**rmieron	le**y**eron

- Otros verbos con la misma irregularidad:

e > i: *repetir, sentir, seguir, competir, elegir, medir, preferir, servir*

o > u: *morir*

i / e > y: *oír, caer*

2 A Lee el currículum de un chico español, ¿en qué apartado incluyes las informaciones de la derecha?

Currículum vítae

DATOS PERSONALES

Nombre y apellidos: Julio García León
Lugar y fecha de nacimiento: Málaga, 13/5/1988
Dirección: C/ Rosalía de Castro, 17, 3.º 1.ª, Cádiz
Teléfono: 669 00 34 56
(A) ____________

FORMACIÓN ACADÉMICA

2004-2006: Estudiante de Bachillerato en el IES María Zambrano de Málaga
(B) ____________
2011-2013: Universidad de Virginia (Estados Unidos). Máster en Administración Hotelera y Turismo

EXPERIENCIA LABORAL

2010: Prácticas en el Hotel Arts, Barcelona
(C) ____________
2014-actualidad: Organización de eventos y congresos para Jerez Plus, S. L.

IDIOMAS

Español: lengua materna
Inglés: nivel avanzado
Alemán: nivel básico
Francés: nivel avanzado
Italiano: nivel intermedio
(D) ____________

OTROS DATOS DE INTERÉS

Carné de conducir
(E) ____________
Amplios conocimientos de informática y de gestión hotelera
Gran capacidad para la comunicación y para la resolución de problemas

1. 2011-2013: Recepcionista en Richmond Hilton Hotel, Virginia
2. Disponibilidad para viajar
3. Correo electrónico: juliogarle@mail.com
4. 2006-2010: Universidad de Sevilla. Grado en Turismo.
5. Japonés: nivel básico

B Completa las frases con la información del currículum de Julio.

1 Estudió en el instituto María Zambrano **de** 2004 **a** 2006.
2 Estudió en la Universidad de Sevilla **hasta** 2010.
3 **Ese mismo** año hizo unas prácticas en un hotel en Barcelona.
4 **Al** año **siguiente** comenzó un máster en Estados Unidos.
5 Trabajó de recepcionista en un hotel en Virginia **durante** 2 años.
6 **A los** 2 años de empezar el máster lo terminó.
7 Trabaja organizando eventos en Jerez Plus **desde** 2014.

3 A (12) Escucha esta conversación entre dos estudiantes de Bachillerato sobre su experiencia laboral y responde a las preguntas.

1 ¿Ha trabajado Sofía alguna vez?
2 Y Javier, ¿dónde trabajó?
3 ¿De qué trabajó?
4 ¿Cuándo trabajó?
5 ¿Cuánto tiempo trabajó?

B Pregunta a tu compañero por su experiencia laboral. Puedes usar las preguntas anteriores como modelo. Si no has trabajado nunca, imagina que lo has hecho alguna vez.

- *¿Has trabajado alguna vez?*
- *Sí, en agosto trabajé en la tienda de mi tía…*

LÉXICO

Trabajos temporales

- Hacer de canguro
- Dar clases particulares a niños
- Cortar el césped
- Pasear perros
- Trabajar (en verano) en una tienda
- Trabajar (los fines de semana) de camarero

Paraguay

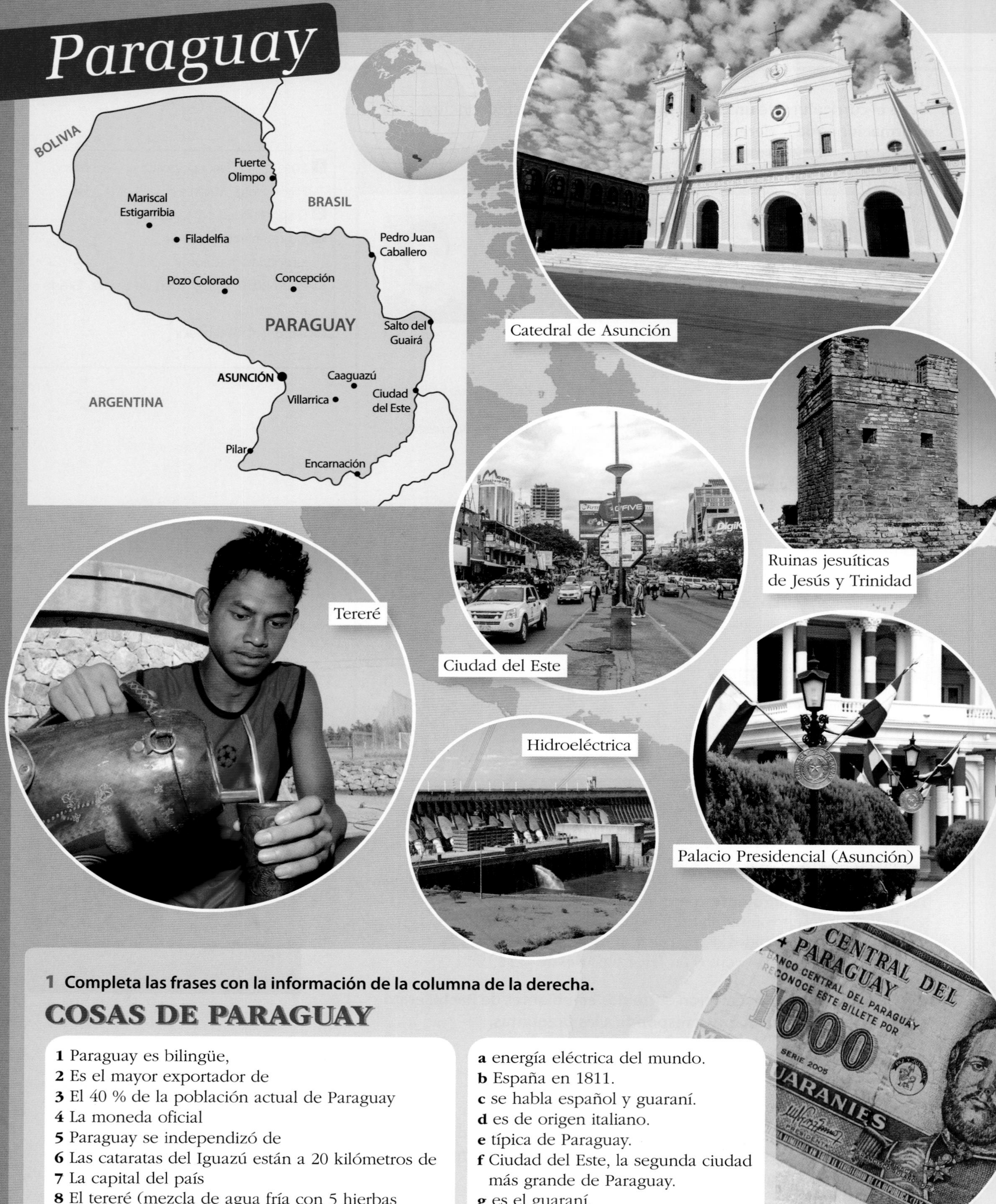

Catedral de Asunción

Ruinas jesuíticas de Jesús y Trinidad

Tereré

Ciudad del Este

Hidroeléctrica

Palacio Presidencial (Asunción)

Moneda oficial

1 Completa las frases con la información de la columna de la derecha.

COSAS DE PARAGUAY

1 Paraguay es bilingüe,
2 Es el mayor exportador de
3 El 40 % de la población actual de Paraguay
4 La moneda oficial
5 Paraguay se independizó de
6 Las cataratas del Iguazú están a 20 kilómetros de
7 La capital del país
8 El tereré (mezcla de agua fría con 5 hierbas refrescantes) es una bebida

a energía eléctrica del mundo.
b España en 1811.
c se habla español y guaraní.
d es de origen italiano.
e típica de Paraguay.
f Ciudad del Este, la segunda ciudad más grande de Paraguay.
g es el guaraní.
h es Asunción.

2 A ¿Sabes quién es Augusto Roa Bastos? Lee su biografía y anota qué profesiones tuvo a lo largo de su vida.

«El ver no es todavía saber. Nada se sabe mientras no se penetra en lo íntimo de las cosas».

ODA CONFIDENCIAL VI

Esto, mi compañero;
esto, no más,
sobre tu nombre quiero,
quiero inscribirlo.
Quiero, porque te quiero.

AUGUSTO ROA BASTOS

J. JAVIER MARTÍN

Augusto Roa Bastos (Asunción, Paraguay, 1917-2005), autor de novelas, cuentos, poesía o guiones para películas, recibió el prestigioso Premio Cervantes en 1989.

De origen vasco, portugués y guaraní, Augusto Roa Bastos nació el 13 de junio de 1917 en Asunción y pasó su infancia en Iturbe, un pequeño pueblo de la región del Guairá, en una cultura bilingüe guaraní y castellana.

A los 15 años, en 1932, cuando estalló la guerra entre Paraguay y Bolivia (conocida como guerra del Chaco), escapó con otros compañeros del colegio para ir a la guerra y trabajar como enfermero. A partir de ese año empezó a escribir teatro y trabajó como periodista para el diario paraguayo *El País*. Viajó muchas veces a Europa, en particular a Inglaterra.

En 1944 formó parte del grupo Vy'a Raity (*El nido de la alegría* en guaraní), decisivo para la renovación poética y artística de Paraguay en la década de los cuarenta.

En 1945 pasó un año en Inglaterra invitado por el British Council y, como corresponsal de guerra, entrevistó al general De Gaulle y asistió al juicio de Nüremberg en Alemania.

En 1947 tuvo que abandonar Asunción, amenazado por el gobierno paraguayo, y se fue a Buenos Aires, donde trabajó de empleado para una compañía de seguros; en Argentina publicó la mayor parte de su obra.

En 1976, a causa de la dictadura argentina, se trasladó a Francia, invitado por la Universidad de Toulouse, y vivió y trabajó en esta ciudad como profesor universitario de literatura y guaraní hasta 1989. Ese mismo año regresó a su país después del derrocamiento del presidente de Paraguay, Alfredo Stroessner. Hasta sus últimos días escribió una columna de opinión en el diario *Noticias de Asunción*. Murió en Asunción el 26 de abril de 2005.

A lo largo de su carrera, Roa Bastos recibió varios premios: el premio del British Council (1948), el Premio de las Letras Memorial de América Latina (Brasil, 1988), el Premio Cervantes (1989), el Premio Nacional de Literatura Paraguaya (1995) y distinciones de otros países. La última que recibió fue la condecoración José Martí, del gobierno cubano, en el año 2003.

B Busca las siguientes informaciones en el texto.

1 Guerra entre Paraguay y Bolivia. *Guerra del Chaco*
2 Diarios paraguayos. ________________
3 Grupo de teatro en los años cuarenta. ________________
4 Lengua de Roa Bastos, además del castellano. ________________
5 País donde Roa Bastos publicó casi toda su obra. ________________
6 País al que se trasladó durante la dictadura argentina. ________________
7 Nombre del presidente del Paraguay hasta 1989. ________________
8 Premio que recibió Roa Bastos en 1989. ________________

3 Lee el siguiente texto sobre el idioma guaraní. Después, busca una palabra guaraní en internet y explica a tus compañeros qué significa.

La lengua guaraní (en guaraní, *avañe'ẽ*) pertenece a la familia tupí-guaraní y la hablan aproximadamente ocho millones de personas en el Cono Sur. Junto con el español, es uno de los dos idiomas oficiales en Paraguay desde 1992, y es también idioma oficial en Bolivia. Se habla minoritariamente en el noreste de Argentina y es lengua oficial (junto con el español) en la provincia de Corrientes.

Acción - Reflexión

Mira las fotos: ¿a qué se dedican estas personas? ¿Crees que hay trabajos para hombres y trabajos para mujeres? ¿Por qué?

Acción

Vas a imaginar y escribir tu futuro currículum (CV). Después, tus compañeros de clase van a leerlo y van a decidir quién lo ha escrito.

1 Imagina que han pasado 10 años. ¿En qué año estamos?
2 Imagina dónde vives, qué has hecho y qué haces actualmente (formación académica, experiencia laboral, idiomas…).
3 Escribe tu CV, pero sin escribir tu nombre. Recuerda que tienes que añadir otros datos de interés.
4 Entrega el CV a tu profesor (tu profesor pone un número en cada CV y los expone en la clase).
5 Lee los CV de tus compañeros, toma nota del número de cada uno y escribe el nombre del compañero que crees que lo ha escrito. ¿Cuántos has acertado?

Actitudes y valores

Valora la actividad que has realizado. Responde *sí* o *no*.

	Sí	No
- Imaginar mi futuro me ayuda a saber qué quiero hacer profesionalmente.	☐	☐
- Elaborar mi currículum me permite proyectar mi futuro laboral.	☐	☐
- La actividad me sirve para conocer mejor a mis compañeros de clase.	☐	☐

Reflexión

- ¿Qué importancia tiene el trabajo en la vida de una persona?

- ¿Qué crees que es lo más importante en un trabajo: el sueldo, el tiempo libre, la motivación...?

4 Salud

- Conocer el cuerpo humano
- Hablar de problemas de salud y dar consejos
- Leer sobre la medicina naturista
- Escribir un artículo de opinión
- Reflexionar sobre qué significa una vida sana
- País: Nicaragua
- Interculturalidad: El concepto de vida sana en diferentes culturas
- Actitudes y valores: Valorar nuestro cuerpo y llevar una vida sana

1 Lee estos eslóganes relacionados con la salud y empaséjalos con las fotos.

a Comida sana, vida sana. ☐
b Con amor, se vive mucho mejor. ☐
c La fuente de la vida: el agua. ☐
d Sin amigos no hay equilibrio emocional. ☐
e Hacer deporte y en pareja… ¡perfecto! ☐
f Para relajarse, nada mejor que hacer yoga o meditación. ☐

El cuerpo humano

1 A ¿Conoces tu cuerpo? Señala si estas frases son verdaderas (V) o falsas (F). Comparte tus opiniones con un compañero y luego comprobad vuestras respuestas.

¿CONOCES TU CUERPO?

1. El cuello de una jirafa tiene el mismo número de huesos que el cuello humano. ◯
2. Tenemos 38 dientes. ◯
3. Por la mañana eres unos centímetros más bajo que por la tarde. ◯
4. El agua es el principal componente del cuerpo humano, que posee 75 % de agua al nacer y cerca del 65 % en la edad adulta. ◯
5. La mayoría de las personas cierra los ojos 15 veces por minuto. ◯
6. Más del 70 % de las personas tienen una pierna más larga que la otra. ◯
7. La comida pasa de una a dos horas en el estómago. ◯
8. Los dedos de los pies tienen una huella dactilar única, como los dedos de las manos. ◯
9. Hay muchas más mujeres zurdas (que utilizan la mano izquierda con preferencia a la derecha) que hombres. ◯
10. Un pelo de la cabeza tiene de dos a seis meses de vida. ◯

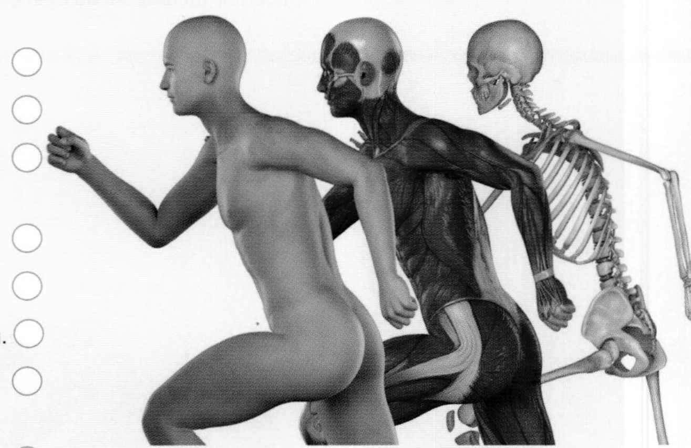

Soluciones: **1** verdadero; **2** falso (tenemos 32 dientes); **3** falso (eres más alto); **4** verdadero; **5** verdadero; **6** verdadero; **7** falso (está de tres a cinco horas); **8** verdadero; **9** falso (hay más hombres); **10** falso (tiene de dos a seis años)

LÉXICO

Las partes del cuerpo

* *vientre* es la parte exterior, *estómago* es la parte interior

Avanza ¿Te interesa saber cómo se llaman otras partes del cuerpo? Búscalas en el diccionario.

B ¿Qué partes del cuerpo se trabajan más en estas actividades? Coméntalo con tu compañero.

nadar • bailar • tocar el piano • leer • comer • pasear • jugar al tenis
montar a caballo • subir escaleras • practicar yoga • estudiar

Cuando nadamos, utilizamos los brazos y las piernas.

2 A **Lee este artículo sobre la vida de tres personas. ¿Quién te parece que lleva una vida más sana? Coméntalo con tu compañero.**

ESTILO DE VIDA por Marcos Moreno

MARIELA

Sé que la mayoría de los jóvenes van al gimnasio; yo no. A mí lo que más me gusta es correr. Voy al parque que está al lado de mi casa dos veces por semana. Estoy al aire libre, hago ejercicio, me encuentro con los amigos y ¡todo gratis! ¡Es perfecto! Eso sí, siempre llevo una botella de agua y, cuando termino, me siento, bebo y me relajo antes de volver a casa. Soy programadora y estoy mucho tiempo sentada, por eso correr es tan importante para mí. Mi problema es que no tengo tiempo para cocinar y compro casi siempre comida precocinada. Mis amigas hacen yoga, pero a mí no me gusta, me parece muy aburrido. Si estoy nerviosa o tensa, llamo a una amiga y nos vamos a dar un paseo.

MIGUEL ÁNGEL

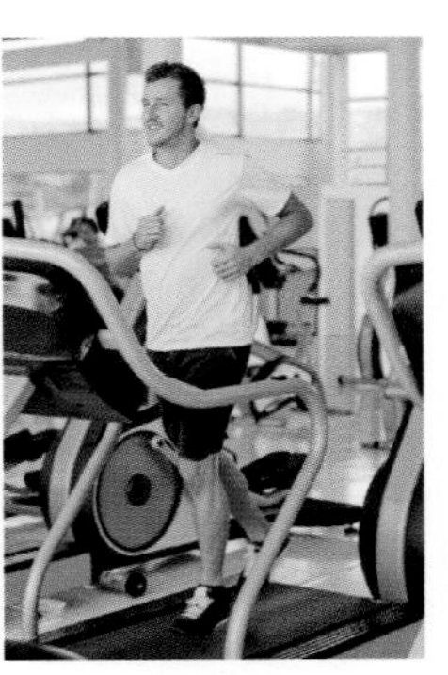

Yo trabajo muchas horas y solo tengo tiempo para hacer deporte los domingos. Voy al gimnasio y estoy casi tres horas, y así estoy en forma. También hago pausas en el trabajo y hago ejercicios de meditación y relajación que aprendí en un curso de la empresa. Desde entonces, he aprendido a respirar y a estar mucho más relajado. No tengo tiempo para cocinar y al mediodía siempre voy a un bar y como algo rápido, de pie. Bueno, y los fines de semana voy a casa de mis padres a comer. ¡Eso sí que es comida casera! Mi problema es que trabajo mucho y duermo muy pocas horas.

FÁTIMA

Yo no hago mucho deporte, pero voy todos los días a la universidad en bicicleta. Cuido mucho lo que como: compro siempre en un supermercado que tiene productos biológicos. Como muchas verduras y frutas y poca carne. El pescado no me gusta mucho, la verdad. Casi todos los días, cuando vuelvo a casa, voy a dar un paseo con mi perro. Bueno, los miércoles hago yoga. En casa paso mucho tiempo sentada, estudiando, y sí, también tumbada viendo la televisión. ¡Me encantan las películas de terror!

B **Escribe ahora tú un texto como el de la revista sobre tus rutinas de comida y ejercicio.**

3 A (13) **Escucha este** ***podcast*** **con un ejercicio para relajar el cuerpo y la mente que te va a servir para trabajar mejor. Cierra los ojos y hazlo.**

B **Ahora lee el podcast del ejercicio anterior y practica con un compañero.**

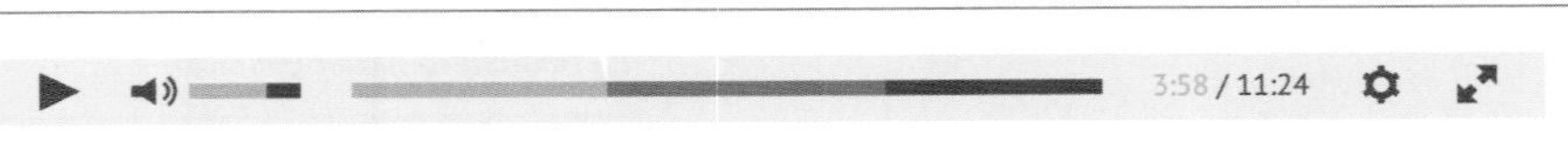

Buenos días, hoy te invitamos a realizar un ejercicio de relajación con nosotros.
Debes buscar una silla cómoda, colocar la espalda recta y los pies en el suelo. Si prefieres, puedes cerrar los ojos. Debes llevar la atención a tu cuerpo. Ahora, vas a respirar varias veces para llevar más oxígeno a tu cuerpo. Puedes observar los pies que tocan el suelo: ¿qué sensaciones tienes?, ¿calor, frío, tensión? ¿Cómo están tus piernas?, ¿están relajadas? ¿Y tus rodillas? ¿Y tus pies?, ¿están relajados?
Debes observar tu espalda en contacto con la silla: ¿está recta? ¿Cómo está tu estómago? Si está tenso, debes respirar profundamente. ¿Cómo están tus manos? ¿Y tus dedos? Debes relajarlos, igual que los brazos y los hombros. Si notas alguna tensión, tienes que respirar y relajar esa parte. Después, puedes observar el cuello, la cara; todo debe estar relajado. Ahora sientes todo tu cuerpo y puedes respirar una vez más. Si estás totalmente relajado, puedes abrir los ojos: tu cuerpo ya está preparado para trabajar.

LÉXICO

Estados físicos, mentales y de ánimo

- **Estar** tenso / nervioso / relajado
- **Estar** en forma
- **Estar** sentado / tumbado / de pie

- relajarse – la relajación
- meditar – la meditación
- respirar – la respiración
- cuidar(se) – el cuidado

Problemas de salud

1 A (14) **Escucha y lee estas conversaciones. Después, relaciónalas con los dibujos. ¡Hay dos diálogos de más!**

1 ● ¡Ay, me duele el pie, creo que me lo he torcido!
■ Pero ¿qué te ha pasado?
● Pues..., jugando al baloncesto...

2 ● ¡Estoy muy mareada!
■ ¿Has desayunado bien?
● ¡Ay, no! Me voy a la cafetería a comer y a beber algo. ¡Me duele la cabeza también!

3 ● ¿Qué te pasa?
■ No sé, me duele mucho el estómago. Creo que tengo un virus...

4 ● ¿Te encuentras mal?
■ Sí, creo que tengo fiebre. Y también tengo mucha tos.
● Seguro que tienes un catarro...

5 ● ¿Te encuentras bien, David?
■ No, ¡estoy agotado! Duermo unas nueve horas y me levanto cansado... ¿Qué crees que me pasa?
● No lo sé, pero debes ir al médico.

6 ● ¿Qué te ha pasado?
■ Me he caído, y me duele mucho el brazo. ¡Creo que me lo he roto!

B Ahora, practica los diálogos anteriores con un compañero. Puedes cambiar algunas palabras.

2 A (15) **Escucha y lee este diálogo de David con una nutricionista. ¿Qué problemas tiene? ¿Qué consejos le da la nutricionista? Después, con un compañero, añade dos consejos más.**

● Buenos días, ¿qué le pasa?
■ Me encuentro muy cansado, duermo mal, no tengo ganas de comer...
● ¿Tiene mucho estrés últimamente?
■ Pues sí. Estoy estudiando y trabajando y tengo muy poco tiempo libre.
● ¿Y come bien?
■ Pues, la verdad, no, porque no tengo tiempo de cocinar...
● ¿Y café? ¿Toma usted café?
■ Creo que demasiado, sí.
● Bueno, le voy a hacer unos análisis, pero, para empezar, es conveniente cambiar algunas cosas en su vida. Debe cuidar más la comida. Tiene que intentar tomar siempre productos frescos.
■ Sí, sí, de acuerdo...
● ¡Ah!, y debe dejar de tomar café, al menos durante unos meses.
■ Está bien, puedo tomar té, eso no es un problema...
● Muy bien. Además, lo mejor es practicar algún tipo de ejercicio de relajación contra el estrés. Puede hacer yoga, o meditación, pero hay muchas otras técnicas... ¿Por qué no se apunta a algún curso?
■ Sí, tengo amigos que hacen yoga y puedo ir con ellos.

Repasa Los verbos valorativos en la sección de Gramática al final del libro.

COMUNICACIÓN

Expresar malestar, sensaciones físicas y estados de ánimo

● ***¿Qué te pasa? ¿Qué te ha pasado?***
■ ***¿Te encuentras bien / mal?***

Me duele *la cabeza / el brazo / el estómago.*
Me duelen *las piernas / los ojos.*
Tengo *fiebre / tos / gripe / catarro / un virus.*
Tengo dolor de *cabeza / estómago.*
Estoy *cansado / agotado / enfermo / mareado / resfriado.*
Me he torcido *el pie. /* ***Me he roto*** *el brazo.*

Dar consejos

- ***¿Por qué no...?***
  ¿Por qué no *duermes un poco?*
- ***Debe(s)*** **+ infinitivo**
  Debe dejar *de tomar tanto azúcar.*
- ***Tener que*** **+ infinitivo**
  Tiene(s) que beber *más agua.*
- ***Lo mejor es*** **+ infinitivo**
  Lo mejor es tomar *esta infusión.*
- ***Es necesario / importante / conveniente*** **+ infinitivo**
  Es necesario hacer *ejercicio.*

LÉXICO

Remedios

- ***Tomar*** *una infusión / vitaminas.*
- ***Hacer*** *dieta / ejercicio.*
- ***Hacerse*** *unos análisis.*
- ***Ponerse*** *una crema / una bolsa de agua caliente.*
- ***Quedarse*** *en la cama / en casa.*
- ***Dejar de tomar*** *azúcar / café.*

B En parejas, representad un pequeño juego de rol: uno explica el problema (paciente) y el otro da consejos (médico). Después, cambiad los papeles.

- Saludar
- Preguntar por el problema
- Contar el problema
- Dar una solución / consejo
- Despedirse

Avanza Podéis filmar o grabar el diálogo para analizar vuestra interacción oral.

3 A Leed este artículo y comentad en grupos si en vuestra lengua, o en otras lenguas que conocéis, hay pronombres, verbos u otros recursos que determinan un uso formal o informal del lenguaje y en qué ocasiones se utilizan.

¿Cuándo se usa *tú* y cuándo se usa *usted*? Silvia Navarro

La diferencia entre *tú* y *usted* es clara desde el punto de vista gramatical. *Tú* se conjuga con la segunda persona de los verbos y *usted,* con la tercera, pero no es tan sencillo explicar cuándo se utiliza una u otra. Es verdad que se puede empezar diciendo que se utiliza *tú* (se tutea) en un registro informal, y *usted,* en un registro formal, pero en la práctica, ¿qué significa esto?

Usar una u otra forma depende de muchos factores, y por eso es imposible dar reglas universales. En primer lugar, la utilización de *tú* y *usted* es muy diferente en cada país. En muchos países hispanoamericanos se utiliza más *usted* que *tú*. Además, en Argentina, Bolivia, Costa Rica, El Salvador, Nicaragua, Paraguay, Uruguay y Venezuela se utiliza el *vos* en lugar del *tú*, aunque la frecuencia de uso no es igual en cada uno de estos países. En toda Hispanoamérica, *vosotros* es reemplazado por *ustedes*.

En general, en España se utiliza *tú* más que en el resto de países de habla hispana, pero también depende de la parte de España y de las situaciones. Los factores que más cuentan son:

- **La edad:** normalmente, los jóvenes se tutean incluso si no se conocen, y las personas mayores tutean a los jóvenes, aunque estos responden normalmente con *usted*.
- **La distancia:** a veces se utiliza *usted* porque se quiere marcar una distancia (entre jefe y empleados o en servicios públicos); es una cuestión social.
- **El respeto:** en general, siempre que queremos mostrar respeto a una autoridad, a una persona mayor, en un comercio, en un restaurante, etc., se utiliza *usted*.

Nuestro consejo para las personas que están aprendiendo español es que, en caso de duda, utilicen *usted*. Si el interlocutor prefiere tutearte, te lo va a decir. En muchos casos, los españoles utilizan *tú,* pero muestran el respeto con otros recursos como la entonación, los gestos e incluso la sonrisa. Estas cuestiones se aprenden poco a poco, por eso recomendamos empezar con *usted*.

B Imagina que estás en estas situaciones: ¿cómo tratarías a estas personas, de *tú* o de *usted*? Comentadlo en grupos. No hay una única solución.

1 En una tienda de ropa; el dependiente tiene unos veinte años.
2 En un banco donde vas a abrir una cuenta; la chica que te atiende tiene unos treinta años.
3 En un correo electrónico a una escuela, para preguntar por cursos de verano.
4 En un curso de español, al profesor.
5 En la calle, preguntas la dirección a una pareja de chicos de unos 18 años.
6 En un centro comercial, preguntas algo a una persona mayor de cincuenta años.
7 En una carta a la directora del instituto.

Vida sana

1 A Comenta con tus compañeros lo que sabes sobre este tipo de medicina y toma nota. Después, lee el artículo para comprobar vuestros conocimientos y aprender más. ¿Qué has aprendido o qué te ha sorprendido más?

La medicina naturista en Nicaragua

SEBASTIÁN NICOYA

El papel de la medicina naturista* se está revalorizando y, hoy en día, se presenta como una buena alternativa ante los problemas de salud. Uno de los países donde esta medicina ocupa un lugar muy importante es Nicaragua.
Nicaragua es un país donde se combina la medicina indígena con otros tipos de medicina para crear una medicina natural. Existe ya una carrera en la universidad que se llama Medicina Naturista, y es que en Nicaragua existe la primera ley de medicina natural del mundo. Esta medicina incluye ramas como la acupuntura, la aromaterapia, la cromoterapia, la homeopatía, la hipnosis y los masajes. A continuación, exploramos el origen de este tipo de medicina, su influencia en Nicaragua y, finalmente, describimos la materia prima utilizada en este tipo de medicina.

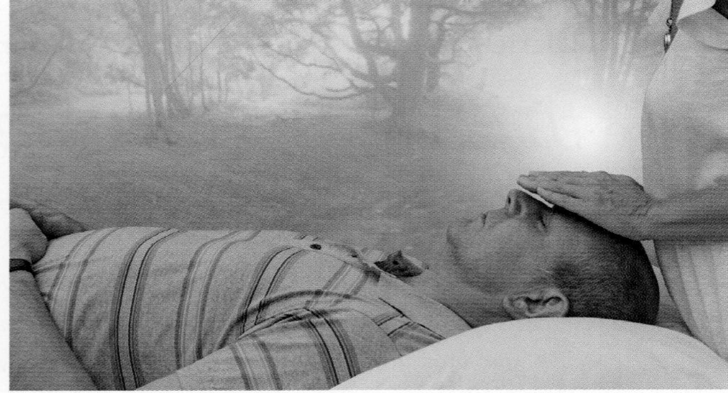

En primer lugar, es interesante conocer que el origen de la medicina naturista se remonta al comienzo de la humanidad, es decir, es la medicina más antigua. La medicina naturista considera a la persona como un todo, no como partes, ya que todo en nuestro ser está relacionado. Además, considera que la naturaleza puede sanar por sí misma.

En segundo lugar, se sabe que en las tribus indígenas desde siempre han existido los chamanes**, conocedores de muchos productos naturales. En Nicaragua, generalmente, esta persona siempre ha sido una mujer llamada *ticit*, que literalmente significa 'abuela iluminada'. Este tipo de medicina busca el equilibrio entre la mente y el cuerpo. Por eso, tanto los ejercicios de relajación y meditación como hacer ejercicio físico, estar en contacto con la naturaleza o tomar el sol son muy importantes. En resumen, la base está en disfrutar de un buen estado físico, mental y emocional.

Por último, con respecto a la materia prima empleada, esta medicina utiliza solamente remedios de origen natural, basados principalmente en el poder curativo de las plantas, y no utiliza ningún tipo de producto químico. Por otra parte, en este tipo de medicina se recomienda beber varios tipos de agua: agua de mar (medio litro al día, como mínimo), agua con chile (considerado energético) y agua de lluvia *aqüiagüite*, para las enfermedades de la piel.

En conclusión, la medicina naturista puede ser una buena y fácil opción para ayudar a conseguir una vida sana y un equilibrio físico y emocional.

* *naturista* viene de naturaleza
** *el chamán* es una persona que supuestamente tiene poderes sobrenaturales para curar a los enfermos, invocar a los espíritus o adivinar el futuro...

B Ahora, vuelve a leer el artículo y completa esta tabla con la idea general de cada parte.

Título	
Introducción	
En primer lugar	
En segundo lugar	
Por último	
Conclusión	

Repasa Los conectores en la sección de Gramática al final del libro.

C Busca en el artículo anterior conectores, subráyalos y clasifícalos en esta tabla.

organizar ideas	*en primer lugar*
añadir	
expresar causa	
expresar consecuencia	
aclarar	
concluir	

Avanza ¿Conoces más tipos de conectores? Haz un mapa mental con ellos.

D Según el artículo anterior, ¿estas frases son verdaderas (V) o falsas F)? Indica dónde encuentras la información en el texto.

1 Hay que crear una carrera universitaria de medicina naturista. ☐
2 Tenemos que buscar un equilibrio entre la mente y el cuerpo. ☐
3 Hay que tratar el cuerpo por partes. ☐
4 Debemos estar mucho tiempo al aire libre. ☐
5 Tenemos que utilizar también productos químicos. ☐
6 Hay que beber mucha agua. ☐

Repasa El verbo *deber* + infinitivo, que también puede expresar obligación, en la Unidad 1.

E Con un compañero, escribe otras tres frases sobre la vida sana que expresen obligación.

____
____
____

2 A Lee el cuadro de ortografía y pronunciación. Después, observa en el artículo anterior las palabras que llevan tilde y clasifícalas en esta tabla.

agudas	llanas	esdrújulas

B Con un compañero, ¿podéis añadir más palabras de la unidad en la tabla anterior?

COMUNICACIÓN

Unir partes de una frase: conectores

- Para organizar ideas: ***en primer lugar, en segundo lugar, por una parte / por otra parte, por último (finalmente)…***
- Para añadir: ***y, además, también…***
- Para expresar causa: ***y es que, ya que, porque…***
- Para expresar consecuencia: ***por ello, por eso…***
- Para aclarar: ***es decir, o sea…***
- Para concluir: ***en conclusión, en resumen, para resumir…***

COMUNICACIÓN

Expresar obligación

- ***Hay que*** **+ infinitivo**
  Hay que comer *de forma variada.*
  No hay que estar *mucho tiempo sentado.*
- ***Tener que*** **+ infinitivo**
  Tengo que beber *más agua.*
  No tienes que preocuparte *tanto por las calorías.*

ORTOGRAFÍA Y PRONUNCIACIÓN

La tilde

Algunas veces las palabras llevan acento gráfico, llamado *tilde*. Se siguen estas reglas:

- Llevan tilde las **agudas** si terminan en *n, s* o vocal *(a,e,i,o,u)*:
  *es**tá**, a**sí**, educa**ción**, es**trés***
- Llevan tilde las **llanas** que NO terminan en *n, s* o vocal *(a,e,i,o,u)*:
  *a**zú**car, **fá**cil*
- Las **esdrújulas** llevan TODAS tilde:
  *es**tó**mago, **quí**mico, **mé**dico*

Nicaragua

1 Lee el correo electrónico que Vicky le envía a su familia desde Nicaragua y relaciona las fotos con los números.

Para **Familia** Cc Cco

Asunto **Hola**

Querida familia:

¡Ya hace una semana que estoy en Nicaragua! Al principio tuvimos algunos problemas, porque la mayoría de las calles no tienen nombre y nos perdimos muchas veces. Cuando preguntas por una dirección, te dicen: «Sí, sí, camine dos calles hacia arriba y después de unos cinco minutos verá un árbol; pues a la derecha». Muy poético, pero muy difícil. Papá, te gustaría este país: aquí **(1) juegan mucho al béisbol**, aunque también juegan al fútbol.

Es un país precioso, **(2) volcánico** y tropical a la vez. El martes fuimos a pasar el día al **(3) lago Managua** o, como lo llaman aquí, Xolotlán. Aquí hay **(4) muchos indígenas,** como los miskitos, creoles y sumos. A veces los oyes hablar sus lenguas, pero todos hablan español. Muchos también hablan inglés. Abuela, te encantaría estar aquí, por la **(5) medicina natural.** Voy a comprar algunas hierbas para ti.

Vamos a quedarnos dos semanas más. Queremos ir a **(6) la selva tropical** del río San Juan. Dicen que se pueden ver muchos **(7) jaguares**, ¡e incluso **(8) quetzal!** A ver si puedo hacer fotos… Después, vamos a ir a una playa a descansar unos días. Hay unas **(9) playas maravillosas,** y casi desérticas… Desde aquí nos vamos a Costa Rica, y después, por supuesto, a descansar en una pequeña isla del Mar Caribe.

Bueno, os escribo desde Costa Rica.

¡Os quiero mucho!

Besos,

Vicky

F

G

H

I

2 En Nicaragua se aprobó la primera ley de medicina natural en el mundo. Comenta en un grupo pequeño las siguientes preguntas.

1 ¿Son legales las terapias naturales en tu país?
2 ¿Están incluidas en los seguros médicos?
3 ¿Se puede estudiar medicina natural en la universidad?

Ley de medicina natural de Nicaragua (Ley 774)
Artículo 5. Derecho de acceso a la medicina y a las terapias complementarias
La población, conforme al marco legal del país, tiene igual derecho al acceso y uso de la medicina natural, terapias complementarias y productos naturales, como al de las instituciones, establecimientos, servicios y programas de medicina convencional dentro del sistema Nacional de Salud.

3 Leed estos fragmentos de unos poemas de Rubén Darío y, en grupos, comentad el significado que tienen para vosotros. ¿Podéis añadir algún dibujo? Después, podéis recitarlos. Tenéis que concentraros en la pronunciación y en la entonación.

RUBÉN DARÍO (1867-1916)
Poeta y periodista. Es el personaje más internacional de los nicaragüenses. Es el máximo representante del movimiento literario llamado modernismo.

Abrojos

¡Día de dolor,
aquel en que vuela para siempre el ángel
del primer amor!

*****

Yo soy aquel que ayer no más decía

Yo supe de dolor desde mi infancia,
Mi juventud… ¿fue juventud la mía?
Sus rosas aún me dejan su fragancia…
Una fragancia de melancolía…

*****

Canción de otoño en primavera

Juventud, divino tesoro,
¡ya te vas para no volver!
Cuando quiero llorar, no lloro...
y a veces lloro sin querer...

*****

Acción - Reflexión

Mira estas fotografías: ¿De qué trastornos o problemas tratan? ¿Qué consejos puedes dar a estas personas?

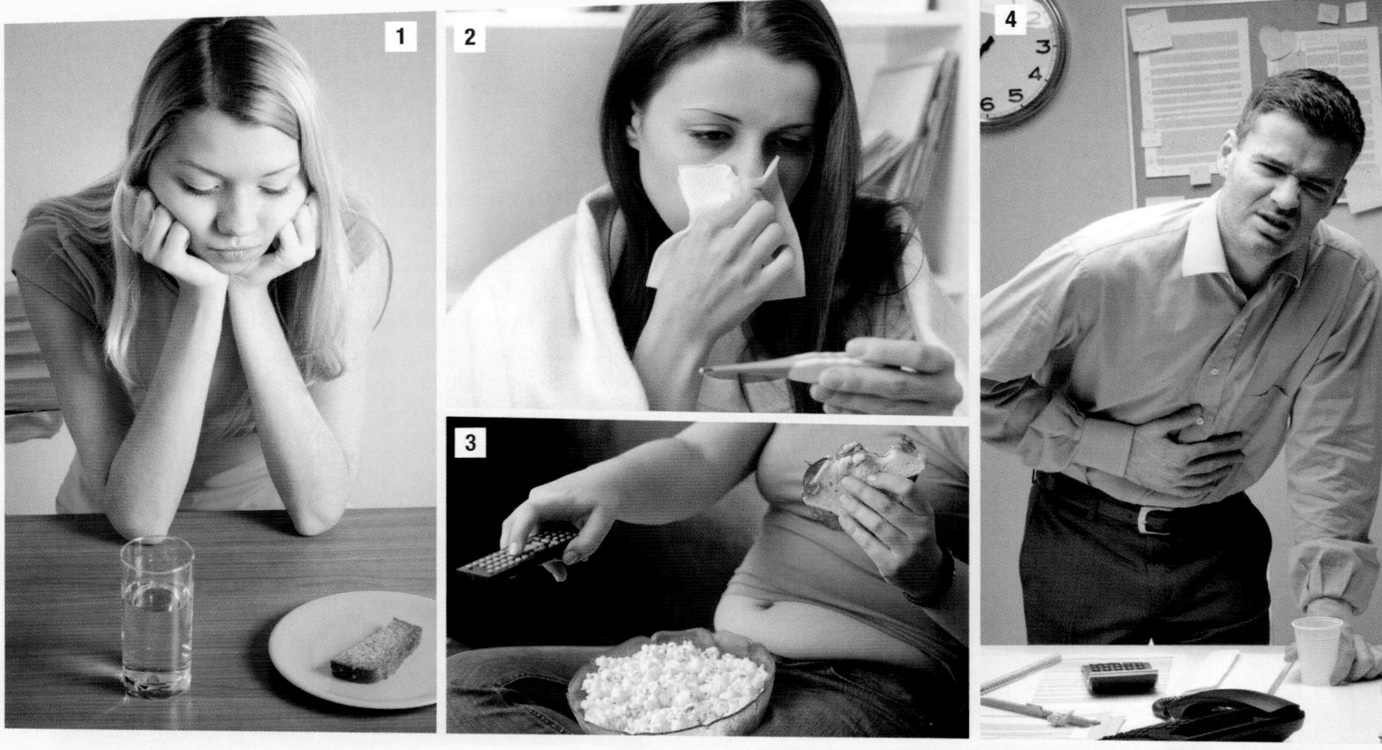

Acción

Escribe un artículo para una revista del instituto sobre el tema «¿Qué hay que hacer para llevar una vida sana?».

1 Escribe las ideas para cada párrafo.
2 Piensa cómo vas a conectar los párrafos usando los conectores.
3 Acuérdate de incluir una introducción y una conclusión.
4 Pon un título y firma el artículo.

Actitudes y valores

Lee las frases, reflexiona sobre tu salud y responde.

	siempre	a veces	nunca
- Estoy contento con mi cuerpo.	☐	☐	☐
- Cuando estoy enfermo, utilizo remedios naturales.	☐	☐	☐
- Llevo una vida sana.	☐	☐	☐

Reflexión

- En tu opinión: ¿qué es una vida sana?

- ¿Cómo puedes ayudar a una persona con malos hábitos?

- ¿Qué importancia tienen los buenos hábitos, el ejercicio, la comida y la relajación?

5 Comunicación

- Entender noticias escritas
- Redactar una entrevista
- Comunicarse en las redes sociales
- Publicar una portada en un periódico
- Reflexionar sobre el poder y la fiabilidad de los medios
- País: Puerto Rico
- Interculturalidad: Las redes sociales y la cultura global
- Actitudes y valores: Mostrarse crítico ante la información de los medios

1

2

3

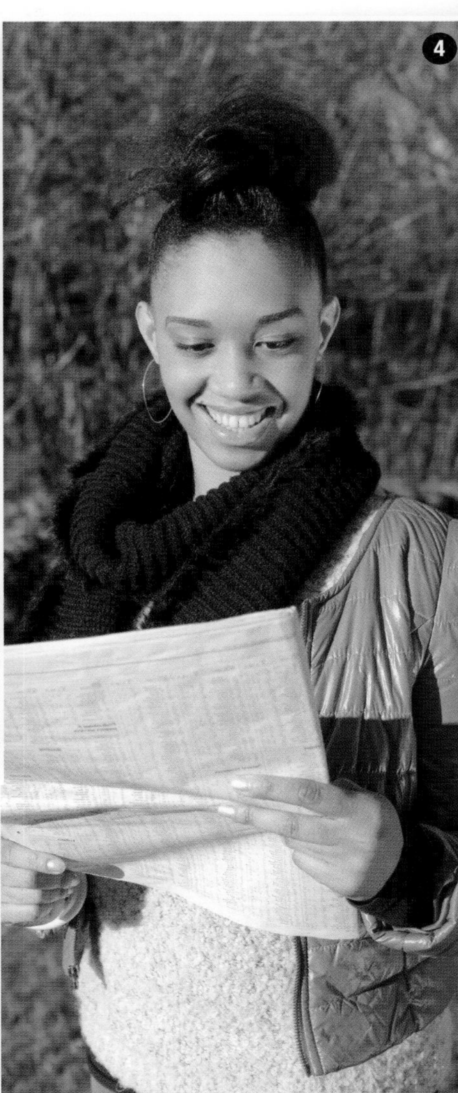
4

1 Mira las fotos, ¿con cuál o cuáles de estos medios te informas tú?

2 ¿Por qué prefieres unos medios a otros?

3 ¿Qué tipo de personas crees que utilizan cada uno de estos medios (edad, profesión, etc.)?

4 ¿Cuál te parece más fiable? ¿Por qué?

La prensa escrita

1 A ¿Qué funciones crees que debe tener la prensa? Coméntalo con tu compañero.

informar · opinar · motivar · emocionar · entretener · educar
hacer una crítica · reflejar la realidad · estimular la imaginación · aconsejar

Yo creo que la prensa debe...

B ¿Qué diferencias hay entre la prensa en papel y digital? ¿Cuáles son sus características? Clasifícalas en la siguiente tabla.

multimedia • interactiva • pantalla • continuamente actualizada • sin batería
sin problemas de conexión • hipertexto • virtual • sin cables

Prensa en papel	Prensa digital

Avanza Añade alguna diferencia más a los dos tipos de prensa.

2 A Relaciona estas secciones de un periódico con sus contenidos.

1 Sucesos
2 Sociedad
3 Ciencia
4 Cultura
5 Política nacional e internacional
6 Deportes
7 Economía

a Gobierno, leyes, partidos políticos...
b Bolsa, finanzas, mercado, empresas...
c Teatro, cine, música, libros...
d Investigación, descubrimientos científicos...
e Accidentes, crímenes, catástrofes naturales...
f Competiciones, partidos, deportistas...
g Personajes famosos, bodas, fiestas, ...

B Ahora, lee estos titulares de periódicos de Puerto Rico y relaciónalos con sus secciones. ¡Cuidado, hay una sección que no tiene titular y otra sección que tiene dos!

1 Nuevo descubrimiento del origen del istmo de Panamá.
2 Accidente en la autopista por las fuertes tormentas.
3 Actor famoso deja propina de 5000 $ en restaurante.
4 ¡Pasaporte a la semifinal de béisbol!
5 Fábrica de soluciones ante la crisis económica.
6 Descubierto un nuevo planeta como Saturno.
7 El grupo musical Calle 13 ayuda con una donación de 30 mil dólares a dos escuelas de San Juan.

- ▸ POLÍTICA NACIONAL E INTERNACIONAL
- ▸ ECONOMÍA
- ▸ CIENCIA
- ▸ CULTURA
- ▸ SOCIEDAD
- ▸ DEPORTES
- ▸ SUCESOS

C En parejas, escribid un titular más para cada sección.

D Vuelve a leer los titulares, observa las estructuras y clasifícalas.

Verbo	Sustantivo	Participio
	Nuevo descubrimiento	

Repasa Los participios irregulares en la sección de Gramática al final del libro.

LÉXICO

Secciones de los periódicos

- Política (nacional e internacional)
- Opinión
- Economía
- Ciencia
- Tecnología
- Cultura
- Deportes
- Sociedad
- Televisión
- El tiempo
- Viajes

COMUNICACIÓN

Los titulares

Son la primera frase de la noticia. Son cortos, impactantes y motivadores:
Aparece el niño con vida.

Las estructuras más utilizadas son:
- **Verbos en presente:** ***Desaparecen*** *dos adolescentes /* ***Comienza*** *la campaña electoral.*
- **Sustantivos:** *Más* ***becas*** *para estudiantes /* ***Accidente*** *en la autopista.*
- **Participios:** ***Finalizada*** *la manifestación /* ***Detenidas*** *tres personas.*

3 A Comentad estas preguntas en grupos.

1 ¿Lees revistas en papel o revistas digitales?
2 ¿Qué tipos de revistas lees: de deportes, de música, de entretenimiento...?
3 ¿Con qué frecuencia lees revistas?
4 ¿Hablas de los contenidos de estas revistas con tus amigos o tu familia?

B Lee estas dos noticias y señala cuáles de estas frases son verdaderas (V). Después, localiza en las dos noticias el titular, la entradilla y el cuerpo.

Las dos noticias...
1 se refieren a insectos. ☐
2 tratan del chikunguña. ☐
3 tienen a estudiantes como protagonistas. ☐
4 hablan de una campaña. ☐
5 tratan de prevenir una enfermedad. ☐
6 mencionan el número de muertos. ☐
7 tienen el apoyo del Departamento de Salud. ☐
8 hablan del pasado. ☐

A

TRES NUEVAS MUERTES

Asciende a ocho el número de muertos por chikunguña en Puerto Rico

San Juan - Tres nuevas muertes elevaron el año pasado a ocho el número de fallecidos en Puerto Rico por chikunguña, según datos facilitados por la secretaria del Departamento de Salud, Ana Ríus Armendáriz.
La funcionaria informó ayer, a través de un comunicado, de que en el último informe semanal de vigilancia de chikunguña se confirmó la muerte de tres personas con edades comprendidas entre los 20 y los 85 años, todas fallecidas en septiembre.

B

CAMPAÑA DE SALUD

Estudiantes se convierten en portavoces contra los mosquitos

Gran cantidad de jóvenes han participado este año de la campaña «Pícale 'alante' al mosquito». Los estudiantes de las escuelas públicas de Carolina y San Juan se han convertido en portavoces en sus hogares y comunidades para prevenir la picada de los mosquitos portadores de los virus del dengue y el chikunguña, como parte de un esfuerzo legislativo con los departamentos de Salud y de Educación.
Los estudiantes han inventado en los últimos meses nuevas maneras de llevar el mensaje de prevención a través de música, dibujos y otras manifestaciones del arte.

Extraído de www.puertorico.univision.com

Repasa El pretérito perfecto y el pretérito indefinido en la sección de Gramática al final del libro.

C Busca en las dos noticias verbos en pretérito perfecto y pretérito indefinido y analiza con un compañero por qué creéis que se usa uno u otro. ¿Qué marcadores temporales acompañan a los verbos?

D Completa estas frases con el pretérito perfecto o el pretérito indefinido.

1 ¡Nunca _________ (estar) nuestro equipo tan cerca del trofeo como en este campeonato!
2 Este año _________ (llover) más que nunca en nuestro país.
3 Hace un año que _________ (tener) lugar la manifestación masiva en el centro de la ciudad.
4 Científicos aseguran que _________ (descubrir) una medicina para el sida.
5 Ayer _________ (empezar) un nuevo incendio en el bosque.
6 En agosto _________ (registrarse) el mayor número de turistas en el país.

4 Vais a comentar en clase las noticias más importantes de la actualidad. Cada uno busca una noticia y escribe un resumen para contarla.

COMUNICACIÓN

Estructura de una noticia

La noticia incluye:
- **un titular:** información esencial para atraer la atención.
- **una entradilla:** resumen del contenido más importante.
- **un cuerpo:** desarrollo de la noticia con todos los detalles.

Características

- Los datos más importantes van al principio.
- Las noticias suelen ir con imágenes, infografías y, en caso de ser digitales, con material multimedia.
- Se utiliza con frecuencia la forma impersonal o la tercera persona.

GRAMÁTICA

El contraste del pretérito perfecto y el pretérito indefinido

- Utilizamos el **pretérito perfecto** para hablar de acciones y experiencias realizadas en el pasado y que están relacionadas con el momento en el que hablamos:
  Esta semana ***he leído*** *un artículo muy interesante sobre el chikunguña.*
- Utilizamos el **pretérito indefinido** para hablar de acciones y experiencias realizadas en el pasado sin relacionarlo con el presente:
  Yo también ***leí*** *un artículo sobre el chikunguña la semana pasada.*

  El tiempo de ***esta semana*** está relacionado con el presente (todavía estamos en la misma semana), pero el de la ***semana pasada*** no está relacionado (es otra semana).

- Los marcadores de tiempo más comunes son:
  Pretérito perfecto: ***hoy, este/-a mañana / semana / mes / año, alguna vez / muchas veces, nunca.***
  Pretérito indefinido: ***ayer, la semana / el mes / el año pasado/-a, en 2011, el día de mi cumpleaños, hace un año.***

La radio y la televisión

1 A Responde este test sobre radio y televisión y coméntalo con tus compañeros.

1 Escucho la radio…	**2 En la radio escucho…**	**3 Veo la televisión…**	**4 En la televisión veo…**
a ❍ todos los días	a ❍ las noticias	a ❍ todos los días	a ❍ las noticias
b ❍ una vez a la semana	b ❍ música	b ❍ dos o tres días a la semana	b ❍ los concursos
c ❍ muy pocas veces	c ❍ el tiempo	c ❍ solo los fines de semana	c ❍ las películas
d ❍ tu opción: _______	d ❍ tu opción: _______	d ❍ tu opción: _______	d ❍ tu opción: _______

B (16) Escucha estas noticias de la radio y contesta a las siguientes preguntas.

1 ¿Por qué se aconseja a los ciudadanos quedarse en casa?
2 ¿Qué cantó Ricky Martin en el concierto?
3 ¿Cuáles han sido los logros sobre la malaria?
4 ¿Qué hicieron el domingo y qué han hecho hoy los dos equipos de fútbol?

C (16) Vuelve a escuchar las noticias y di qué frase es la correcta.

1 ☐ a) Ya ha pasado el peligro de las tormentas.
☐ b) Todavía no ha pasado el peligro de las tormentas.

2 ☐ a) Ya ha tenido lugar el concierto.
☐ b) Todavía no ha tenido lugar el concierto.

3 ☐ a) Los avances en la lucha contra la malaria ya han conseguido reducir el número de víctimas.
☐ b) Los avances en la lucha contra la malaria todavía no han conseguido reducir el número de víctimas.

4 ☐ a) Los futbolistas ya se han hecho las fotos.
☐ b) Los futbolistas todavía no se han hecho las fotos.

D Escribe tres cosas que ya has hecho este mes y otras tres que todavía no has hecho. Después, coméntalas con tu compañero.

● *Yo ya he leído dos de los libros para la clase de literatura.*
■ *Pues yo todavía no he terminado el primero…*

COMUNICACIÓN

Expresar un cambio de situación

Ya

Cuando confirmamos que la acción está realizada. Indica un cambio de estado o situación:
*Hoy **ya** <u>he escuchado</u> las noticias.*

Todavía no

Cuando la acción no está realizada pero se piensa realizar. Indica que no hay cambio de estado o situación:
***Todavía no** <u>he visto</u> la televisión hoy.*

2 A Mira las viñetas y observa las estructuras para reaccionar. ¿Con cuál de las siguientes informaciones relacionas cada diálogo?

1 Los precios ahora son más altos.
2 Ahora puede conducir legalmente.
3 Mañana va a hacer más frío.
4 Un compañero se fue a estudiar a otro país.

¿Sabes que han dicho en la tele que mañana van a bajar las temperaturas?
¡Qué tiempo tan horrible!
D ☐

B **Tu compañero te cuenta estas noticias. Reacciona con *qué* seguido de una de las siguientes palabras.**

miedo • horror • pena • desastre • tontería • bien • interesante • injusticia

¿Te has enterado de que…

1 se ha escapado un tigre del zoo?
2 hay tres personas heridas en un accidente de autobús?
3 existen más de 250 000 toneladas de plástico en el océano?
4 el ruido de los aeropuertos cambia las costumbres de los pájaros?
5 mañana llega un huracán a la ciudad?
6 J. K. Rowling ha escrito un nuevo libro de Harry Potter?

C **En parejas o en pequeños grupos, escribid una noticia para la radio o la televisión.**

Avanza Podéis grabar las noticias para hacer un pequeño informativo.

COMUNICACIÓN

Comentar noticias

- *¿Te has enterado de que...?*
- *¿Sabes que...?*

Reaccionar

- **¡*Qué* + adjetivo!**
  ¡***Qué*** *raro / interesante / bonito!*
- **¡*Qué* + adverbio!**
  ¡***Qué*** *bien / mal / despacio!*
- **¡*Qué* + sustantivo!**
  ¡***Qué*** *miedo / vergüenza / injusticia / horror / pena / desastre / tontería!*
- **¡*Qué* + sustantivo + *tan / más* + adjetivo!**
  ¡***Qué*** *tiempo* ***tan*** *horrible!*
  ¡***Qué*** *concierto* ***más*** *largo!*

3 **A** **¿Conoces a Benicio del Toro? ¿Sabes qué películas ha hecho? Lee esta presentación que hacen de él en un programa de televisión y contesta si las frases son verdaderas (V) o falsas (F).**

Benicio del Toro…

1 nació en España. ☐
2 tiene la nacionalidad española. ☐
3 se crió en España. ☐
4 ganó un Óscar. ☐

CINE

BENICIO DEL TORO

Sus ojeras son las más famosas del mundo. Es misterioso, lo llaman la pantera negra. Su nombre es Benicio del Toro. Nació en Puerto Rico, se crió en los EE. UU. y ahora tiene, además, la nacionalidad española. Es el primer actor que ganó un Óscar con una interpretación en español.

B **Ahora, lee un fragmento de esta entrevista publicada en un periódico. ¿Cómo crees que es Benicio del Toro?**

ENTREVISTA

¿Quién es Benicio del Toro?
Un soñador solitario.

A propósito de sueños, ahora que lo tiene todo, o casi todo, ¿qué busca en la vida?
Lo que todos. El sueño americano, el sueño del amor, el sueño de la felicidad, el sueño de la plenitud, el sueño del autoconocimiento, el sueño de la libertad, el sueño de ser un hombre. Yo busco el sueño total. Y no olvidar de dónde vengo y quién soy.

Para usted, ¿qué es el cine?
Personalmente, creo que el cine es la literatura del siglo XX y del XXI, un arte total. Busco películas que hagan justicia al arte. Por eso hice *21 gramos*.

Extraído de www.elmundo.es

C **Imagina que puedes entrevistar a Benicio del Toro en la televisión. Escribe otras dos preguntas.**

Avanza Con un compañero, escribid una entrevista a un personaje famoso o ficticio.

Mensajes escritos

1 A ¿Qué medios utilizas para hacer estas cosas? Coméntalo con tu compañero.

1 INFORMARME DE LAS NOTICIAS

2 ENTERARME DE LAS TENDENCIAS DE MODA

3 ESCUCHAR MIS CANCIONES FAVORITAS

4 PREGUNTAR ALGO A MIS PADRES

5 QUEDAR CON MIS AMIGOS

6 VER VÍDEOS, SERIES Y PELÍCULAS

Yo me informo a través de Twitter, y los fines de semana leo el periódico.

B (17) Escucha y ordena estas redes sociales según hablan de ellas.

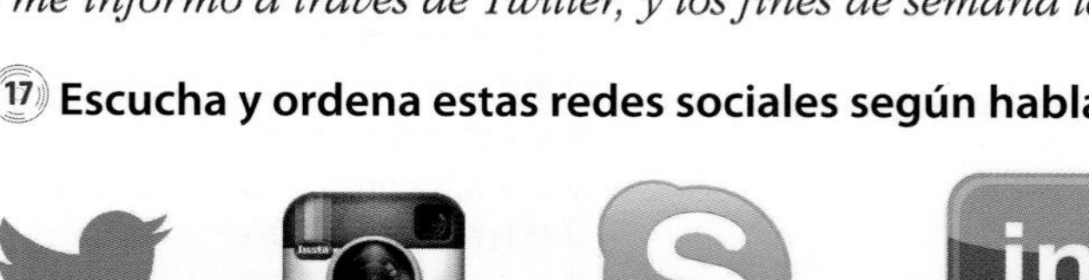

☐ Twitter ☐ Instagram ☐ Skype ☐ LinkedIn ☐ Facebook

C ¿Puedes añadir otra red social que tú conoces y definirla? Tus compañeros tienen que adivinar de qué red social hablas.

2 A Mía, una profesora que vive en Nueva York, tiene que viajar a Puerto Rico y ha escrito a tres personas para comunicarles su viaje. ¿A quién va dirigido cada texto?

A una amiga: ___
A una profesora: ___
A una directora de instituto: ___

Nueva York, a 27 de febrero de 2015

Estimada señora Oquendo:

Después de nuestra conversación telefónica, le confirmo mi asistencia a la reunión del día 12 de marzo a las 10:00.

Llevo conmigo todos los documentos solicitados y espero poder llegar a un acuerdo sobre el intercambio en nuestros respectivos institutos. Espero comenzar muy pronto esta cooperación entre nuestros dos países, que significan tanto para mí.

Le saluda atentamente,

Mía Morales
Directora de Los Pinos School

1 Carta / Correo formal

Mensaje nuevo

Estimada Andrea:

Fue un gran placer hablar contigo después de tanto tiempo por Skype. Estoy encantada de reunirme contigo y volverte a ver en marzo. Por cierto, la reunión es a la una, ¿no? Quiero llevar todos los documentos de los que hablamos y espero poder hacer ese intercambio entre nuestros institutos. Para mí significa mucho poder realizar este proyecto entre Puerto Rico (el país de mis padres) y Nueva York (el lugar donde yo nací).

Un saludo muy cordial,
Mía Morales

2 Carta / Correo informal

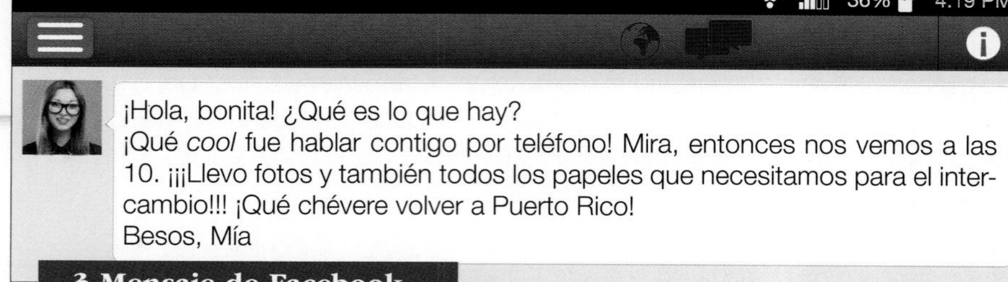

36% 4:19 PM

¡Hola, bonita! ¿Qué es lo que hay?
¡Qué *cool* fue hablar contigo por teléfono! Mira, entonces nos vemos a las 10. ¡¡¡Llevo fotos y también todos los papeles que necesitamos para el intercambio!!! ¡Qué chévere volver a Puerto Rico!
Besos, Mía

3 Mensaje de Facebook

B Vuelve a leer los textos y observa y anota las diferencias que hay entre un registro formal, un registro informal y un registro muy informal.

Repasa La diferencia entre *tú* y *usted* en la unidad 4.

C Ahora, cambia el registro de estos textos.

A

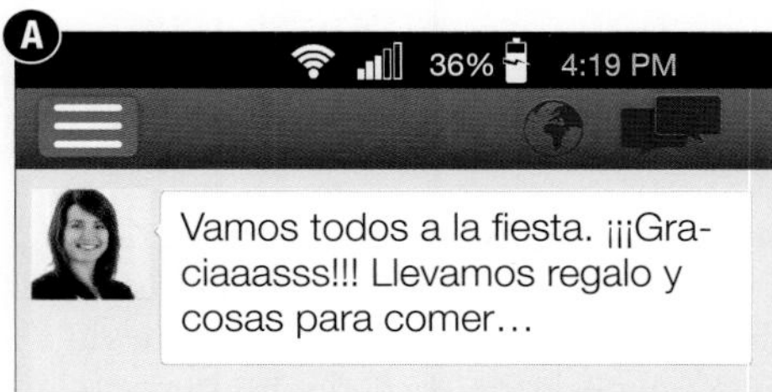

B

Valencia, a 25 de marzo de 2015

Muy señor mío:
Por la presente, me dirijo a usted para comunicarle que su solicitud de trabajo ha sido aceptada y que quedamos a la espera de una reunión para concretar los pasos a seguir.
Atentamente,

Salvador Hermosilla
Director de Recursos Humanos

1 Convierte el mensaje del texto A en una carta / correo formal. Imagina que te invitan al cumpleaños de los padres de un amigo.
2 Convierte la carta formal del texto B en un mensaje de Facebook en el que cuentas a tus amigos que te han llamado para una entrevista en el trabajo que solicitaste.

3 A Daniela Hernández, especialista en medios de comunicación, escribe en su blog sobre el poder y la fiabilidad de los medios. Lee y resume en una frase cada párrafo.

Blog de Daniela Hernández

INICIO ENLACES CONTACTA PARTICIPA

LECTURAS FOTOS VÍDEOS DIBUJO

¿DE QUIÉN TE PUEDES FIAR?

① Parece que, tradicionalmente, lo escrito en los periódicos (como en los libros), es decir, la palabra escrita, merece un respeto general. No obstante, sabemos que, aunque hay muchas agencias informativas y medios de comunicación que son fiables, otros no lo son, ya que manipulan e incluso mienten y hacen todo lo necesario para «vender» sus contenidos.

② Nuestra labor, como ciudadanos críticos, es informarnos de las diversas publicaciones y de su fiabilidad. Además, es aconsejable leer al menos dos periódicos con distintas ideologías políticas para poder contrastar la información. Podemos hacer lo mismo con la televisión y la radio: los canales, los programas e incluso los protagonistas, ¿qué ideología me están intentando vender?

③ Por otra parte, en los últimos años están proliferando cada vez con más fuerza los blogs (como este que estás leyendo). La fiabilidad de un blog depende de si conoces a la persona y de si has seguido su trayectoria. Aunque muchas personas tienen una campaña contra los blogs y dicen que no puedes confiar en ellos porque son solo opiniones personales con fuentes desconocidas, muchos de estos blogs son de periodistas valientes y con una opinión propia que denuncian y critican injusticias.

④ Es verdad que los medios de comunicación tienen cada día más poder para crear una realidad en las mentes de los ciudadanos, pero somos nosotros, con nuestro espíritu crítico, quienes podemos combatir ese poder.

Extraído de www.ite.educacion.es

B ¿Estás de acuerdo con todas las opiniones del blog? Coméntalo con tu compañero.

C Vuelve a leer el blog y resalta todos los signos de puntuación que aparecen.

Avanza Compara los signos de puntuación con tu lengua u otras lenguas que conoces. ¿Hay diferencias?

COMUNICACIÓN

Comunicarse por carta o correo electrónico

Saludo
- *Muy señor(es) mío(s):*
- *Estimado/-a…:*
- *Querido/-a:…*
- *¡Hola!*

Comienzo de la carta / correo
- *Me dirijo a usted para…*
- *El motivo de mi carta es…*
- *Te escribo para…*

Despedida de la carta / correo
- *Sin otro particular, esperando noticias suyas, …*
- *Me despido atentamente, …*
- *Un cordial saludo, …*
- *Un abrazo, …*
- *Besos, …*
- *Recuerdos / Saludos a…*

ORTOGRAFÍA Y PRONUNCIACIÓN

Los signos de puntuación

- **Los signos de interrogación (¿ ?)** y **los signos de admiración (¡ !)** siempre son dobles (al principio y al final):
  ¿Qué tal? / ¡Hola!

- Se usa **coma**:
  - Para hacer una pausa en la pronunciación:
    Hizo el trabajo, aunque era difícil.
  - Para separar elementos de una enumeración o serie:
    blogs, artículos, entrevistas
  - Con los decimales:
    4,8 %

- Se usan **dos puntos**:
  - Para introducir elementos de una enumeración o serie:
    Debe enviar: las fotos, los documentos, los programas, etc.
  - En los encabezamientos de cartas y correos:
    Querida abuela:

- Se usan los **paréntesis ( )** para hacer una aclaración:
  Puerto Rico (el país de mis padres) y Nueva York (el lugar donde yo nací).

Puerto Rico

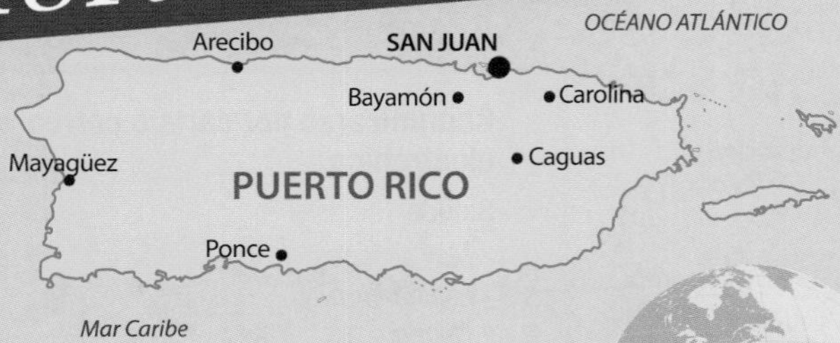

1 Ana está de vacaciones en Puerto Rico. Mira las fotos y relaciónalas con estos comentarios de Instagram.

1 **ana_puertorico** Una vista de San José, la capital de Puerto Rico. Aquí hemos pasado el fin de semana. #SANJOSE #FINDESEMANA

2 **ana_puertorico** Me gustó lo moderno que es el país. Hay muchos edificios altos. #MODERNIDAD #EDIFICIOSALTOS

3 **ana_puertorico** Con mi hermana, viendo la puesta de sol en una de sus bonitas playas... #PUESTASOL #CONMIHERMANA #PLAYA

4 **ana_puertorico** De excursión por uno de los bosques lluviosos... #BOSQUE #LLUVIA

5 **ana_puertorico** Aprendiendo a bailar salsa en el hotel... #SALSA #ABAILAR

2 A Lee este texto sobre Puerto Rico. Hay tres informaciones que no son verdaderas, ¿cuáles son?

PUERTO RICO

Puerto Rico es una isla que está en el mar Caribe. Es la isla más grande de las Antillas y está situada al este de la República Dominicana y al oeste de las islas Vírgenes. A pesar de su pequeño tamaño, posee diversidad de ecosistemas: bosques secos y lluviosos, montañas, costas y, por supuesto, playas.

Puerto Rico es el estado número 51 de los Estados Unidos desde 1979. El país tiene un clima tropical, con una temperatura media de entre 20 y 30 grados, aproximadamente.

Cuando los españoles llegaron a la isla, los habitantes de Puerto Rico eran los indios taínos. Por eso a Puerto Rico se le llama también Borinkén, que es una palabra taína. Actualmente, los dos idiomas oficiales son el español y el inglés.

En Puerto Rico, los deportes más populares son el baloncesto y el béisbol. Los boricuas* también son grandes amantes de la música, y fueron los que popularizaron el tango en Nueva York.

* *boricua*: de Puerto Rico

B (18) Escucha el texto con la información correcta y comprueba tus respuestas.

A ☐

B ☐

C ☐

D ☐

E ☐

3 A ¿Sabes qué es el espanglish? Coméntalo con tu compañero y, después, lee el artículo para comprobar vuestros conocimientos.

El espanglish

Es una mezcla de español e inglés hablada en muchos países con gran contacto con Estados Unidos o por las personas de origen latino que viven en Estados Unidos. La persona que utilizó el término por primera vez fue el humorista puertorriqueño Salvador Tió, el 28 de octubre de 1948. En su teoría, Tió explica que el espanglish es la españolización del inglés. No es una variante oficial, sino coloquial.

El espanglish está muy extendido no solo en el habla popular, sino en la música y la literatura. Hay autores que solo escriben en espanglish, como la puertorriqueña Giannina Braschi que escribió la novela *Yo-Yo Boing!*

Los puertorriqueños representan un 50,3 % de los hispanos de Nueva York. «Nuyorriqueño» es una composición (lingüística) de los términos *Nueva York* (en inglés, *New York*) y *puertorriqueño*, y se refiere a los miembros, o a la cultura, de la migración puertorriqueña a Nueva York. Debido a esta fuerte presencia existen también varios medios de comunicación en Nueva York en lengua hispana.

- En ocasiones se alternan palabras en inglés y en español:

JENNIFER: Hola, *good evening*, cómo estás?
VALERIO: *Fine*, y tú? Te retrasaste...
ANITA: Ay, sí, *sorry*, pero tuve problemas parqueando *and then* el guachimán* de la puerta, que ha chequeado tres veces todo....
VALERIO: Bueno, *you are here now*...

- Otras veces se crean formas nuevas, una mezcla de las dos lenguas:

ESPAÑOL	ESPANGLISH	INGLÉS
calla	cierra p'arriba	*shut up*
depende de ti	está p'arriba de ti	*it's up to go*
comprobar	chequear	*to check*
una oportunidad	una chansa	*a chance*
volver a llamar	llamar para atrás	*to call back*

B Busca tres ejemplos de palabras espanglish en internet.

C Lee esta información sobre el origen taíno de algunas palabras. Después, escribe cómo se dicen en tu lengua las siguientes palabras.

barbacoa • canoa • caimán • hamaca • huracán
iguana • piragua • tiburón • maíz • yuca

En Puerto Rico, existen muchas palabras que provienen de los indios taínos, los habitantes de la isla antes de la llegada de los españoles. Muchas de estas palabras son internacionales: *barbacoa, canoa, caimán*...

4 Muchos famosos tienen sus orígenes en Puerto Rico, pero trabajan y viven en Estados Unidos. ¿Conoces a estas personas? ¿Sabes qué profesión tienen? ¿Conoces a otras personas famosas de Puerto Rico?

Michele Rodríguez
Calle 13
Héctor Elizondo
Jennifer López

5 Lee el siguiente fragmento de una canción de Ricky Martin. ¿Qué frase te parece que se corresponde más con la letra de la canción?

1 El cantante está muy contento de aparecer en los medios de comunicación.
2 Los medios de comunicación ofrecen una versión falsa de la realidad.

ASK FOR MORE (PIDE MÁS)

Las portadas de revistas,
la radio y televisión,
todas lucen tan bonitas,
pero son una ilusión.
Mi guitarra es mi tierra
y mi gente mi canción,
lucharé la vida entera
por mi sueño, vámonos.
La historia de mi vida,
es un viaje sin final,
es un fuego que me quema,
me domina y me pide más (pide más).
Por el mundo voy andando...
Pide más (pide más).
Por un sueño voy buscando...

Mira estas fotos, ¿con cuáles de estos aspectos de la comunicación las relacionas? Escoge una y habla sobre ese tema.

- ☐ aislamiento
- ☐ falta de vida privada
- ☐ aprendizaje de la tecnología
- ☐ falta de comunicación real

1

2

3

4

Acción

Vais a publicar una portada de periódico con noticias inventadas.

1 En grupos, elegid cinco de estas secciones y escribid una noticia para cada una.

- ▶ SUCESOS
- ▶ SOCIEDAD
- ▶ CIENCIA
- ▶ CULTURA
- ▶ POLÍTICA NACIONAL E INTERNACIONAL
- ▶ DEPORTES
- ▶ ECONOMÍA
- ▶ EL TIEMPO

2 Recordad que cada noticia tiene un titular.

3 Podéis hacer la portada en papel o utilizar un programa de ordenador.

Actitudes y valores

¿Te muestras crítico ante la información transmitida en los medios?

	Siempre	A veces	Nunca
- Escojo con mucho cuidado los medios de los que recibo la información.	☐	☐	☐
- Contrasto la información que recibo en varios medios.	☐	☐	☐
- Valoro la importancia de los medios de comunicación en mi vida diaria.	☐	☐	☐

Reflexión

- ¿Podrías vivir sin los medios de comunicación?

- ¿Qué características deberían de tener los medios de comunicación?

- ¿Qué papel tienen las redes sociales en tu vida diaria?

6 Medio ambiente

- Analizar las consecuencias del calentamiento global
- Valorar los recursos naturales
- Expresar opiniones sobre la educación medioambiental
- Preparar un debate sobre el medio ambiente
- Reflexionar sobre nuestra contribución al medio ambiente
- País: Venezuela
- Interculturalidad: La cultura en la conciencia ambiental
- Actitudes y valores: Valorar los recursos naturales

1 **¿Cuáles crees que son los principales problemas que sufre nuestro medio ambiente?**

2 **Mira las fotos y relaciónalas con los siguientes temas.**

La extinción de los animales	☐	El calentamiento global	☐
La deforestación	☐	La contaminación ambiental	☐

3 **¿Qué foto te impresiona más? ¿Por qué?**

4 **¿Crees que los jóvenes están concienciados para proteger el medio ambiente?**

El calentamiento global

1 A ¿Qué sabes sobre el calentamiento global? Marca las expresiones que crees que están relacionadas con este fenómeno y coméntalo con tu compañero.

El efecto invernadero	☐	La extinción de los animales y las plantas	☐
La energía solar	☐	El uso de internet	☐
El descenso de la natalidad	☐	El aumento de la temperatura de la Tierra	☐
El uso de la electricidad	☐	La quema de combustibles	☐

B Lee esta entrevista sobre el calentamiento global a un experto en medio ambiente. Completa cada respuesta con las siguientes palabras.

espacio • planeta • fósiles • luz • Tierra • temperatura • energía • electricidad

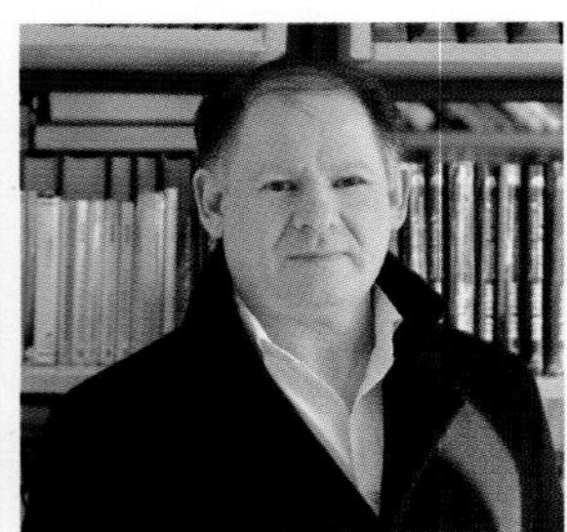

Fernando Arana

VIERNES, 22 DE MAYO • DE 12:00 A 13:00

Experto en medio ambiente charla con los lectores

¿Qué es el calentamiento global?

Es el aumento de la (1) __________ del planeta Tierra **a causa de** las actividades humanas.

¿Qué provoca el calentamiento global?

El problema surge **porque** nuestra sociedad quema combustibles (2) __________, como el petróleo, el carbón y el gas natural. Al quemar estos combustibles **para** producir (3) __________ y energía para nuestros coches, aviones, fábricas y hogares, se liberan grandes cantidades de gases de efecto invernadero, que acumulan enormes cantidades de calor.

¿Cómo funciona nuestra atmósfera?

Cuando la (4) __________ solar llega a la Tierra, parte de su energía es reflejada por las nubes; el resto atraviesa la atmósfera y llega al suelo. **Sin embargo**, no toda la energía solar es aprovechada, **porque** una parte es devuelta al (5) __________.

¿Qué consecuencias tiene el aumento de los gases?

Los gases no solo atrapan la (6) __________, **sino que** provocan un aumento de la temperatura de la Tierra.

¿Qué necesitamos para poder vivir en nuestro planeta?

Los gases de efecto invernadero absorben la energía como una esponja, calentando tanto la superficie del (7) __________ como el aire que lo rodea. **Por eso, para** tener una temperatura habitable en la (8) __________, es importante el equilibrio de los gases.

Extraído de www.revolucion21.org

Avanza Leed la entrevista en voz alta (uno es el entrevistador y el otro, el entrevistado).

2 Lee el folleto sobre medio ambiente y elige el conector más adecuado.

¿SABES QUE...

- el CO_2 (dióxido de carbono) es el gas que produce un mayor efecto invernadero (1) **porque / sino** su proporción en la atmósfera es de un 64 %?
- los medios de transporte generan el 31 % de gases de efecto invernadero y, (2) **por eso / sin embargo**, muchos nos negamos a utilizar la bicicleta o simplemente a caminar?
- los productos que utilizamos a diario en casa nos llegan después de viajar miles de kilómetros en barcos, aviones, trenes y camiones que no solo han quemado grandes cantidades de combustibles, (3) **a causa de / sino** que también han quemado toneladas de CO_2 y desperdicios? (4) **Por eso, / Porque,** si es posible, es importante consumir productos locales.
- (5) **a causa del / pero el** uso de la electricidad en nuestras viviendas (6) **para / sin embargo** hacer funcionar nuestros electrodomésticos se produce un derroche muy importante de energía?

COMUNICACIÓN

Para expresar causa

Porque, a causa de (que):

La temperatura de la Tierra aumenta ***porque*** *hay más gases invernadero.*

La temperatura aumenta ***a causa de*** *la actividad humana.*

Para expresar finalidad

Para **+ infinitivo**:

Se queman los combustibles ***para*** *producir electricidad.*

Para expresar oposición

Las construcciones adversativas se utilizan con dos frases que se oponen: ***pero, sino (que), sin embargo***:

Parte de la energía solar llega al suelo, ***sin embargo****, no toda esa energía es aprovechada.*

Para expresar consecuencia

Por eso:

Los gases de invernadero absorben la energía, ***por eso*** *es importante tener un equilibrio de gases para poder vivir.*

3 A Lee la infografía sobre las consecuencias del calentamiento global y coloca los siguientes títulos.

- Derretimiento del hielo [G]
- Cambios en los sistemas marinos [ ]
- Fenómenos climáticos extremos [ ]
- Cambios en las precipitaciones [ ]
- Aumento de la desertificación [ ]
- Aumento de sequías [ ]
- Huracanes más fuertes [ ]

EL CALENTAMIENTO GLOBAL CAMBIA NUESTRA FORMA DE VIDA PORQUE, ADEMÁS DE GENERAR UN AUMENTO DE LA TEMPERATURA, PROVOCA CAMBIOS EN LAS PRECIPITACIONES, LA ELEVACIÓN DEL NIVEL DEL MAR Y EL INCREMENTO EN LA FRECUENCIA E INTENSIDAD DE FENÓMENOS CLIMÁTICOS EXTREMOS, COMO SEQUÍAS, HURACANES E INUNDACIONES.

CONSECUENCIAS DEL CALENTAMIENTO GLOBAL

A ____________
La temperatura media de la superficie de la Tierra ha aumentado más de 0,6 grados durante los últimos cien años. Los años más cálidos de la historia han sido los últimos veinte, y este aumento genera cada día más sequías.

B ____________
No solo genera una mayor evaporación de los océanos, sino que también aumenta la evaporación de la humedad y provoca la desertificación del terreno.

C ____________
En algunos lugares va a llover cada vez más y se van a producir más inundaciones; sin embargo, en otros va a llover cada vez menos. Por eso, muchas zonas que ahora son fértiles, en el futuro van a ser improductivas.

D ____________
Cada vez hay más climas extremos. Se experimentan temperaturas máximas más altas, más días calurosos y menos días fríos. En las zonas más frías, las nevadas van a ser más intensas y en menos épocas del año. Las consecuencias: incendios forestales, nevadas extremas y ciudades aisladas.

E ____________
Cuando la atmósfera se calienta, también lo hacen los océanos. Como consecuencia, aumenta la humedad de la atmósfera, y el viento y las tormentas son más grandes. Cuando los huracanes pasan sobre aguas cálidas, absorben esa energía y se vuelven más poderosos.

F ____________
A causa del aumento de la temperatura de los océanos y la disminución del oxígeno, se están registrando cada vez más zonas muertas en los mares. Es decir, zonas donde las especies ya no pueden sobrevivir por la falta de oxígeno. Esto afecta directamente al ecosistema.

G *Derretimiento del hielo*
La capa de hielo del Ártico ha disminuido en un 40 %. Los científicos creen que puede derretirse por completo dentro de quince años, durante los veranos del hemisferio Norte.

B Subraya la información más importante de cada párrafo y comenta con tu compañero cómo crees que ha afectado o va a afectar al lugar donde vives.

Yo creo que el calentamiento global afecta a los sistemas marinos y va a…

C Lee estos titulares y redáctalos de nuevo cambiando el verbo por el sustantivo o viceversa.

1 La capa de hielo del glaciar Perito Moreno **se derrite** cada año.
Hay un derretimiento de la capa de hielo del glaciar Perito Moreno cada año.
2 **Aumento** de las precipitaciones en toda Europa en los últimos años.
3 El calentamiento global **cambia** la temperatura de los océanos.
4 Hay un **incremento** de los huracanes en las zonas tropicales.
5 La temperatura de los océanos **se eleva**.
6 **Disminución** de la masa de hielo en la Antártida.

D Elige uno de los titulares anteriores y busca con un compañero un ejemplo de ese fenómeno en alguna región del mundo.

LÉXICO

Fenómenos naturales

- la sequía
- la precipitación
- la desertificación
- el huracán
- el derretimiento de la capa de hielo
- la inundación
- la tormenta
- la nevada
- el incendio
- la evaporación (de los océanos)

GRAMÁTICA

Nominalización de los verbos

Algunos sustantivos derivan de verbos.

- Terminan en ***-ción*** (son siempre femeninos):

verbo	sustantivo
elevar	eleva**ción**
disminuir	disminu**ción**

- Terminan en ***-o*** (son siempre masculinos):

verbo	sustantivo
cambiar	cambi**o**
aumentar	aument**o**

- Terminan en ***-miento*** (son siempre masculinos):

verbo	sustantivo
derretir	derreti**miento**
calentar	calenta**miento**

Los recursos naturales

1 A (19) **Una bióloga venezolana habla sobre problemas ambientales en el planeta. Escucha la conferencia y numera las fotos según el orden en que las escuchas.**

Repasa El léxico de la geografía y los accidentes geográficos.

B (19) **Escucha la conferencia de nuevo y relaciona las siguientes informaciones. Después, compáralo con tu compañero.**

1 Deforestación
2 Contaminación del aire
3 Contaminación del agua
4 Crecimiento de la población
5 Contaminación de lugares turísticos
6 Tráfico de especies

a Residuos sólidos, como el plástico, en montañas, playas y ríos
b Cautiverio de animales en zoológicos y casas particulares
c Ampliación de terrenos para la agricultura
d Emisiones de gases tóxicos de las industrias
e Más necesidad de recursos para vivir
f Aguas residuales de hogares e industrias

C **En pequeños grupos, cada uno presenta a los demás una de las fotos anteriores.**

La foto F muestra el tráfico de especies: es un pájaro exótico en una jaula. La gente colecciona estas especies y las saca de su hábitat natural...

2 En parejas, comentad y reaccionad ante estas afirmaciones.

estoy de acuerdo • estoy de acuerdo en parte • no estoy de acuerdo • estoy seguro de (que)

1 La deforestación puede justificarse.
- *Creo que la deforestación puede justificarse en algunos casos.*
- *Yo no estoy de acuerdo. No podemos justificar la desaparición de los bosques. Estoy seguro de que en un futuro muy próximo se va a prohibir la utilización de la madera para muchas cosas.*

2 No podemos evitar la extinción de animales.
3 Los científicos aseguran que en 2050 la temperatura en muchos lugares del planeta va a ser de 40 grados.
4 El cuidado del medio ambiente es una tarea de todos.
5 El crecimiento poblacional no influye en los problemas ambientales.
6 La flora y la fauna de muchas partes de nuestro planeta están en peligro.

COMUNICACIÓN

Expresar acuerdo / desacuerdo

- ***Estar*** (totalmente) ***de acuerdo / en desacuerdo*** (con algo o con alguien):
  Estamos *todos* ***de acuerdo*** *con esta afirmación.*
- ***Estar de acuerdo en parte / parcialmente*** (con algo o con alguien).
  Estoy de acuerdo *con vosotros* ***en parte.***
- ***No estar de acuerdo*** (con algo o con alguien):
  Laura ***no está de acuerdo*** *con Alberto.*

Expresar certeza

Estar seguro (de algo):
Estoy seguro *de que la gente va a cambiar sus hábitos en todo el mundo.*

3 **A** **Con un compañero, observad en el cuadro de comunicación las partes de una conferencia. Después, elaborad un esquema similar para preparar una conferencia sobre los problemas ambientales de un país de vuestra elección.**

COMUNICACIÓN

Estructura de una conferencia

1. Saludo inicial
- *Buenos días*
- *Señoras, señores / Estimado público*
- *Gracias por invitarme*
- *Es un placer estar aquí*

***Buenos días** a todos y **muchas gracias por invitarme** a participar en esta conferencia.*

2. Introducción al tema
- *Como sabemos, ...*
- *Todo el mundo dice...*

***Como sabemos,** nuestro planeta es rico en recursos naturales.*

3. Presentación de la problemática
- *Sin embargo, ...*
- *El problema es...*
- *La cuestión a discutir es...*
- *A continuación, voy a hablar de...*

***Sin embargo,** creo que todos conocemos los problemas ambientales.*

***A continuación, voy a hablar de** los principales problemas ambientales*

4. Diferentes puntos a tratar
- *En primer / segundo / tercer / último lugar, ...*
- *El primer / segundo / tercer / último problema...*
- *Lo primero / segundo / tercero / último...*

***El primer problema** es el crecimiento poblacional. Precisamente, este es **nuestro segundo problema:** la deforestación.*
***Nuestro tercer problema** es la contaminación.*
***El último problema** que voy a mencionar es el tráfico de especies.*

5. Conclusión
- *Como vemos...*
- *Resumiendo...*
- *Para terminar...*

***Como vemos**, nuestro planeta sufre graves problemas ambientales.*

6. Saludo final (cierre)
- *Muchas gracias...*
- *Agradezco su participación...*
- *Ha sido un placer...*

***Muchas gracias**. Comencemos con las preguntas.*

B **En parejas, escribid la conferencia a partir de vuestro esquema.**

Avanza Podéis practicar las conferencias y después grabarlas.

4 **A** **¿Sabes qué es un diptongo? Mira el cuadro de ortografía y pronunciación y completa las columnas con otras palabras de la unidad.**

vocal abierta *(a, e, o)* + vocal cerrada *(i, u)*	vocal cerrada *(i, u)* + vocal abierta *(a, e, o)*	vocal cerrada *(i, u)* + vocal cerrada *(u, i)*
	*calentam**ie**nto*	

B **¿Existen los diptongos en otras lenguas que conoces? Coméntalo con un compañero.**

ORTOGRAFÍA Y PRONUNCIACIÓN

El diptongo

- Es la unión de dos vocales en la misma sílaba. Se forma cuando se combina:
  - vocal ***a, e, o*** + vocal ***i, u*** **átona***: *a**i**sladas*
  - vocal ***i, u*** **átona** + vocal ***a, e, o***: *calenta-m**ie**nto.*
  - vocal ***i, u*** + vocal ***u, i***: *c**iu**dades.*
- No hay diptongo en las combinaciones ***a, e, o*** + ***i, u*** **tónica**** o ***i, u*** **tónica** + ***a, e, o***. En estos casos, siempre se escribe tilde: *Ra**ú**l* (Ra-úl) / *energ**í**a* (e-ner-gí-a).
- La ***y*** al final de una palabra suena como la vocal ***i*** y forma diptongo*:* ***muy** / **ley**.*

* átona: no acentuada
** tónica: acentuada

La educación medioambiental

1 **A Lee el eslogan de la organización Revolución 21* y comenta con un compañero las siguientes preguntas.**

1 ¿Qué crees que significa *cambio ambiental global*?
2 ¿Por qué somos «el problema»?

NOSOTROS SOMOS EL PROBLEMA, PERO TAMBIÉN SOMOS LA SOLUCIÓN

Extraído de www.revolucion21.org

* Revolución 21: movimiento que trabaja para una Latinoamérica sustentable.

B (20) **Lee y escucha lo que dice Charly Alberti, el fundador de esta organización, y comprueba tus comentarios.**

R21* LATINOAMÉRICA SUSTENTABLE

El cambio ambiental global es la sumatoria de todas las acciones destructivas que el ser humano genera sobre la tierra día a día. Por eso es tan importante que vos participes, porque con pequeños cambios en tu rutina diaria podemos lograr la solución. Participá, sé parte del cambio.

Charly Alberti es un músico muy famoso en Argentina y Latinoamérica, fue batería de la mítica banda de rock Soda Stereo.

2 **Lee este blog sobre el uso de la energía renovable en una isla del Caribe venezolano y contesta a las siguientes preguntas.**

1 ¿Cuánto tiempo hace que se desarrolló el sistema?
2 ¿Por qué se decidió generar energía renovable?
3 ¿Qué produce la energía alternativa?
4 ¿La gente de Bonaire va a pagar más o menos electricidad?
5 ¿Para qué sirve el nuevo proyecto?

ENTRADAS RECIENTES
- abril
- marzo
- febrero
- enero
- diciembre

Bonaire:
en el camino de la energía renovable

La hermosa isla de Bonaire, muy conocida por sus arrecifes marinos, tiene desde 2005 un sistema para producir energía limpia. Con una población de 18 000 habitantes, la demanda eléctrica de Bonaire es de aproximadamente 11 MW. En 2004, la única central eléctrica de Bonaire se quemó, por lo que el gobierno de la isla decidió restaurar el sistema de generación de energía y generarla a partir de fuentes 100 % renovables.
En 2007, EcoPower instaló turbinas de viento de 330 KW en Sorobón (un gran lugar para practicar *windsurf* y *kitesurf*). Además, crearon un sistema de generación de energía alternativa para producir biodiésel a partir de algas*.
Con este nuevo sistema, la gente en Bonaire puede esperar de un 10 % a un 20 % de descuento en su factura de electricidad.
Este emocionante proyecto de Bonaire ayuda a generar un entorno verde y a mantener nuestros arrecifes. ¡Ven a Bonaire y disfruta de emocionantes actividades cerca de un mar limpio!

*Plantas que viven en el agua

Extraído de www.cuanto.nl

3 A ¿Cómo podemos contribuir a la educación medioambiental? ¿Qué cosas podemos cambiar en nuestra rutina diaria? Aquí hay algunos ejemplos. En grupos, añadid tres más.

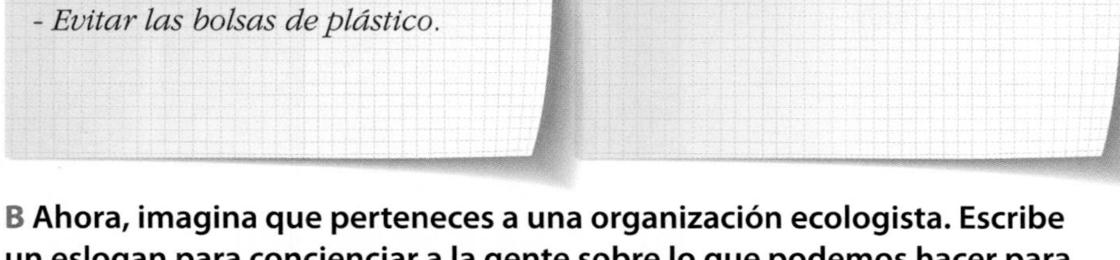

B Ahora, imagina que perteneces a una organización ecologista. Escribe un eslogan para concienciar a la gente sobre lo que podemos hacer para cambiar nuestra actitud hacia el medio ambiente.

4 A (21) ¿Qué medidas se pueden tomar para mejorar el medio ambiente? Escucha parte del debate entre dos políticos de distintos partidos y marca (X) las medidas que mencionan.

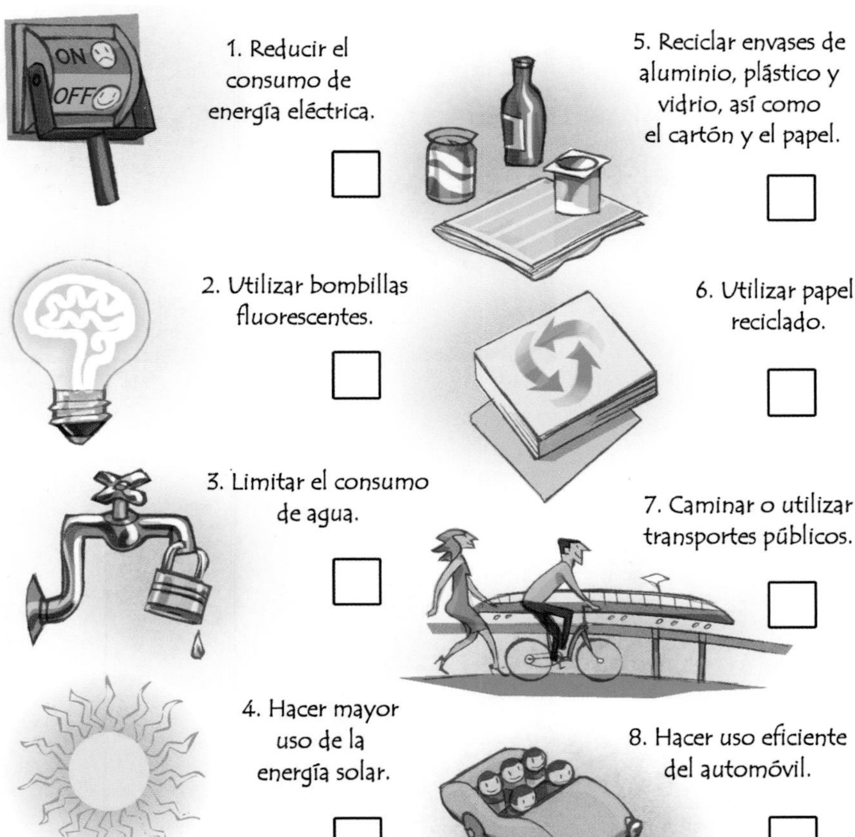

B (21) Vuelve a escuchar el debate y subraya en el cuadro de comunicación todas las expresiones que se mencionan.

Repasa Los conectores textuales en la unidad 4.

Avanza Continúa el argumento de la señora Estévez en el debate.

COMUNICACIÓN

Expresiones para el debate

- Organizar la información
En primer lugar, ... / Lo primero, ... / Por último, ...
Por un lado, ... / Por otro, ...
Y además, ...

- Expresar opiniones
Pienso que...
Me parece que...
En mi opinión, ...
Desde mi punto de vista, ...
Para mí, ...

- Presentar y desarrollar argumentos
Un problema es... / Uno de los mayores problemas es...
La verdad es que...
Es importante / innegable / necesario...
Hay ventajas y desventajas / puntos a favor y en contra...

- Expresar acuerdo o desacuerdo
Estar (totalmente) de acuerdo / en desacuerdo (con)...
Estar de acuerdo en parte (con)...
Ya, pero...

- Resumir / Concluir
Para resumir, ...
En resumen, ...
En conclusión, ...

Venezuela

1 ¿Qué sabes de Venezuela? Resuelve el crucigrama. Utiliza las siguientes palabras para completar las filas horizontales. ¿Qué ciudad se encuentra escondida en la columna vertical?

Maldonado • Ángel • Caribe • español • Caracas • cinético • Herrera

HORIZONTAL
1 Piloto venezolano de Fórmula 1.
2 Apellido de una famosa diseñadora venezolana.
3 Capital de Venezuela.
4 Idioma oficial del país.
5 Nombre de una corriente artística con manifestaciones presentes en Caracas; una de ellas es la Esfera de Soto.
6 Nombre del salto de agua más alto del mundo.
7 Famoso mar al norte del país.

VERTICAL
1 Nombre de una ciudad que se llama igual que una ciudad famosa de España.

2 **Mira las fotos de Álex en este tablero de Pinterest y completa con las siguientes palabras los recursos naturales que hay en Venezuela.**

minerales • playas • fauna • montañas • flora

1 ¡Unas __________ paradisíacas!

2 ¡La __________ y la __________ son increíbles!

3 Gran cantidad de __________, como la esmeralda y el diamante.

4 ¡Ríos, __________, bosques, mucha diversidad!

3 **A La Orquesta Sinfónica de Venezuela Simón Bolívar es un referente mundial de música clásica. Lee y completa la siguiente información sobre esta orquesta.**

enseñanza • 1975 • proyecto • partes • director • objetivo

1 La orquesta fue creada en __________ por José Antonio Abreu.
2 Los integrantes de la orquesta son de todas las __________ de Venezuela.
3 El Sistema de Orquestas Juveniles e Infantiles de Venezuela es un __________ social.
4 La creación de este sistema de orquestas tiene como __________ combatir la pobreza a través de la __________ de la música.
5 El famoso __________ de orquesta Gustavo Dudamel se formó en el Sistema de Orquestas Juveniles e Infantiles de Venezuela.

B Escucha a la Orquesta Simón Bolívar en internet y ¡disfruta!

4 **Mira este mapa y lee el poema del escritor venezolano Andrés Eloy Blanco. Después, contesta a las siguientes preguntas.**

1 ¿Qué es el Casiquiare?
2 ¿Qué es el Orinoco?
3 ¿Con qué se compara al Casiquiare?

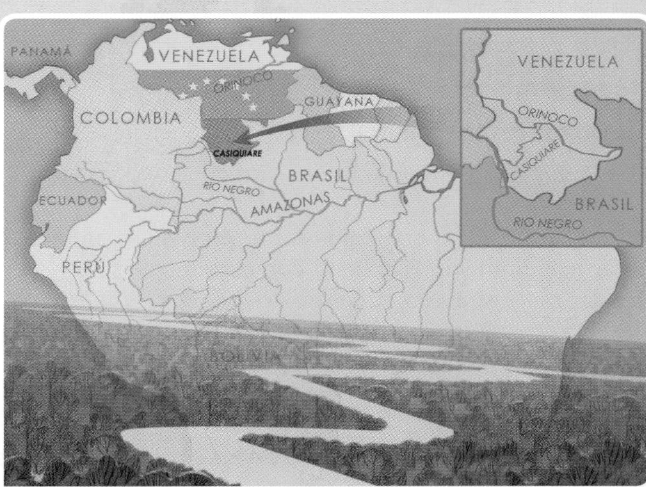

CASIQUIARE

Ciudadano venezolano,
Casiquiare es la mano abierta del Orinoco,
y el Orinoco es el alma de Venezuela,
que le da al que no pide el agua que le sobra,
y al que venga a pedirle, el agua que le queda.
Casiquiare es el símbolo
de ese hombre de mi pueblo
que lo fue dando todo, y al quedarse sin nada,
desembocó en la Muerte, grande como el Océano.

Andrés Eloy Blanco (poeta venezolano)

Acción - Reflexión

Mira estas fotos: ¿cuál(es) de estas prácticas crees que puede ser una buena alternativa para contribuir a la concienciación ambiental en el lugar donde vives? ¿Por qué?

Pesca artesanal

Transporte ecológico

Ropa reciclada

Vivienda bioclimática

Coche eléctrico

Cultivo ecológico

Acción

En pequeños grupos, preparad un debate sobre algún tema de la unidad relacionado con el medio ambiente.

- Elegid el tema a debatir.
- Dividid los grupos y asumid los roles en el debate (uno es moderador y el resto, participantes).
- Preparad en profundidad el tema para poder defender bien las posturas.
- Utilizad las estructuras lingüísticas apropiadas y organizad las ideas.
- Podéis grabar el debate o presentarlo en la clase. La clase y el profesor actúan como audiencia, hacen preguntas y eligen en cada grupo el ganador del debate.

Actitudes y valores

Marca (X) tus respuestas.

El debate me ha servido para:

	Sí	Más o menos	No
- profundizar mis conocimientos sobre problemas ambientales	☐	☐	☐
- valorar más mi responsabilidad con el planeta	☐	☐	☐
- defender mi postura con argumentos sólidos	☐	☐	☐

Reflexión

- **¿Eres verdaderamente consciente de los problemas ambientales?**
- **¿Cómo puedes ser más responsable de tus acciones con respecto al medio ambiente?**
- **¿Cómo contribuyes a hacer del planeta un lugar mejor?**

7 Migración

- Descubrir los orígenes del español
- Contrastar la vida de antes y la de ahora
- Recordar épocas pasadas
- Preparar una presentación
- Reflexionar sobre la multiculturalidad
- País: Uruguay
- Interculturalidad: La influencia de las migraciones en las culturas
- Actitudes y valores: Valorar el trabajo en equipo

São Paulo

Nueva York

Barcelona

París

1. Observa las fotos: ¿sabes qué comunidades viven en estas ciudades?
2. ¿Conoces otras ciudades donde conviven diferentes culturas?
3. ¿Qué comunidades viven en tu ciudad?
4. ¿Qué aspectos positivos aporta la multiculturalidad a tu comunidad?

Culturas con historia

1 A Hay hechos que han marcado la historia del mundo. En parejas, relacionad las fechas con los acontecimientos históricos. Podéis buscar información en internet.

EDAD ANTIGUA [3000 a. C. – s. V d. C.]	
a) 4000 -1500 a. C.	☐
b) Siglos VI y V a. C.	☐
c) Finales del siglo IV d. C.	☐

EDAD MEDIA [s. VI – finales s. XV d. C.]	
d) Siglo VIII d. C.	☐
e) Siglo XII	☐

EDAD MODERNA [s. XVI – finales s. XVIII]	
f) Siglos XV y XVI	☐
g) Siglo XVIII (1798)	☐

EDAD CONTEMPORÁNEA [s. XIX – actualidad]	
h) Siglo XIX	☐
i) 1945	☐

1 Nace en Atenas una nueva forma de gobierno: la democracia.
2 El islam comienza su expansión por toda la península arábiga, Oriente Medio, la India, el norte de África y España.
3 En los territorios del Mediterráneo oriental y la meseta de Irán surgen los grandes imperios de los egipcios, los asirios y los persas.
4 Termina la Segunda Guerra Mundial.
5 Comienza a desaparecer el sistema feudal* en Francia e Italia.
6 El Imperio romano se divide en dos: el Imperio de Occidente y el de Oriente.
7 Los europeos crean colonias en América, África y Asia.
8 Con la Revolución Francesa nace el estado de derecho**.
9 Las colonias de América se independizan de España y Portugal.

* Sistema político predominante en Europa Occidental en el que los nobles tienen el monopolio de la ley y la justicia y son los propietarios de las tierras y de sus habitantes.
** Un estado con una constitución que funciona con una serie de leyes e instituciones.

B ¿Puedes añadir algún hecho relevante para el mundo?

EDAD ANTIGUA | EDAD MODERNA | EDAD MEDIA | EDAD CONTEMPORÁNEA

C Con tu compañero, lee los siguientes siglos en voz alta.

1 s. III a. C.	3 s. IX d. C.	5 s. XIV d. C.	7 s. VII a. C.
2 s. XIX	4 s. XII a. C.	6 s. XVII a. C.	8 s. XI d. C.

Repasa Los verbos irregulares en presente de indicativo en la sección de Gramática al final del libro.

2 A ¿Qué sabes sobre los orígenes del español? Decide si estas informaciones son verdaderas (V) o falsas (F).

1 La mayoría de las palabras del español proceden del árabe. ☐
2 En algunas partes de España se habla árabe durante ocho siglos. ☐
3 En español hay palabras de origen germánico. ☐
4 El catalán, el gallego y el vasco son lenguas que proceden del latín. ☐
5 En español hay palabras que proceden de lenguas indígenas de América. ☐
6 La palabra *servilleta* es de origen francés. ☐

GRAMÁTICA

El presente histórico

Se usa para hablar de hechos del pasado en textos sobre historia donde aparecen cronologías: *La democracia **nace** en la Edad Antigua.*

LÉXICO

Fechas y siglos

- a. C. = antes de Cristo / d. C. = después de Cristo: *Roma se funda en el año **753 a. C.***

- Para referirse a los siglos se utilizan números romanos:

I	uno	XI	once
II	dos	XII	doce
III	tres	XIII	trece
IV	cuatro	XIV	catorce
V	cinco	XV	quince
VI	seis	XVI	dieciséis
VII	siete	XVII	diecisiete
VIII	ocho	XVIII	dieciocho
IX	nueve	XIX	diecinueve
X	diez	XX	veinte

- Escribimos los siglos con números romanos, pero cuando los decimos, utilizamos los números cardinales: *Estamos en el siglo XXI **(veintiuno)**.*

B **Ahora, lee el siguiente fragmento de un libro de historia y comprueba tus respuestas.**

Etapas en la formación del español

Hasta el siglo III a. C. - ETAPA PRERROMANA
En la Península viven diferentes pueblos: vascos, tartesios, íberos, celtas, griegos y fenicios. Actualmente, existen nombres de lugares de esta época, como, por ejemplo, *Cádiz, Málaga* (del fenicio) o *Ampurias* (del griego). Hoy en día, el vasco es el único idioma de esa época que se continúa hablando en España.

Desde el siglo III a. C. hasta el siglo V d. C. - ETAPA ROMANA
Se extiende el latín vulgar, es decir, el latín hablado por los soldados que vienen a la península ibérica. La mayoría de las palabras del castellano actual proceden del latín (70 %), por ejemplo, los meses del año y muchos nombres de lugares: *Zaragoza, León, Lugo...*

Desde el siglo V d. C. hasta el 711 - ETAPA VISIGODA
Se conserva el latín y se incorporan palabras de origen germánico: *ropa, guardia, guerra...*

Desde el 711 a 1492 - ETAPA MUSULMANA
En Al-Ándalus, un territorio que en los siglos VIII-X ocupa más de la mitad de la península ibérica, conviven el árabe y el mozárabe (este último, dialecto del latín hablado por los cristianos en territorio árabe). Después de ocho siglos, muchísimas palabras españolas son de origen árabe: *algodón, azúcar, zanahoria, aceituna, naranja, alfombra, taza, alcohol, cifra...*
En el mismo periodo, en los reinos cristianos se desarrollan los dialectos del latín que actualmente se hablan en España: el castellano o español, el gallego y el catalán.

Siglos XV y XVI - SIGLOS DE ORO
A finales del siglo XV, el castellano es la lengua más usada en España. También es la lengua que los españoles llevan a América. El vocabulario de esta época se enriquece con palabras tomadas del latín, pero también con términos de origen italiano *(escopeta, piloto, terceto, novela...)*, de origen francés *(servilleta, batallón...)*, y palabras procedentes de las lenguas indígenas de América, como el araucano, el náhuatl, el quechua, el guaraní... *(tomate, patata, chocolate...)*.

Siglos XVIII - XXI
Los siglos XVIII y XIX son una época con una importante influencia francesa (el francés se estudia en las escuelas), por eso muchas palabras se toman del francés: *bicicleta, restaurante, turismo...*
En los siglos XX y XXI, y especialmente en las últimas décadas debido a las nuevas tecnologías, el idioma con más influencia en el español es el inglés: *computadora, fan, eslogan, tableta, tuitear...*

C **Completa las frases según el texto.**

actualmente • a finales • un periodo • los años setenta • en las últimas décadas

1 La Edad Media es ________ de la historia muy largo, que se extiende desde el siglo V hasta el siglo XV.
2 ________ del siglo XV el castellano es la lengua que más se habla en España.
3 Hasta ________ en las escuelas españolas se estudia francés.
4 ________ en España en las escuelas se estudia inglés.
5 ________ el español ha incorporado muchas palabras del inglés.

COMUNICACIÓN

Referirse al presente o al pasado

- Para referirse al presente se utiliza ***actualmente, hoy en día, en la actualidad***:
  Hoy en día *hay más libertad que antes.*
- Para referirse al pasado se utiliza: ***a principios / mediados / finales del siglo XIII; en esa época / década; en aquel periodo / tiempo; en los (años) cuarenta; después de ocho siglos; en el mismo periodo; en los siglos XII y XIII; en las últimas décadas...:***
  En aquel periodo *se incorporan muchas palabras de origen germánico al español.*

3 **¿Qué culturas han influido en tu idioma o en otro idioma que conoces? En parejas, buscad información y confeccionad un resumen cronológico. Después, presentadlo en la clase.**

Avanza Puedes utilizar Timeline o cualquier otro programa para presentar tu texto.

4 **A** (22) **Escucha esta conversación entre dos estudiantes de Antropología que hablan sobre la influencia de otras culturas en la cultura española y toma nota de los ejemplos que se comentan de los siguientes temas.**

gastronomía **música** **educación** **costumbres** **ropa**

B **¿En qué aspectos han influido otros pueblos en tu cultura? Haz una lista y compárala con la de tu compañero.**

Turrón: dulce de origen árabe

Antes y ahora

1 A ¿Qué sabes sobre Uruguay? Comentadlo en pequeños grupos.

B Lee el fragmento de este ensayo que describe cómo era antes Uruguay. Según el autor, ¿se vive mejor en Uruguay ahora que antes?

Como el **Uruguay** no había de CARLOS DOYENART

«Como el Uruguay no hay». Esta es una expresión acuñada en la primera mitad del siglo pasado, que luego de 60 años de estancamiento mantenemos vigente [...].

No existían las casas enrejadas, los muchachos jugaban al fútbol en plena calle porque el tránsito vehicular era muy escaso y existía una vida de barrio que hoy no tenemos; es más, casi no tenemos barrio [...].

Existían los almacenes, los bares «en cada esquina» y aquel fabuloso Estado benefactor que daba empleo a mucha gente, directa o indirectamente. La industria proveía a muchos de un empleo formal, estable y relativamente bien remunerado, lo cual confería, principalmente a Montevideo, un paisaje urbanístico tranquilo, limpio, integrado, donde el bienestar de sus pobladores podía casi «tocarse con la mano».

[...]

Había muchas menos cosas para consumir, por lo cual nos evitábamos el estrés del deseo; teníamos tiempo para conversar en familia, con amigos o vecinos, no existían los *mails* ni los mensajes de texto, los contactos eran personales. Nuestra moneda era fuerte, todos accedían a una buena atención de la salud, la clase política se destacaba por su honradez. Existía una amplísima clase media, en una sociedad hiperintegrada donde la escuela pública recibía a los hijos de muy diversos estratos sociales [...]. Vivíamos tan bien que el resto del mundo poco importaba [...]. En determinado momento de esa primera mitad del siglo pasado, nuestro producto por habitante era similar a los países europeos (quienes tenían algún problema que otro) y nuestro ingreso per cápita era casi igual al de Estados Unidos. No éramos una potencia, claro está, pero vivíamos muy bien.

Éramos una sociedad autocomplaciente y, en buena medida, con razón. Pero lo mejor de todo es que podíamos vivir bien sin grandes esfuerzos ni sacrificios, gracias a un formidable excedente agropecuario* que satisfacía con creces todas las necesidades de la sociedad urbana.

* excedente agropecuario: mucha producción en agricultura y ganadería

Extraído del libro *Como el Uruguay no había*, de Juan Carlos Doyenart

C Relaciona las siguientes expresiones con su significado, según el contexto.

1 [línea 1] una expresión acuñada
2 [línea 3] mantenemos vigente
3 [línea 7] era muy escaso
4 [línea 10] en cada esquina
5 [línea 14] bien remunerado
6 [línea 17] tocarse con la mano
7 [línea 38] autocomplaciente
8 [línea 42] con creces

a numerosos
b había muy poco
c era evidente
d continuamos usando
e bien pagado
f que se empezó a usar
g satisfecha y poco crítica consigo misma
h con más abundancia de lo esperado

D Lee de nuevo el fragmento y señala si las siguientes frases sobre Uruguay son verdaderas (V) o falsas (F).

1 Antes los niños jugaban en las calles. ☐
2 Ahora hay más seguridad. ☐
3 Antes había más trabajo. ☐
4 Ahora la gente es menos consumista. ☐
5 Antes la moneda era más fuerte. ☐
6 Ahora los políticos son más honrados. ☐

E Busca en el texto todos los verbos en pretérito imperfecto y, con tu compañero, escribid cuáles son sus infinitivos.

2 A En parejas, escribid frases sobre cómo era la vida en vuestro país en una época concreta (los años cincuenta, en el siglo XIX...). Elegid uno de estos temas.

LA VIDA EN LOS BARRIOS • LOS JUEGOS DE LOS NIÑOS O LAS RELACIONES SOCIALES
LA SOCIEDAD • EL TRABAJO • LA COMUNICACIÓN • LA ECONOMÍA • LOS MEDIOS DE TRANSPORTE

En esta época los niños jugaban en la calle.

B Ahora, leed vuestras frases. Vuestros compañeros tienen que adivinar a qué época se refieren.

GRAMÁTICA

El pretérito imperfecto

Con el presente de indicativo describimos personas, cosas, situaciones y hechos en la actualidad; con el pretérito imperfecto, las describimos en el pasado:

*En mi ciudad, antes **había** muchos cines.*
*En aquel tiempo, en este barrio **vivían** muchos italianos.*

- Verbos regulares:

-ar	-er/-ir	
jugar	tener	vivir
jug**aba**	ten**ía**	viv**ía**
jug**abas**	ten**ías**	viv**ías**
jug**aba**	ten**ía**	viv**ía**
jug**ábamos**	ten**íamos**	viv**íamos**
jug**abais**	ten**íais**	viv**íais**
jug**aban**	ten**ían**	viv**ían**

- Verbos irregulares: el pretérito imperfecto solo tiene tres verbos irregulares.

ir	ser	ver
iba	**era**	**veía**
ibas	**eras**	**veías**
iba	**era**	**veía**
íbamos	**éramos**	**veíamos**
ibais	**erais**	**veíais**
iban	**eran**	**veían**

*No **éramos** una potencia, pero vivíamos muy bien.*

3 A Los países cambian y las ciudades y sus barrios también. ¿Sabes dónde están estos barrios y quién vive en ellos? Completa la siguiente tabla con la información de los textos.

	¿Dónde está?	¿Quién vive allí?	¿Qué tiene de especial?
Barrio Sur			
Liberdade			
El Raval			

BARRIO SUR

Es un barrio de Montevideo donde conviven descendientes de africanos que llegaron en la época de las colonias con familias de otros orígenes: italiano, judío o español.
Tradicionalmente, en este barrio mucha gente vivía en los típicos conventillos, casas donde las familias alquilaban habitaciones y compartían espacios, como la cocina o el baño, pero hoy en día ya no existen.
Barrio Sur es, además, el centro de reunión durante la época de carnaval. Uno de los lugares más conocidos es la plazoleta Medellín, donde se encuentra el monumento al rey del tango: Carlos Gardel.

LIBERDADE

Liberdade (*libertad,* en portugués) es un distrito que se encuentra cerca del centro histórico de São Paulo y de la Avenida Paulista. En este barrio vive la mayor población japonesa (inmigrantes y descendientes) fuera de Japón. Actualmente, en él también vive población de origen chino y coreano, pero el barrio todavía concentra multitud de manifestaciones culturales japonesas: restaurantes, templos budistas, santuarios sintoístas o jardines japoneses y museos, entre los que destaca el Museo de la Inmigración Japonesa.

EL RAVAL

El Raval es un barrio de Barcelona ubicado en la parte antigua de la ciudad, muy cerca del Barrio Gótico y de la Rambla, donde todavía se pueden ver edificios medievales. En él conviven hoy en día gentes venidas de múltiples países y culturas, principalmente de origen paquistaní. En sus calles pueden verse comercios de todas las nacionalidades, y también modernas tiendas de moda y nuevas tendencias. También es conocida la calle de la Cera, con una gran comunidad, histórica, de etnia gitana.

B Lee el cuadro de gramática y completa las frases con *ya no* y *todavía,* según la información que hay en los textos anteriores.

1 En Barrio Sur ____________ hay conventillos.
2 En Liberdade ____________ hay muchos restaurantes japoneses.
3 En el Raval ____________ hay muchos edificios medievales.

4 A (23) Escucha a dos vecinos que viven en el barrio del Raval de Barcelona y hablan de su pasado y su presente. ¿Están contentos en el barrio?

B (23) Escucha de nuevo y responde: ¿quién tiene estas opiniones sobre el barrio: María (M) o Xavi (X)?

1 Todavía viven muchos españoles. ☐
2 Este barrio ya no tiene vida. ☐
3 En el barrio ya no vive gente de aquí. ☐
4 Ya no hay tanta delincuencia como antes. ☐
5 Todavía hay mucha inseguridad. ☐

Avanza Haced un póster con información sobre un barrio multicultural de algún lugar del mundo.

C ¿Sabes qué cosas han cambiado en tu barrio o en tu ciudad y qué cosas continúan igual? Coméntalo con tu compañero.

En mi barrio o en mi ciudad…
- ya no ____________ - todavía ____________ - antes ____________

Repasa Los otros usos de *ya* y *todavía no* que has aprendido en la unidad 5.

GRAMÁTICA

Ya no / Todavía

- Ya no
Para expresar que algo existía o se hacía antes y ahora no. Indica un cambio de estado:
*En mi ciudad **ya no** hay cines.*

- Todavía
Para expresar que algo existía o se hacía antes y continúa siendo así. Indica que no hay un cambio de estado:
*En mi barrio **todavía** hay pequeñas tiendas.*

Recuerdos

1 **¿Qué recuerdos especiales tienes de tu infancia? ¿Qué te gustaba hacer? Coméntalo con tus compañeros.**

A mí me gustaba mucho ir a la playa con mis padres...

2 (24) **Escucha a Camila, una chica española que recuerda su infancia paseando con un amigo por Lavapiés, un barrio de Madrid. Lee las frases y escucha su conversación; hay tres frases que no son correctas, señálalas.**

1 Camila no se acuerda de dónde vivían sus abuelos exactamente. ☐
2 Sus abuelos por parte de padre eran gallegos. ☐
3 En Galicia, sus abuelos trabajaban en el campo. ☐
4 En los años cuarenta, cincuenta y sesenta mucha gente de Galicia emigraba. ☐
5 En Madrid, su abuela trabajaba en una fábrica. ☐
6 En Madrid, su abuelo era taxista. ☐
7 Su abuela se levantaba todos los días muy temprano. ☐
8 Su abuelo solo descansaba un día a la semana. ☐
9 Camila recuerda que sus abuelos no hablaban muy bien el castellano. ☐
10 Camila va todos los veranos a Galicia con sus abuelos. ☐

3 **Lee el siguiente poema del escritor uruguayo Mario Benedetti y responde a las preguntas.**

1 ¿De qué cuatro épocas de la vida habla?
2 En el poema habla de dos temas principalmente, ¿de cuáles?
3 ¿Cuál es tu interpretación del poema? ¿Qué te dice a ti?

Pasatiempo

MARIO BENEDETTI

Cuando éramos niños,
los viejos tenían como treinta,
un charco[1] era un océano,
la muerte lisa y llana
no existía.

Luego cuando muchachos,
los viejos eran gente de cuarenta,
un estanque[2] era un océano,
la muerte solamente
una palabra.

Ya cuando nos casamos,
los ancianos estaban en cincuenta,
un lago era un océano,
la muerte era la muerte
de los otros.

Ahora veteranos[3],
ya le dimos alcance a la verdad,
el océano es por fin el océano,
pero la muerte empieza a ser
la nuestra.

[1] charco: agua que se acumula, por ejemplo, en la calle cuando llueve
[2] estanque: espacio construido para almacenar agua y utilizarla para el cultivo o también como decoración en un jardín o un parque
[3] veterano: de edad madura

Avanza ¿Con qué ideas o conceptos asocias tú cada etapa de la vida? Haz una lista o un mapa mental.

COMUNICACIÓN

Recordar

Recuerdo que *cuando era pequeño visitaba a mis abuelos todos los domingos.*

Acordarse de algo o de alguien

- ***¿Te acuerdas de*** *Juan?*
- *¿El chico que tenía cuatro hermanos?*

Lavapiés, barrio de Madrid

LÉXICO

Etapas de la vida

- la niñez
- la infancia
- la adolescencia
- la juventud
- la madurez
- la vejez

4 A **En un liceo de Montevideo, los alumnos tienen que hacer una pequeña presentación sobre su familia. Lee una de las presentaciones y complétala con los siguientes verbos en imperfecto.**

tener • ser (x 2) • emigrar • tardar • haber • mantener • enviar

SANDRA MANOTTI CARBALLO

Yo soy uruguaya, pero también me siento un poco italiana y española, porque mis abuelos (1) ____________ italianos y gallegos*. Mi abuelo era muy alto y moreno, y mi abuela, la gallega, era rubia y (2) ____________ los ojos azules. Llegaron a Uruguay en los años sesenta, cuando en Uruguay (3) ____________ muchas más oportunidades que en sus países. En esa época había muy poco trabajo en Europa y la gente que podía (4) ____________ a América: a Brasil, a Argentina o a Uruguay.... Tengo familia en Brasil y, por supuesto, también en Italia y en España, pero no los conozco personalmente, aunque nos comunicamos por Facebook o por Skype. Mi madre me cuenta que, cuando ella era pequeña, mis abuelos (5) ____________ el contacto con la familia por carta. Escribían una o dos cartas al año y tardaban muchos días en llegar. Recuerdo que, cuando era pequeña, mis padres (6) ____________ casetes a sus primos y a sus tíos, porque llamar por teléfono (7) ____________ demasiado caro. Es que todo es muy diferente hoy en día. Mis padres, ahora, hacen un viaje a Europa cada dos años. Antes, la gente tenía que viajar en barco y (8) ____________ semanas en llegar, y ahora, con el avión, en doce horas ya estás allá. El mundo es cada vez más pequeño.

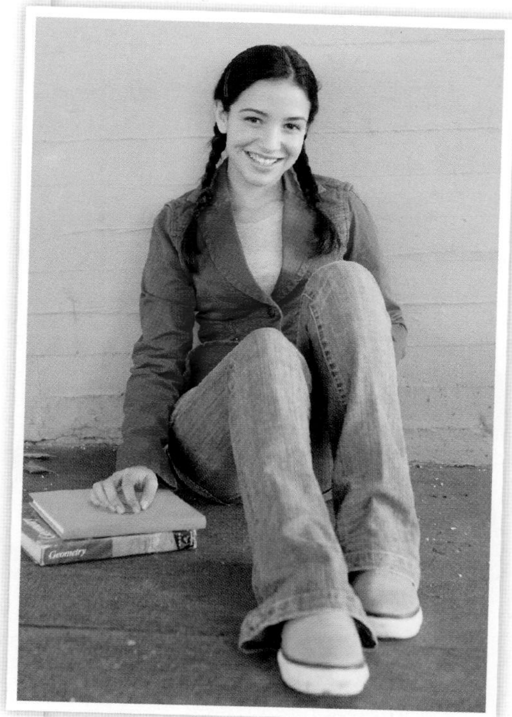

*Los gallegos son de Galicia, una región española, pero en Argentina y en Uruguay a todos los españoles los llaman *gallegos*.

B (25) **Escucha y comprueba.**

C **¿Recuerdas algo especial de tu infancia o de tus abuelos? Escribe una pequeña presentación para exponerla en la clase. Puedes acompañarla de imágenes.**

Avanza Lleva un objeto personal de tu infancia a la clase y habla sobre él.

5 **¿Sabes cómo se dividen en sílabas las palabras que en español tienen dos vocales? ¿Cuándo se acentúan? Lee la información del cuadro de ortografía y pronunciación sobre el hiato y divide las siguientes palabras en sílabas.**

1	comienza	*co-mien-za*	8	griego	____________
2	Mediterráneo	____________	9	mayoría	____________
3	Imperio	____________	10	ciudades	____________
4	Egipcio	____________	11	reino	____________
5	Oriente	____________	12	idioma	____________
6	europeo	____________	13	existía	____________
7	colonia	____________	14	igual	____________

Repasa Los diptongos en la unidad 6.

ORTOGRAFÍA Y PRONUNCIACIÓN

El hiato

Es la secuencia de dos vocales que se pronuncian en sílabas distintas. Hay tres tipos:
- Dos vocales iguales: *r**ee**legir, c**oo**peración, l**ee**r, cr**ee**r, ch**ii**ta.*
- Dos vocales abiertas **(a, e, o)**: *t**ea**tro, p**oe**ma, latin**oa**mericano, europ**eo**, Montevid**eo**.*
- Una vocal cerrada **(i, u)** tónica y una vocal abierta **(a, e, o)**: *ten**ía**, **oí**do, r**ío**, eval**úa**, R**aú**l* (siempre se escribe con tilde).

Los hiatos siguen las reglas normales de acentuación: *Jaén, deseo, océano, empleo, coreano.* Las reglas no cambian si existe una hache **(h)** entre las vocales (se llama *hache intercalada*): ***aho**ra, ve**he**mente, alco**ho**l.*

Uruguay

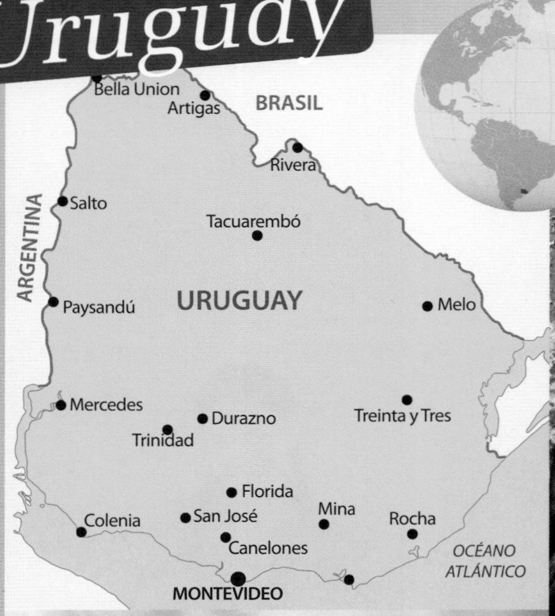

Bella Union
Artigas
BRASIL
Rivera
Salto
Tacuarembó
ARGENTINA
Paysandú
URUGUAY
Melo
Mercedes
Durazno
Treinta y Tres
Trinidad
Florida
Colonia
San José
Mina
Rocha
Canelones
OCÉANO ATLÁNTICO
MONTEVIDEO

MONTEVIDEO

GAUCHO DE LA PAMPA URUGUAYA

COLONIA SACRAMENTO

PUNTA DEL ESTE

1 ¿Qué sabes sobre Uruguay? Marca la opción correcta.

1 Uruguay tiene frontera con…
- a ☐ Argentina y Paraguay.
- b ☐ Brasil y Paraguay.
- c ☐ Argentina y Brasil.

2 Su población es de…
- a ☐ 30 000 000 de habitantes.
- b ☐ 3 500 000 de habitantes.
- c ☐ 15 000 000 de habitantes.

3 La capital de Uruguay es…
- a ☐ Montevideo.
- b ☐ Río de la Plata.
- c ☐ Salto.

4 Es un país miembro de…
- a ☐ TCLAN (NAFTA).
- b ☐ MERCOSUR.
- c ☐ OTAN (NATO).

5 La selección de fútbol uruguaya ganó el mundial de fútbol en…
- a ☐ 1950.
- b ☐ 1962.
- c ☐ 1978.

6 Uruguay era conocido internacionalmente como…
- a ☐ «la Italia de América».
- b ☐ «la Suiza de América».
- c ☐ «la Inglaterra de América» .

2 ¿Sabes qué es el candombe? Imagina que tienes que explicárselo a alguien que no habla español. Lee el siguiente texto y describe en tu idioma qué es.

El candombe

Este ritmo llegó en la época colonial a Uruguay desde África, con los esclavos, y todavía se oye en las calles, salas y carnavales del país. Está relacionado con otras formas musicales de origen africano en las Américas, como el son cubano, la tumba o el maracatú brasileño. El candombe era el principal medio de comunicación entre los esclavos, que usaban la música cuando se reunían a bailar, a cantar y a tocar los tambores fabricados por ellos mismos.

El candombe se toca todo el año por los barrios montevideanos, pero en febrero es cuando en los barrios Sur y Palermo de Montevideo se realiza una competición que involucra a decenas de comparsas. Cada una de ellas está formada por unos cincuenta percusionistas, como mínimo, quienes se complementan con un cuerpo de bailarines y los diversos personajes. El candombe fue reconocido por la UNESCO como Patrimonio Cultural de la Humanidad.

4 Estos nombres han sido extraídos de las Páginas Amarillas de Montevideo. Obsérvalos. ¿Puedes indicar el origen de algunos de estos apellidos?

- Apezechea Inzaurralde, Liana María
- Bertocchi di Dio, Silvana
- Blanco Domínguez, Antonio
- Botta Roccatagliata, José Adrián
- Calviño Melharejo, Gonzalo Álvaro
- Dos Santos Olivares, Gisela
- Fernández Martínez, Favio
- Ferrari Ciccone, Pablo Federico
- Ferrer Batlle, Luis Eduardo
- Gehr Warszanvezyk, Esther
- Goldstein Lamschtein, Isaac
- Hernández Freire, Helena
- Jiménez Molinari, Edgardo
- Lachowitz Stern, Ruth
- Loustanau Janichev, Nelson
- Moreno Rico, Julián
- Pereira Gómez, Marcelo
- Pérez Núñez, Valeria
- Ramírez Ordóñez, Juan Andrés
- Rodríguez Castillo, Luis
- Salom Falcó, Javier
- Vidal Aradas, Ricardo
- Wildbaum Feldfolgel, Daniel
- Zaffiri Scolaro, Juan

3 Lee las siguientes frases del conocido escritor uruguayo Eduardo Galeano. ¿Cuál o cuáles de ellas crees que tienen más relación con el tema de esta unidad? ¿Puedes explicar por qué?

1. «La caridad es humillante porque se ejerce verticalmente y desde arriba; la solidaridad es horizontal e implica respeto mutuo».
2. «De cada día nace una historia porque estamos hechos de átomos, estamos hechos de historias».
3. «Hay un único lugar donde ayer y hoy se encuentran y se reconocen y se abrazan. Ese lugar es mañana».
4. «Un problema deja de serlo si no tiene solución».
5. «Si la historia la escriben los que ganan, eso quiere decir que hay otra historia, la verdadera».
6. «La tolerancia es aprender a convivir con cosas que no te gustan».

5 Lee la siguiente canción de Daniel Viglietti y comenta con tus compañeros cuál creéis que es el mensaje. Búscala en internet para escucharla.

Milonga de andar lejos

Qué lejos está mi tierra
Y, sin embargo, qué cerca,
o es que existe un territorio
donde las sangres se mezclan.

Tanta distancia y camino,
tan diferentes banderas
y la pobreza es la misma
los mismos hombres esperan.

Yo quiero romper mi mapa,
formar el mapa de todos,
mestizos, negros y blancos,
trazarlo codo con codo.

Los ríos son como venas
de un cuerpo entero extendido,
y es el color de la tierra
la sangre de los caídos.

No somos los extranjeros,
los extranjeros son otros;
son ellos los mercaderes
y los esclavos nosotros.

Yo quiero romper la vida,
como cambiarla quisiera,
ayúdeme compañero;
ayúdeme, no demore,
que una gota, con ser poco,
con otra se hace aguacero.

DANIEL VIGLIETTI
Cantante, compositor y guitarrista, considerado uno de los mayores exponentes del canto popular uruguayo y latinoamericano

Mira estas fotos: ¿de qué época crees que son? En parejas, elegid una de ellas e imaginad quiénes eran, qué hacían, cómo eran sus vidas…

1

2

3

4

5

Acción

En pequeños grupos, vais a hacer una presentación comparando el pasado con el presente.

1. Podéis hablar sobre uno de estos temas: una década del siglo XX, una época de la historia, la época de vuestros padres o de vuestros abuelos.
2. Buscad información sobre cómo era la vida entonces y comparadla con el presente. Tomad notas.
3. Redactad un pequeño texto.
4. Decidid cómo vais a hacer la presentación (con PowerPoint, con fotografías, con audiovisuales…).
5. La clase va a decidir cuál es la presentación más interesante.

Actitudes y valores

Después de la presentación, responde *sí, no* o *más o menos.*

	sí	no	más o menos
- Ha sido fácil trabajar con mis compañeros.	☐	☐	☐
- Nos hemos puesto de acuerdo para organizar la presentación.	☐	☐	☐
- He respetado los distintos puntos de vista y opiniones de mis compañeros y de mi profesor.	☐	☐	☐

Reflexión

- ¿Hay compañeros de tu clase que tienen orígenes diferentes a los tuyos?

- ¿Cómo han influido las corrientes migratorias en tu país?

- ¿Cuáles son tus orígenes?

8 Arte

- Describir obras de arte
- Analizar textos literarios
- Hablar de gustos musicales y personalidad
- Preparar un trabajo sobre una manifestación artística
- Reflexionar sobre la estética y la comunicación en el arte
- Países: Honduras y El Salvador
- Interculturalidad: El arte como unión de culturas
- Actitudes y valores: Apreciar la importancia del arte

Joaquín Salvador, *Quino*

Julieta Venegas

Fernando Botero

Gustavo Dudamel

1. **Observa las fotos: ¿qué están haciendo en cada una de ellas? ¿Conoces a los artistas?**
2. **¿Con cuál te identificas más? ¿Por qué?**
3. **Tolstoi afirmó: «El arte es uno de los medios de comunicación entre los hombres». ¿Estás de acuerdo?**
4. **¿Qué papel tiene el arte en tu vida diaria?**

Pintura

1 ¿Qué es para ti el arte? ¿Crees que todas estas manifestaciones son artísticas? ¿Por qué? Coméntalo con tu compañero.

- una fotografía
- una película
- un edificio
- un programa de televisión
- una obra de teatro
- una novela
- una canción
- un monumento
- un cómic
- un anuncio

LÉXICO

Manifestaciones artísticas

- La pintura
- El dibujo
- La fotografía
- El cine
- La arquitectura
- La escultura
- La música
- La literatura
- La danza
- La moda

2 A Mira estas obras de arte y ponles uno de los siguientes títulos.

ARTE CALLEJERO | CUBISMO | FRESCO RENACENTISTA | POP ART

1 *Retrato de Dora Maar* (1937), de Pablo Picasso

2 *En el coche* (1963), de Roy Lichtenstein

3 Fresco (Palacio Viejo, Florencia, s. XVI), de Giorgio Vasari

4 Mural Retrato de Audrey Hepburn (Nueva York, 2014), de Tristan Eaton

B ¿Qué obra te gusta más? ¿Por qué? Coméntalo con tu compañero.

C (26) Escucha la descripción de una de las obras de arte anteriores: ¿de cuál se habla?

Repasa Los adjetivos de carácter, la apariencia física y los colores.

D Las cuatro obras muestran una mujer. Elige una de ellas y describe los sentimientos que te transmite. Usa el cuadro de comunicación como guía.

Avanza Describe una de tus obras de arte favoritas a un compañero.

COMUNICACIÓN

Describir una obra de arte

- *La pintura* ***muestra*** *a una mujer morena, no muy joven.*
- ***En primer plano se puede observar...***
- ***A la izquierda / A la derecha / En el medio / En el fondo hay / se ve...***

En primer plano se ve *una mujer alta...*

Describir lo que transmite una obra de arte

- *La foto* ***muestra*** *una chica que* ***está / parece estar*** *muy triste.*
- *El cuadro* ***transmite / comunica*** *sentimientos de tristeza...*
- ***Me gusta porque / Me parece que*** *es muy original.*
- *Esta foto* ***me recuerda*** *un día de verano.*
- *La obra* ***puede interpretarse como*** *un tiempo feliz en la vida...*
- ***Me gusta mucho la estética de*** *esta foto por los colores, las formas, etc.*

3 A **Cuando visitas un museo, una galería de arte o una exposición te puedes encontrar con señales como las siguientes. ¿Qué significan? Relaciónalas con las frases correspondientes.**

A

No está permitido fumar

B

Prohibida la entrada con perros

C

Está prohibido tocar las obras de arte

D

No se permite entrar con comida o bebida

E

SE PERMITE HACER FOTOS

F

B **¿En qué otros lugares puedes encontrar estas señales? Coméntalo con un compañero.**

4 A **Lee las siguientes frases y diseña las señales.**

1 Está prohibido usar cámaras de vídeo.
2 Prohibido pasar.
3 Se prohíben los zapatos de tacón.
4 Está permitida la entrada a los perros.
5 No se permite la entrada sin casco.

B **¿Puedes pensar en algo más que puede estar prohibido en un museo o en una galería de arte? Diseña una señal y pregunta a tus compañeros qué creen que significa.**

COMUNICACIÓN

Expresar prohibición y permiso

- ***(No) Está prohibido*** **+ infinitivo**
  Está prohibido *usar cámaras de vídeo.*
- ***(No) Está(n) prohibido(s)/-a(s)*** **+ sustantivo**
  Están prohibidas *las cámaras de vídeo.*
- ***Prohibido*** **+ infinitivo**
  Prohibido *pasar.*
- ***Se prohíbe(n)*** **+ sustantivo / infinitivo**
  Se prohíben *fotos con flash.*
  Se prohíbe *hacer fotos con flash.*
- ***(No) Está permitido*** **+ infinitivo**
  No está permitido *entrar sin casco.*
- ***(No) Está(n) permitido(s)/-a(s)*** **+ sustantivo**
  Solo está permitida *la entrada con vehículos.*
- ***(No) Se permite(n)*** **+ sustantivo / infinitivo**
  Se permite *cantar.*
  No se permiten *los zapatos de tacón.*

1 **Ordena las palabras de la derecha para formar una definición de *literatura*. ¿Puedes proponer tú otra definición?**

LITERATURA: *Arte* ______________________________________

2 **A Carmen es una estudiante universitaria de literatura. Lee su blog y completa la siguiente tabla.**

Países a los que viajó	
Escritores y obras mencionadas	
Lugares que visitó	

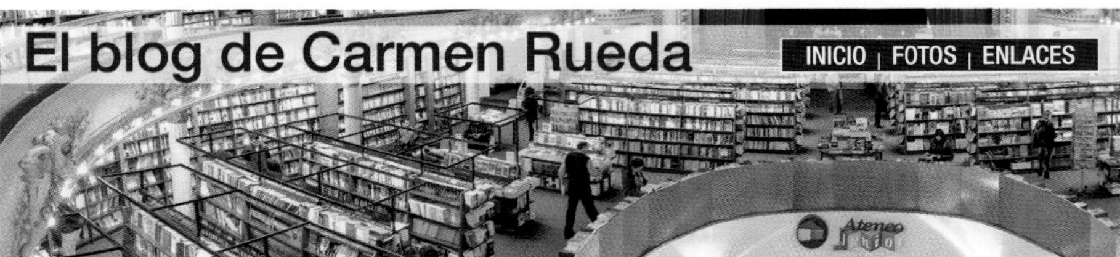

Mi viaje literario por Latinoamérica

Como estudiante de literatura, soy una apasionada de la literatura latinoamericana, y el año pasado decidí viajar a los cuatro países de mis escritores favoritos. La verdad es que ¡fue una experiencia inolvidable!

Empecé mi viaje en México, donde visité la Feria Internacional del Libro de Guadalajara. Pasé cuatro días allí, y ¡fueron unos días mágicos! Por la mañana, me levantaba muy temprano, cogía el autobús y visitaba la feria, que era muy grande. ¡Estaba tan contenta de estar en aquel festival de la cultura! Mientras recorría la feria, compré varios libros, entre ellos, *La piel del cielo*, de Elena Poniatowska. ¡Me encantó!

Después de México, viajé a Aracataca, en Colombia, el lugar donde nació Gabriel García Márquez y en el que se basó para crear el pueblo de Macondo que aparece en su novela *Cien años de soledad*. Cuando estaba en la Casa Museo de García Márquez, conocí a un escritor que era el guía durante la visita. Era un señor muy simpático, experto en la obra de García Márquez, y aprendí mucho. ¡Fue muy muy interesante!

En la última parte de mi viaje literario, visité Chile y Argentina. En Santiago de Chile, fui a la Biblioteca Nacional, donde estuve un día completo. Allí descubrí más cosas sobre mi autor favorito, Roberto Bolaño. Era un lugar muy bonito y muy grande. Había muchas salas que estaban decoradas con elegancia. En Argentina, lo que más me gustó fue El Ateneo, en Buenos Aires: es una librería que antes era un teatro. Fui allí porque quería comprar libros de Cortázar y Borges. Me alojé en un hotel que estaba al lado y pasé dos días completos en la librería. Iba muy temprano por la mañana, comía y bebía algo (hay un bar), leía, miraba y elegía los libros que me quería comprar. El segundo día, mientras estaba allí sentada, vi a Florencia Bonelli, una escritora argentina que me firmó su nuevo libro. Me gasté casi todo el dinero, pero me gustó tanto todo que no me importó.

Os recomiendo viajar a explorar la literatura latinoamericana, ¡es una experiencia increíble!

B Resalta los verbos en pretérito indefinido y pretérito imperfecto con distintos colores. Observa el cuadro de gramática y señala los diferentes usos de los ejemplos del blog.

Pretérito indefinido: *¡Fueron unos días mágicos! (valoración de cómo fue la acción)*

Repasa Los usos del pret. indefinido en la unidad 3 y del pret. imperfecto en la unidad 7.

LÉXICO

Literatura

- el / la escritor(a)
- la novela
- el poema
- la sinopsis
- la obra
- el / la narrador(a)
- la biblioteca
- la librería

GRAMÁTICA

Contraste pretérito indefinido / pretérito imperfecto

En el relato o la narración, usamos estos dos tiempos con valores diferentes:

Pretérito indefinido

- Acción que se desarrolla en un tiempo que ya terminó:
  *El año pasado **decidí** viajar a cuatro países.*
  *En noviembre **empecé** mi viaje en México.*
- Valoración de cómo fue la acción:
  *¡**Fue** una experiencia inolvidable!*
  ¡Me encantó!

Pretérito imperfecto

- Descripción de situaciones, gente, lugares, sentimientos, etc., en el pasado:
  *¡**Estaba** tan contenta!*
  ***Era** un señor muy simpático.*
  ***Era** un lugar muy bonito y muy grande.*
- Acción pasada habitual que se repite:
  *Por la mañana, **me levantaba** muy temprano, **cogía** el autobús y **visitaba** la feria.*

El verbo en **pretérito imperfecto** expresa una situación, un contexto; y el verbo en **pretérito indefinido**, un acontecimiento que ocurre en esa situación o contexto. Es frecuente usar ***mientras***, ***cuando*** y ***porque*** con el imperfecto.

*Cuando **estaba** en la Casa Museo de García Márquez, **conocí** a un escritor que **era** el guía.*
*Mientras **estaba** allí sentada, **vi** a Bonelli.*
***Fui** allí porque **quería** comprar libros.*

C ¿Pretérito indefinido o pretérito imperfecto? Construye frases relacionadas con el viaje de Carmen a partir de los verbos en infinitivo.

1 hacer frío en Buenos Aires – abrigarse mucho
situación *acción*
Me abrigué mucho porque hacía mucho frío en Buenos Aires.
2 estar en la habitación del hotel – llamar a mis padres por teléfono
3 tener fiebre – ir al médico a un hospital en Santiago de Chile
4 tener calor – ir a una piscina pública en Aracataca
5 caminar por un parque de la ciudad – encontrarse con un amigo chileno
6 estar perdida en el centro de Buenos Aires – coger un taxi al hotel

D Lee el comienzo de cuatro obras de los escritores que se mencionan en el blog de Carmen y relaciónalos con las siguientes sinopsis.

1 La novela cuenta la historia de un poeta misterioso. ☐
2 La novela narra la historia de una familia a lo largo de cien años en un pueblo. ☐
3 La novela narra las distintas etapas en la vida de un joven apasionado, inteligente y rebelde. ☐
4 El cuento relata la historia de dos hermanos que descubren que su casa está ocupada. ☐

A

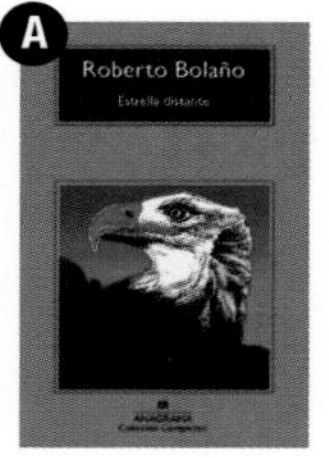

El narrador vio por primera vez a aquel hombre en 1971, o 1972, cuando Allende aún era presidente de Chile. Entonces se hacía llamar Ruiz-Tagle y se deslizaba con la distancia y la cautela de un gato por los talleres literarios de la Universidad de Concepción. Escribía poemas también distantes y cautelosos, seducía a las mujeres, despertaba en los hombres una indefinible desconfianza...

Estrella distante, Roberto Bolaño (Chile)

B

—Mamá, ¿allá atrás se acaba el mundo?
—No, no se acaba.
—Demuéstramelo.
—Te voy a llevar más lejos de lo que se ve a simple vista.
Lorenzo miraba el horizonte enrojecido al atardecer mientras escuchaba a su madre. Florencia era su cómplice, su amiga, se entendían con solo mirarse. Por eso la madre [...] compró un pasaje y medio de vagón de segunda para Cuautla en la estación de San Lázaro.

La piel del cielo, Elena Poniatowska (México)

C

Muchos años después, frente al pelotón de fusilamiento, el coronel Aureliano Buendía había de recordar aquella tarde remota en que su padre lo llevó a conocer el hielo. Macondo era entonces una aldea de veinte casas de barro y caña brava construidas a la orilla de un río...

Cien años de soledad, Gabriel García Márquez (Colombia)

D

Nos gustaba la casa porque aparte de espaciosa y antigua [...] guardaba los recuerdos de nuestros bisabuelos, el abuelo paterno, nuestros padres y toda la infancia.
[...] Hacíamos la limpieza por la mañana, levantándonos a las siete, y a eso de las once yo le dejaba a Irene las últimas habitaciones por repasar y me iba a la cocina. Almorzábamos al mediodía, siempre puntuales; ya no quedaba nada por hacer fuera de unos platos sucios. Nos resultaba grato almorzar pensando en la casa profunda y silenciosa y cómo nos bastábamos para mantenerla limpia. A veces llegábamos a creer que era ella la que no nos dejó casarnos.

«Casa tomada», *en Bestiario,* Julio Cortázar (Bélgica y Argentina)

3 Escribe la sinopsis de un libro que te gusta mucho sin poner el título. En pequeños grupos, os las intercambiáis, y los compañeros tienen que intentar adivinar qué obra es.

Avanza En pequeños grupos, inventad el comienzo de un relato.

4 A Lee este fragmento de un poema de Antonio Machado y complétalo.

vi las dos hermanas
frente a mi ventana
la más pequeñita
miró a mi ventana
la mayor hilaba

ABRIL FLORECÍA
(Antonio Machado)

Abril florecía
(1) ____________.
Entre los jazmines
y las rosas blancas
de un balcón florido,
(2) ____________.
La menor cosía,
(3) ____________...
Entre los jazmines
y las rosas blancas,
(4) ____________,
risueña y rosada
–su aguja en el aire–,
(5) ____________.

B (27) **Escucha y comprueba.**

Música

1 ¿Qué importancia tiene la música en tu vida? Responde al siguiente test. Compara tu respuesta con la de tu compañero.

¿QUÉ IMPORTANCIA TIENE LA MÚSICA EN TU VIDA?

1 ¿Con qué frecuencia escuchas música?
- a ☐ Todos los días.
- b ☐ Tres veces por semana.
- c ☐ Una vez por semana.

2 ¿Cuándo escuchas música?
- a ☐ Siempre que puedo.
- b ☐ Un par de horas al día.
- c ☐ Diez minutos al día.

3 ¿Con quién escuchas música?
- a ☐ Solo y con amigos.
- b ☐ A veces, con mis amigos.
- c ☐ Siempre solo.

4 ¿Dónde escuchas música?
- a ☐ Con mis cascos, en cualquier lugar.
- b ☐ En mi dormitorio.
- c ☐ Con mis cascos, cuando viajo.

5 ¿Qué tipo de música escuchas?
- a ☐ Todo tipo de música.
- b ☐ Clásica y moderna.
- c ☐ Ningún estilo en particular.

SOLUCIONES
- Mayoría de respuestas *a*: eres un adicto a la música y para ti la música es una parte muy importante de tu vida.
- Mayoría de respuestas *b*: te gusta la música y disfrutas con ella, pero no es muy importante en tu vida.
- Mayoría de respuestas *c*: no te desagrada la música, pero apenas forma parte de tu vida.

2 (28) Escucha distintos fragmentos de música. Numéralos según el orden en que los escuchas.

clásica	☐	tango	☐	*jazz*	☐
salsa	☐	rock	☐	hip hop	☐

LÉXICO

Géneros musicales

- Música clásica
- Música pop
- Música folclórica
- Música electrónica
- Ópera
- Tango
- Flamenco
- Rock and roll
- Salsa
- *Jazz*
- Cumbia
- Bolero
- *Reggae*
- Reguetón
- Rap
- Música *country*

3 A ¿Crees que la música que te gusta tiene relación con tu personalidad? Lee este artículo y subraya una frase con la que estás de acuerdo y otra con la que no.

EL GUSTO MUSICAL Y LA PERSONALIDAD

Los gustos de una persona pueden decirnos cómo es su personalidad, eso no es una novedad, pero los gustos musicales pueden decirnos mucho más. Esta parece ser la conclusión a la que han llegado algunos psicólogos en un estudio publicado recientemente.

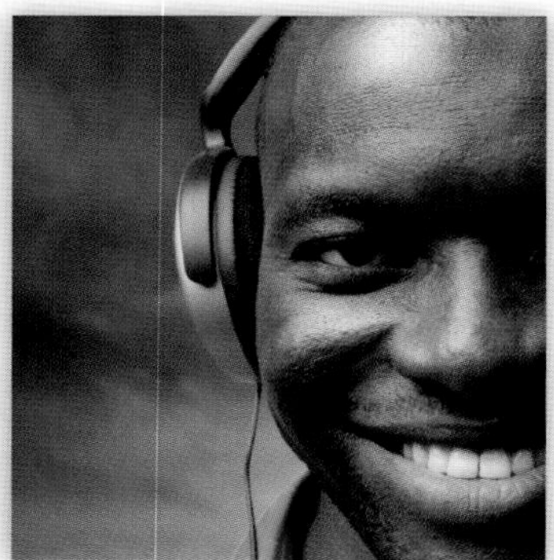

¿De qué hablan los jóvenes para conocerse?
Los científicos realizaron este estudio con voluntarios durante seis semanas para estudiar sobre qué hablaban los jóvenes. Formaron algunas parejas y grabaron y observaron sus conversaciones. Esto ayudó a los investigadores a concluir que el 37 % del tiempo lo dedicaban a temas muy variados, y que el 58 % lo ocupaba un tema: la música.
Este resultado llevó a los psicólogos a preguntarse por qué era la música el tema de conversación de la mayoría de los jóvenes. La hipótesis fue que los gustos musicales de la otra persona nos aportan información sobre ella. Entonces se hicieron la siguiente pregunta: «¿Qué nos dicen los gustos musicales acerca de la personalidad?».

¿Los gustos musicales predicen la personalidad?
Se realizó otro estudio en el cual unos voluntarios crearon una lista con sus diez canciones favoritas. Después, otros voluntarios hicieron predicciones sobre cómo era su personalidad a partir de esas listas. Los resultados sorprendieron, porque las predicciones basadas en los gustos musicales estaban relacionadas en un alto grado con los test de personalidad. Se vio en el estudio que, muy a menudo, cuando se conoce a alguien, se termina hablando de música para conocer sus gustos, y a través de esos gustos, saber algo de ella. Pero descubrieron algunas cosas más:
- La predilección por los temas cantados hablan de una personalidad extrovertida.
- La música *country* es señal de estabilidad emocional.
- El *jazz* se asocia a una personalidad intelectual.

Algo importante a tener en cuenta es que todos los voluntarios para estos estudios tenían 18 años y eran de distintas culturas. La conclusión del estudio nos confirma que casi todos los jóvenes suelen hablar más de música que las personas mayores.

Gonzalo Ruiz

Información extraída de www.depsicologia.com

B Vuelve a leer el artículo de la página anterior y marca la opción correcta en las siguientes frases.

1 **Muchos / Algunos** expertos realizaron una investigación con respecto a los gustos musicales y la personalidad.
2 Para realizar el estudio, los científicos contaron con **algunos / muchos** jóvenes.
3 Para **todos / la mayoría de** los encuestados, la música era el tema más importante.
4 El estudio reveló **muchos / algunos** puntos más, como la relación entre los gustos musicales y la personalidad.
5 **Muchos / Todos** los que participaron en el estudio tenían 18 años y eran de distintas culturas.
6 Según el estudio, **la mayoría / algunos** de los jóvenes suelen hablar de música.

Repasa Las construcciones causales (*a causa de que, porque*, etc.) en la unidad 6.

C El artículo nos habla de la conexión entre algunos tipos de música y la personalidad. ¿Qué tipo de personalidad crees que tienen las siguientes personas y por qué? Coméntalo con un compañero.

1 Lucía

Le gusta la música pop.

2 Alfredo

Ama la ópera.

3 Amanda

Le gusta el *blues*.

4 Ricky
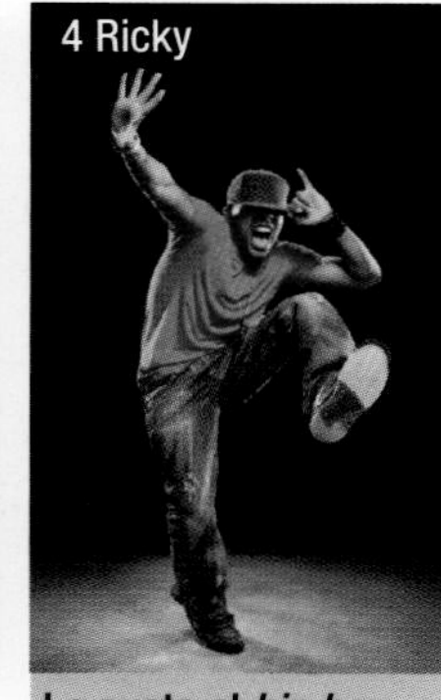
Le gusta el *hip hop*.

4 A Mira el cuadro de ortografía y pronunciación con los pronombres interrogativos y exclamativos y busca en el artículo anterior cuatro ejemplos más.

B (29) Lee y escucha esta conversación telefónica entre Martín y Cecilia y complétala con los pronombres interrogativos y exclamativos.

- ● ¿Diga?
- ■ ¡Hola!
- ● ¿(1) ________ habla?
- ■ Soy yo.
- ● Lo siento, pero se ha equivocado… ¿Con (2) ________ quiere hablar?
- ■ ¿Cecilia? Soy Martín, te llamo para quedar contigo, ¿(3) ________ nos vemos?
- ● ¡Martín! Me estaba preguntando (4) ________ me ibas a llamar… ¡Disculpa! No te he reconocido.
- ■ ¡(5) ________ distraída eres!

5 A (30) ¿Crees que los gustos musicales tienen que ver con tu cultura y tu entorno social? Escucha a dos chicos hablando sobre sus gustos musicales en un programa de radio y contesta a las preguntas.

1 ¿Qué música escucha Mario?
2 ¿Por qué cree que le gusta esa música?
3 ¿Qué música le gusta a Carolina?
4 ¿Cree ella que le ha influido su familia en el gusto musical?

B ¿Cómo influye tu cultura en tu gusto musical? Coméntalo con un compañero.

Avanza Escribe una entrada de blog sobre la conexión entre tu gusto musical y tu cultura.

COMUNICACIÓN

Indicar una cantidad

Los cuantificadores se usan para indicar una cantidad no exacta o la ausencia de algo.

- ***(casi) todo/-a, todos/-as* + artículo determinado + sustantivo**
  Toda *la encuesta*
  Todos *los jóvenes*

- ***la mayoría de* + sustantivo**
  La mayoría de *los jóvenes*

- ***mucho/-a, muchos/-as***
  Mucha *gente*
  Muchos *expertos*

- ***algún(o/a), algunos/-as***
  Algún* *chico*
  Algunas *parejas de jóvenes*
  Las conclusiones de ***algunos*** *psicólogos*

- ***(casi) ningún(o/a)***
  No me gusta ***ningún**** *chico del grupo*
  No me gusta ***ninguno***
  No me gusta ***ninguna***

****Alguno*** y ***ninguno*** pierden la ***-o*** cuando van seguidos de un sustantivo masculino.

ORTOGRAFÍA Y PRONUNCIACIÓN

Los pronombres interrogativos y exclamativos

Estos son: ***qué, quién, cómo, dónde, cuándo, cuál, cuánto, por qué***. Estos pronombres siempre llevan tilde. Pueden ir:

- En preguntas o exclamaciones directas (entre signos de interrogación o exclamación):
  *¿**Qué** haces?*
  *¡**Cuánto** tiempo!*

- En preguntas o exclamaciones indirectas:
  *Dime **qué** haces mañana.*
  *No sabes **cómo** me alegro.*

Honduras
El Salvador

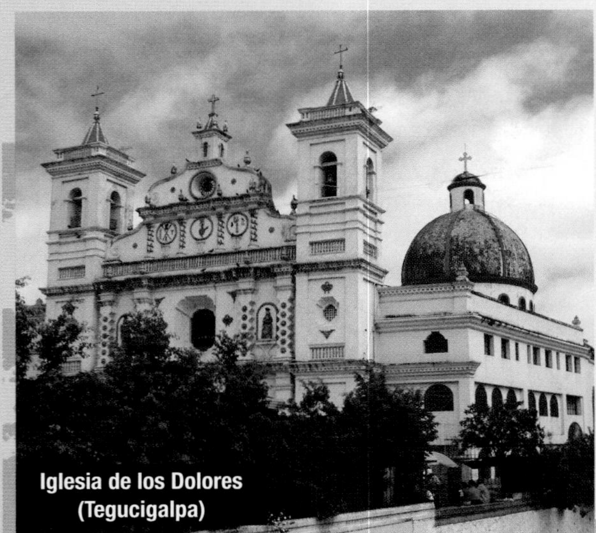
Iglesia de los Dolores (Tegucigalpa)

1 ¿Honduras o El Salvador? Lee estos datos y marca (X) en la tabla. Busca información en internet.

Datos	Honduras	El Salvador
1 Tiene una población de 8 millones de habitantes.		
2 Su capital es Tegucigalpa. En su territorio encontramos la Joya de Cerén, un antiguo asentamiento maya.		
3 Sus costas están bañadas por el Caribe.		
4 Es el país más pequeño de Centroamérica.		
5 Hay muchas áreas naturales protegidas, como el Parque Nacional de los Volcanes.		
6 El plato tradicional es una tortilla de maíz que se llama pupusa.		
7 Sus playas están en el Pacífico.		
8 Su moneda es la lempira.		

Pupusa

Transporte a Juayúa (El Salvador)

Lempira

2 Lee las siguientes descripciones referidas al arte en Honduras y El Salvador y relaciónalas con estas fotos o con el poema.

A ☐ Se denomina *Alegoría de la guerra civil y los Acuerdos de Paz*. Representa el difícil proceso que vivió el país durante el conflicto armado hasta que consiguieron la paz.

B ☐ Forma parte de la obra *Romances de Norte y Sur*. Plantea las contradicciones internas de identidad de una persona mestiza.

C ☐ Se denomina *marimba* y acompaña canciones folclóricas hondureñas. Su origen se remonta al 1500, como resultado de la fusión de elementos culturales de África, Europa y América.

D ☐ Recibe el nombre de *Estela A* y es una escultura maya, rica en detalles. Forma parte de la Gran Plaza, en Copán (Honduras).

No supe escoger la tierra de mi canto,
en muchos años,
dos tierras de honda presencia
eran misterio y regalo.
Las dos llevadas en la sangre,
las dos juntaba mi abrazo.
Un doble amor recogía
sus paisajes encontrados:
A la derecha palmeras
en galope de penachos,
a la izquierda vientos grises
sobre desvelo de barcos.
Aquí, las playas del sol...
Allá los ríos helados...

Claudia Lars
(escritora salvadoreña)

2

Antonio Bonillo
(pintor salvadoreño)

3 A Lee el cuento de Augusto Monterroso*: ¿qué representa el título del cuento? Marca (X) la opción correcta.

El espejo que no podía dormir

Había una vez un espejo de mano que cuando se quedaba solo y nadie se veía en él se sentía de lo peor, como que no existía, y quizá tenía razón; pero los otros espejos se burlaban de él, y cuando por las noches los guardaban en el mismo cajón del tocador dormían a pierna suelta satisfechos, ajenos a la preocupación del neurótico.

* Escritor nacido en Honduras que adoptó la nacionalidad guatemalteca.

- Una metáfora ☐
- Una personificación ☐
- Una comparación ☐

B Vuelve a leer el cuento y contesta a las preguntas.

1 ¿Por qué se sentía de lo peor el espejo?
2 ¿Qué hacían los otros espejos?
3 ¿Dónde dormían los espejos?
4 ¿Quién es el *neurótico*?

Acción - Reflexión

Mira estas fotos de distintas manifestaciones de arte. Elige una y justifica por qué es arte y qué te transmite.

Acción

En grupos, preparad una presentación sobre la manifestación de arte que más os guste.

1 Debéis incluir:
- el tipo de manifestación artística que habéis elegido y por qué os gusta
- qué os transmite / comunica
- por qué la consideráis arte
- qué influencia tiene en la cultura

2 Organizad la presentación para exponerla en la clase.
3 Votad y elegid el mejor trabajo.

Actitudes y valores

Marca (X) lo que se corresponde con lo que sientes.

1 Me considero capaz de mostrar mis emociones a través de las creaciones artísticas. ☐
2 Respeto y disfruto del trabajo en equipo. ☐
3 Puedo apreciar las distintas formas de comunicar a través del arte. ☐

Reflexión

- **¿Qué presencia tiene el arte en nuestra vida cotidiana?**
- **¿Ha cambiado tu concepto del arte con la unidad? ¿Qué es el arte para ti?**
- **¿Cuál es la manifestación del arte que más te emociona: la música, la literatura, la pintura…?**
- **¿Qué es lo más importante en el arte: la estética o el mensaje?**

9 Tecnología

- Hablar sobre los inventos del pasado
- Dar consejos e instrucciones
- Hacer peticiones y responder
- Participar en un foro sobre tecnología
- Reflexionar sobre el impacto de la tecnología
- País: Panamá
- Interculturalidad: La tecnología y el desarrollo global
- Valores y actitudes: Responsabilizarse del uso de la tecnología

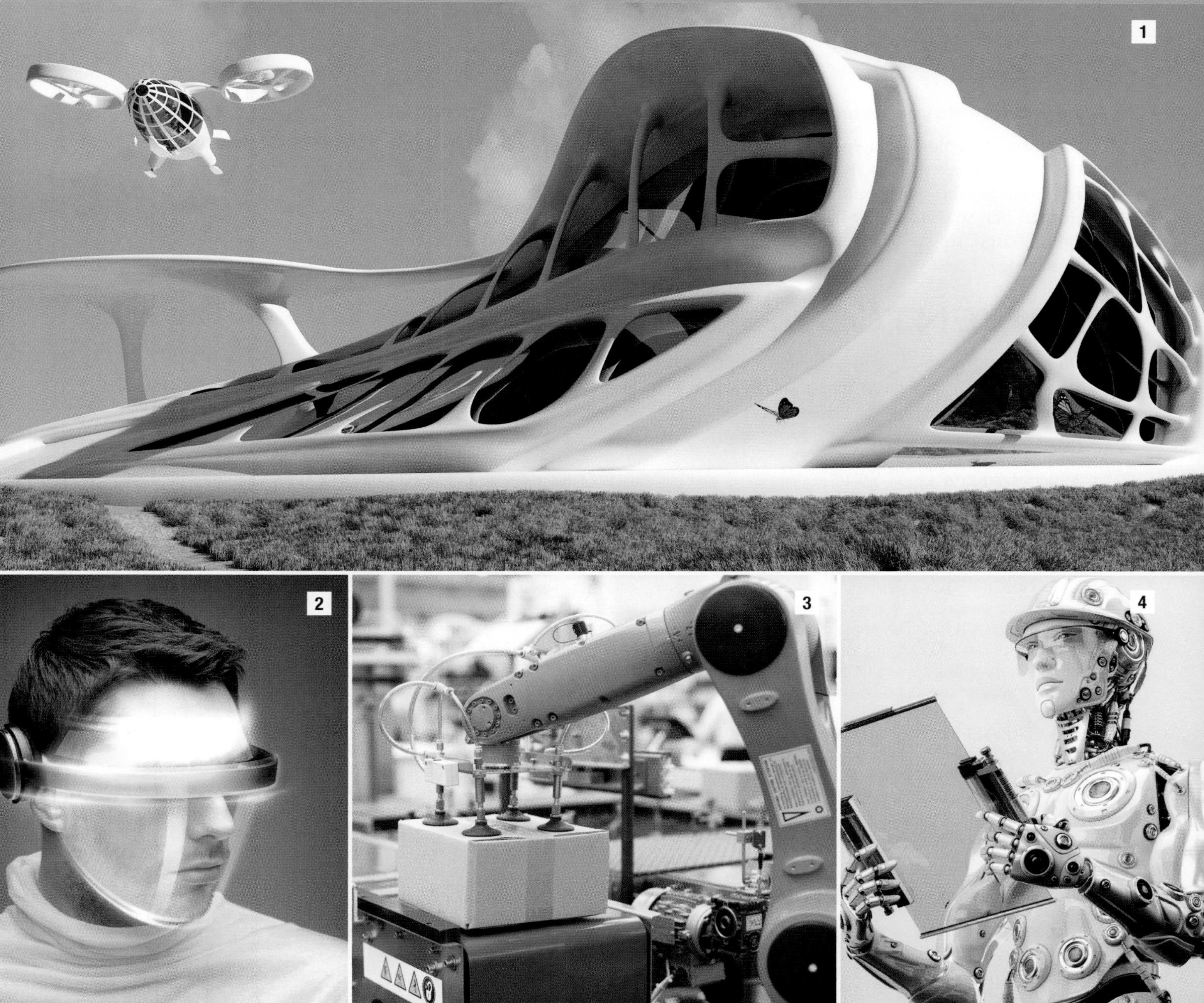

1 ¿En qué piensas cuando oyes la palabra *tecnología*?

2 ¿Qué importancia tiene la tecnología en tu vida?

3 ¿Qué papel crees que tiene la tecnología en la educación?

4 ¿Crees que estas fotos representan el presente o el futuro? ¿Por qué?

Grandes inventos del pasado

1 A Antes de leer un artículo sobre algunos inventos, ordénalos cronológicamente en una línea del tiempo. ¿Sabes el nombre del inventor de alguno de ellos?

el teléfono • el frigorífico • las gafas • la máquina de vapor • la imprenta

S. XIV > S. XV > S. XVI > S. XVII > S. XVIII > S. XIX > S. XX > S. XXI

Repasa La nominalización de los verbos en la unidad 6.

B Ahora, lee el texto y añade una de las siguientes frases al final de cada invento.

a Y cambió completamente el concepto de fábrica y producción.
b Hasta entonces, eran los monjes quienes hacían copias de los libros.
c También se sabe que los inuit las usaban para protegerse de la luz.
d Hoy en día, se estima que hay unas 1300 millones de líneas en el mundo.
e Sin embargo, no se hicieron populares en todos los hogares hasta cien años más tarde.

LÉXICO

Los inventos

Verbos

- construir
- contribuir
- desarrollar
- fabricar
- inventar
- patentar
- revolucionar
- usar
- utilizar

Sustantivos

- el aparato
- la construcción
- el desarrollo
- la fabricación
- el invento
- la máquina
- el motor
- la patente
- la producción
- el producto
- la revolución
- el sistema

Adjetivos

- eléctrico/-a
- funcional
- revolucionario/-a

5 INVENTOS QUE CAMBIARON LA HISTORIA

En la historia de la humanidad ha habido multitud de avances e inventos. Aquí hemos seleccionado solo cinco, quizá, no los más importantes, pero, sin duda, inventos que han cambiado nuestras vidas. ¿Sabes cuándo se inventaron y quién los inventó?

ALFREDO GUTIÉRREZ

LA IMPRENTA Se sabe que los romanos tenían unos sellos que imprimían sobre arcilla; también que los chinos usaban unos tipos de porcelana para imprimir en papel de arroz. No obstante, la primera imprenta la construyó el alemán Johannes Gutenberg. Para ello, utilizó tipos móviles que eran de metal. De esta forma se podía imprimir el mismo texto múltiples veces en papel. En 1454 imprimió 300 biblias. ____

EL FRIGORÍFICO También llamado *nevera*, porque antiguamente era un armario en el que se ponía nieve encima para conservar los alimentos. Después, en lugar de nieve, se utilizaban bloques de hielo. Con la electricidad, el frigorífico, con su motor eléctrico, revolucionó la cocina para siempre: ya no se tenía que ir todos los días a la compra y se podía mantener los productos frescos durante varios días. Muchas personas trabajaron para conseguir el frigorífico que tenemos hoy, entre ellas Jacob Perkins y Charles Tellier. Este último consiguió construir el primer frigorífico plenamente funcional en 1876. ____

LAS GAFAS Las gafas, tal como las conocemos hoy, las inventó Benjamín Franklin hacia 1784. Sin embargo, son múltiples las referencias en la historia a aparatos para ver mejor. Se sabe que los egipcios ya utilizaban el cristal con este fin, y se dice que el emperador romano Nerón usaba una esmeralda para ver las luchas de los gladiadores. Se pueden reconocer diferentes aparatos para la vista en pinturas de retratos de la Edad Media. La primera referencia a un lugar donde se vendían gafas data de 1450, en Florencia. Las gafas de sol, en forma de cristales de cuarzo, se usaron en China en el s. XII. ____

LA MÁQUINA DE VAPOR Es difícil asegurar el nombre del inventor de la máquina de vapor. Se sabe que un inventor español, Jerónimo de Ayanz y Beaumont, registró en 1606 la primera patente de una máquina de vapor, por lo que se puede decir que él fue su inventor. Sin embargo, James Watt patentó su máquina de vapor en 1769 y ha pasado a la historia como su inventor. La máquina de vapor contribuyó en gran medida a la Revolución Industrial en los siglos XVIII y XIX. ____

EL TELÉFONO Muchas personas contribuyeron a la invención del teléfono. El francés Charles Bourseul fue el primero en proponer la transmisión del lenguaje humano por medio de un sistema electrónico en 1854. Alrededor de 1857, el italiano Meucci construyó un teléfono para conectar su oficina (en el sótano de su casa) con su dormitorio (en el segundo piso), donde se encontraba su esposa, que sufría de reumatismo. Sin embargo, Meucci no pudo patentar su invento porque no tenía suficiente dinero, y lo presentó en una empresa que no le devolvió los materiales. En 1876, Alejandro Graham Bell patentó el primer teléfono. En el año 2002, en EE. UU., se reconoció la paternidad de este invento a Antonio Meucci. ____

C Busca los verbos relacionados con estos sustantivos en el artículo anterior.

1 la construcción *construyó*
2 la utilización ____
3 la contribución ____
4 la patente ____
5 el invento ____
6 la imprenta ____
7 el uso ____
8 la revolución ____

Avanza Haz tarjetas con estos verbos y sustantivos para recordarlos mejor.

D ¿Cuál de los inventos anteriores te parece más importante? Coméntalo con tu compañero.

E En pequeños grupos, pensad en los tres inventos más importantes de la historia. Buscad argumentos para defender vuestras opciones.

2 (31) **Escucha un concurso de radio y trata de adivinar de qué invento hablan.**

3 A Los túneles, canales y puentes son obras de ingeniería. Escribe el nombre adecuado para cada definición. ¿Conoces otras obras de ingeniería?

1 Es una obra subterránea que comunica dos puntos para el transporte de personas o materiales. ____________
2 Es una obra que permite cruzar un accidente geográfico como un río, un valle o una carretera. ____________
3 Es una obra que normalmente conecta lagos, ríos u océanos. Se utiliza para el transporte. ____________

Puente

Canal

Túnel

B ¿Qué sabes del canal de Panamá? Lee este texto informativo y contesta a las siguientes preguntas.

1 ¿Por qué es tan importante este canal?
2 ¿Quién tuvo la idea de construir un canal en Centroamérica?
3 ¿Qué problemas tuvieron en la construcción?

GRAMÁTICA

Uso de los tiempos del pasado

- El **pretérito perfecto** se usa para hablar de acciones y experiencias del pasado que están relacionadas con el momento en el que hablamos. *En la historia de la humanidad **ha habido** multitud de avances e inventos.*

- El **pretérito indefinido** se usa para hablar e informar de hechos y acciones que ocurrieron en un momento determinado del pasado. *Gutenberg **utilizó** tipos móviles de metal.*

- El **pretérito imperfecto** se usa:
  - para describir en el pasado: *Los tipos móviles de la imprenta **eran** de metal.*
  - para contar acciones habituales en el pasado: *Los romanos **imprimían** sobre arcilla con una especie de sellos.*
  - para presentar la situación o contexto en el que ocurrieron acciones o hechos concretos del pasado: *Meucci no pudo patentar su invento porque **no tenía** suficiente dinero.*

EL CANAL DE PANAMÁ

Es una vía de navegación entre dos océanos: el Atlántico y el Pacífico. Se trata de una de las construcciones que más han ayudado al comercio en todo el mundo. Además, esta obra de ingeniería también ha tenido muchas repercusiones políticas.
Antes de su construcción, los navegantes tenían que dar toda la vuelta a América del Sur por el estrecho de Magallanes y el cabo de Hornos, al sur de Chile. Por eso, durante años, se buscó un istmo, es decir, la parte de tierra más estrecha entre los dos océanos para poder atravesar el continente americano. Gracias a este canal, se acortó en tiempo y distancia la comunicación marítima y, de este modo, aumentó el intercambio comercial.
La idea de construir un canal a través de Centroamérica la sugirió un científico alemán, Alexander von Humboldt. En esa época, la región de Panamá era parte de Colombia, y esta era una colonia española; por ese motivo fue España quien autorizó su construcción. Una empresa francesa ganó el proyecto del Canal, que dirigió Ferdinand de Lesseps, el principal ingeniero de otro gran canal, el de Suez.
Las obras comenzaron en 1881, enfrentándose a varios retos: el terreno accidentado, las epidemias de malaria y de fiebre amarilla (con elevada mortalidad entre el personal) y los problemas financieros, que provocaron la quiebra de la empresa francesa. Panamá se independizó de Colombia y firmó un tratado con el gobierno de los EE. UU. para continuar las obras. La inauguración del Canal tuvo lugar el 15 de agosto de 1914.
Es indudable la gran importancia que este canal ha tenido en la historia ya que mejoró el tránsito de mercancías entre los continentes.

Fuente: Wikipedia

C Vamos a hacer un repaso de los tiempos verbales del pasado. Busca en el texto anterior tres ejemplos de cada tiempo y, en pequeños grupos, comentad por qué creéis que se utiliza cada uno de estos tiempos.

Pretérito perfecto	*han ayudado*
Pretérito indefinido	*se buscó*
Pretérito imperfecto	*tenían*

Tecnología actual

1 A Contesta a estas preguntas y después coméntalas con un compañero.

1 ¿Sabes cuándo y dónde comenzó el desarrollo de la red (World Wide Web)?
2 ¿Quién creó la red?
3 ¿Cuándo empezó a utilizar internet el público en general?
4 ¿De dónde viene el nombre de *Google*?

B (32) Ahora, escucha a un profesor que pregunta a sus alumnos y comprueba tus respuestas.

C En grupos, elegid uno de los siguientes inventos y redactad un pequeño texto informativo sobre sus orígenes.

EL CORREO ELECTRÓNICO — LA TABLETA — EL TELÉFONO MÓVIL

Avanza Mira el cuadro de léxico y escribe otras combinaciones con los verbos y sustantivos.

LÉXICO

El ordenador

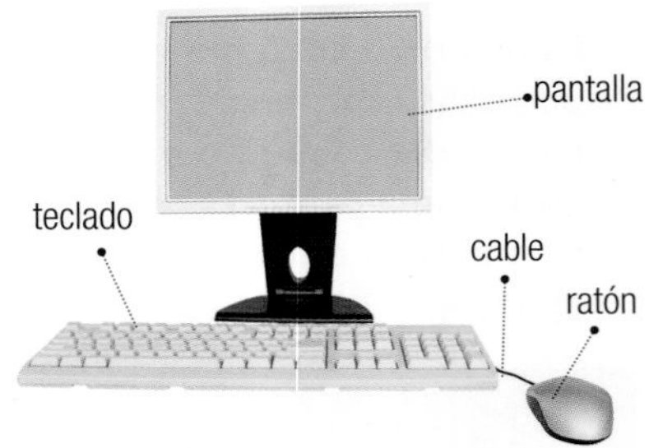

La informática

- abrir / cerrar un documento
- buscar información
- colgar un archivo
- compartir recursos
- conectar el ordenador
- copiar un documento
- cortar un párrafo
- crear un archivo
- descargar un programa
- escribir el usuario y la contraseña
- guardar una presentación
- instalar un programa
- pegar una foto
- subir al blog
- utilizar un buscador

2 A Lee este foro de profesores y señala en la tabla de quién son las siguientes contribuciones. Puede haber varias opciones.

	Laura	Enrique	Mónica	Roberto	Gabriela
1 Se dedica demasiado tiempo a los colores, tipos de letra, dibujos y fotos.					
2 A veces los alumnos saben más que los profesores.					
3 Ayuda a la motivación.					
4 Hay un gran acceso a la información desde cualquier parte del mundo.					
5 Fomenta la independencia del alumno.					
6 Se les puede dar a los alumnos material para estudiar en casa en la red.					

Problemas en el aula, soluciones TIC

Uno de los objetivos de nuestro grupo es utilizar las TIC de una forma eficaz en el aula.

Creado por Victoria Fernández

Comentado por Laura el 11 abril a las 2:42pm
¡Hola! En nuestra clase estamos fomentando la lectura con poemas. Cada día, antes de comenzar las clases, un alumno lee uno que él busca y elige. Todos quieren participar porque los grabo y los subo al blog. Las TIC me han ayudado a motivarlos. Saludos cordiales desde Córdoba.

Comentado por Enrique el 11 abril a las 4:03pm
Hola a todos:
Laura, felicidades por esa idea de la poesía. ¡Te la copio! Yo, en mi clase de español, he colgado en Moodle todas mis presentaciones de gramática. De este modo, los alumnos las pueden ver en casa y, durante la clase, tenemos más tiempo para hablar y jugar. Ha sido una experiencia estupenda, de verdad, os la recomiendo.

Comentado por Mónica el 11 abril a las 6:23pm
Enrique, totalmente de acuerdo contigo. Yo veo que con el uso de las TIC se ahorra mucho tiempo en clase y los alumnos son más independientes, ya que buscan la información por sí mismos. Llevo muchos años fuera de España y antes era muy difícil conseguir material. Ahora tenemos un acceso a la información global, que es tan importante en una clase de español.

Comentado por Roberto el 11 abril a las 10:05pm
Hola a todos. Estoy parcialmente de acuerdo con vosotros, porque cuando los chicos están en internet en el aula, tienen demasiadas distracciones y pierden mucho el tiempo. Además, ¿no pensáis que con tanto dibujo los alumnos se centran demasiado en el diseño y olvidan el contenido?

Comentado por Gabriela el 11 abril a las 11:45pm
Es maravilloso tener la ayuda de este grupo. Yo no soy muy buena con las TIC y no me siento muy segura con ellas. ¡Mis alumnos saben más que yo! Quiero preguntarles si alguien puede compartir recursos TIC para nivel de bachillerato. Un saludo, y gracias por este espacio.

B Ahora, añade en el foro anterior tu comentario sobre lo bueno o malo de usar las nuevas tecnologías en el aula de Español y, después, comentad en grupos si estáis o no de acuerdo con lo que dicen los profesores.

Repasa El lenguaje de opiniones, acuerdo y desacuerdo en la unidad 6.

3 A Lee estos textos y decide qué son.

un anuncio | unas instrucciones | unos consejos

A

El objetivo de la plataforma de léxico asistido por ordenador **EDULEX** es facilitar el aprendizaje. Los pasos son:

- Instala el programa.
- Rellena la ficha con tus datos personales.
- Abre una cuenta.
- Lee las instrucciones para empezar a trabajar.
- Escoge la lengua que deseas traducir.

¡Y ya está! ¡Ahora, aprender depende de ti!

B

CHICOS, si queréis utilizar el ordenador y no tener problemas con vuestro cuerpo, debéis seguir estos sencillos ejercicios:

Antes:
- Sentaos con la espalda recta, cuidado con doblarla.
- Colocad los brazos en un ángulo de 90 grados.

Durante:
- Moved los ojos lejos de la pantalla cada diez minutos.
- Levantaos y dad un pequeño paseo cada veinte minutos.

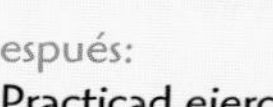

Después:
- Practicad ejercicios de estiramiento.

C

Es un hecho

Tu *smartphone* no es solo un teléfono. Es un reflejo de quién eres tú. Belleza y cerebro en un solo cuerpo. La tecnología más avanzada.

- Prueba el nuevo teléfono lo antes posible.
- Cómpratelo, porque tú te lo mereces.
- Usa tu huella dactilar para comenzar a usarlo y olvídate de contraseñas.
- Decídete, la oferta dura solo unos días.
- Conéctate con tus amigos y con la última tecnología.

Sé inteligente, apuesta por la belleza.

Repasa Las partes del cuerpo y los consejos en la unidad 4.

B Ahora, vuelve a leer los textos anteriores y relaciónalos con estas frases. Puede haber más de una opción.

	A	B	C
1 Propone algo nuevo.	*X*		*X*
2 Ayuda a aprender español.			
3 Tiene una fecha límite de compra.			
4 Está relacionado con la salud.			
5 Mejora la comunicación con los amigos.			
6 Intenta vender un producto.			
7 Puedes utilizar varias lenguas.			
8 Tienes que poner tu nombre y otras informaciones personales.			
9 Implica una actividad corporal.			

C Observa los verbos de los textos anteriores y cambia los que usan *tú* por *vosotros*, y viceversa.

D En pequeños grupos, escribid un anuncio para promocionar un producto.

GRAMÁTICA

El imperativo

Se usa, entre otras funciones, para:
- dar instrucciones
- dar consejos o hacer recomendaciones
- hacer una petición / dar una orden

Se forma:
- Verbos terminados en ***-ar***:
  instal**a** (tú) instal**ad** (vosotros)
- Verbos terminados en ***-er***:
  le**e** (tú) le**ed** (vosotros)
- Verbos terminados en ***-ir***:
  abr**e** (tú) abr**id** (vosotros)

La forma *tú* de imperativo coincide con la forma *él / ella / usted* del presente.

Imperativos irregulares

Los verbos irregulares en el presente también son irregulares en la forma *tú* del imperativo.

Irregulares con cambio en la vocal:

	irregular (tú)	regular (vosotros)
empezar	**empieza**	**empezad**
soñar	**sueña**	**soñad**
pedir	**pide**	**pedid**

Otros irregulares:

decir: **di** / **decid**
hacer: **haz** / **haced**
ir: **ve** / **id**
poner: **pon** / **poned**
salir: **sal** / **salid**
ser: **sé** / **sed**
tener: **ten** / **tened**

Imperativos con pronombres

Los pronombres de objeto directo y objeto indirecto van siempre detrás del imperativo y forman una sola palabra:

Conéctate *a internet.* (tú)
Conéctalo *a internet.* (el ordenador)

Cuando el imperativo de *vosotros* va seguido de ***-os***, pierde la ***-d***:

*conectad + el ordenador > conecta**dlo***
conectad + os > conectaos

COMUNICACIÓN

Dar instrucciones, consejos y órdenes y hacer peticiones

Utilizamos el imperativo con diferentes intenciones:

Instala *el programa en el ordenador.* (instrucción)
Si te duele la espalda, ***ve*** *a la piscina.* (consejo / recomendación)
Lee *el texto en voz alta.* (orden)
Pásame *el teléfono, por favor.* (petición)

La ciencia ficción

1 A Relaciona estas sinopsis de películas con sus títulos. Hay un título de más.

A La guerra de las galaxias **B** BLADE RUNNER **C** AVATAR **D** MATRIX

1 ☐ Rick Deckard es un policía especializado en cazar replicantes, unos androides que cumplen las tareas que los hombres ya no quieren hacer. Los nuevos modelos han empezado a sentir emociones y se rebelan contra el sistema.

2 ☐ Jake Sully, un exmarine que está en una silla de ruedas, es reclutado y convertido en avatar para viajar al planeta Pandora, a años luz de la Tierra. Allí, una corporación está extrayendo un mineral clave en la solución de la crisis energética de nuestro planeta.

3 ☐ Thomas Anderson es un programador de *software* y un *hacker* informático llamado Neo. Con él contacta Morfeo, quien le muestra la verdadera realidad: un mundo dominado por las máquinas que esclavizan a los seres humanos para utilizar sus cuerpos como fuente de energía.

A LA GUERRA DE LAS GALAXIAS
B HARRISON FORD BLADE RUNNER THE DIRECTOR'S CUT
C AVATAR
D MATRIX

Extraído de www.peliculasafondo.com

B ¿Qué otras películas de ciencia ficción conoces? ¿En cuántas aparecen robots? ¿Y avatares, clones o réplicas de los seres humanos?

2 A Lee este artículo sobre tecnología cibernética de una revista divulgativa y relaciona cada párrafo con una de estas frases o preguntas.

a La ciencia ficción nos hace pensar. ☐
b Los robots son habituales en la ciencia ficción. ☐
c ¿Las máquinas pueden tener sentimientos? ☐
d Las ventajas que ofrecen los robots. ☐
e Los robots generan desigualdad social. ☐
f Los robots no pueden sustituir al hombre. ☐

¿QUEREMOS TENER **robots**? *De Javier González*

1 Tema de muchos libros, novelas gráficas y películas, la idea de un robot que nos sustituye en nuestra vida diaria está cada vez más cerca de ser realidad, debido al gran desarrollo de la tecnología cibernética. Hay muchas películas sobre este tema, como *Los sustitutos (Surrogates)*, donde la gente vive sus vidas por control remoto desde la seguridad de sus casas a través de robots, pero lo que parece ciencia ficción puede no serlo muy pronto.

2 Robots que pueden realizar las acciones que nosotros no queremos hacer o, incluso, pueden vivir nuestra vida. Máquinas que nos evitan los peligros que tenemos que afrontar los humanos, como accidentes o enfermedades. Unos robots perfectos.

3 Sin embargo, no podemos olvidar las cuestiones morales. En primer lugar, ¿hasta qué punto podemos sustituir completamente al ser humano, con todos sus sentimientos, por máquinas? Necesitamos relacionarnos con otras personas y con la realidad, y no podemos hacerlo a través de un robot.

4 En segundo lugar, ¿estos robots van a ser simples máquinas o van a tener inteligencia, e incluso sentimientos? Esta es la pregunta que plantean algunas historias de ciencia ficción, como las películas *Matrix* o *Terminator*, en las que las máquinas se enfrentan a sus creadores.

5 Por último, ¿todos los humanos vamos a poder tener nuestro robot o solo los ricos van a poder tener uno? Algunos piensan que vamos a vivir en una sociedad dividida entre los que pueden pagar un robot y los que no: opinan que los robots pueden hacer crecer la desigualdad. Otros piensan justo lo contrario.

6 La ciencia ficción nos transporta a un futuro posible para hacernos reflexionar sobre nuestro presente y plantearnos estas y otras preguntas.

B (33) Olga y Santi son dos hermanos que tienen unos robots. Escucha qué les piden a sus robots y relaciona las peticiones con las siguientes frases.

a Tienen hambre. ☐
b Han hecho una fiesta el fin de semana y la casa está muy sucia. ☐
c No han hecho los deberes. ☐
d Van a salir con los amigos y van a volver tarde a casa, y sus padres no pueden saberlo. ☐
e Tienen sed. ☐
f A Santi le duelen los pies. ☐

Repasa Los pronombres de objeto indirecto en la unidad 2.

C Imagina que tienes un robot y puedes pedirle cualquier cosa. Escribe las instrucciones. Después, jugad en parejas: uno da las instrucciones y el otro es el robot y realiza las acciones.

3 A Lee este extracto de un relato e indica la respuesta correcta.

1 La historia tiene lugar en...
a ❍ el pasado.
b ❍ el presente.
c ❍ el futuro.

2 En el tiempo de la historia...
a ❍ los abuelos curan a las personas enfermas.
b ❍ los robots curan a las personas enfermas.
c ❍ los médicos curan a las personas enfermas.

3 Los chicos tienen unas pulseras...
a ❍ que les dicen cómo se encuentran.
b ❍ que pueden hacer operaciones.
c ❍ que les reservan habitación en un hospital.

4 En la historia...
a ❍ las operaciones se hacen en casa.
b ❍ no se hacen operaciones.
c ❍ se opera en los hospitales.

¿Por qué de blanco?

– Mira esta foto.
– ¿Qué es?
– Es un médico.
– ¿Cómo que un médico?
– **Sí**, una persona que curaba a las personas cuando estaban enfermas.
– ¿Cómo una persona? ¿Y por qué lo sabes **tú**?
– Porque me lo ha contado **mi** abuela. Antes había unas personas que **se** llamaban médicos.
– ¡Pero una persona no puede curar a otra! Para **mí**, que tu abuela **se** lo ha inventado todo. Solo los robots pueden hacer eso.
– Bueno, pues antes **sí**. Estudiaban durante muchos años en una universidad y sabían mucho del cuerpo humano y de las enfermedades.
– ¿Y por qué va vestido así?
– Pues porque iban siempre de blanco.
– ¿Por qué de blanco?
– Pues no lo **sé**, quizás para dar sensación de limpieza. Era como un uniforme.
– ¿Y qué hacían?
– Pues hablaban con la gente, les decían la enfermedad que tenían, daban consejos.
– Pero eso no hace falta. Cualquiera puede mirar la pulsera que llevamos y leer lo que te pasa. Mira, la mía ya me dice que tengo catarro y lo que tengo que tomar y lo que tengo que hacer.
– Ya, pero antes no existían esas pulseras. Además, **si** era necesario, también operaban.
– ¿Los médicos?
– **Sí**, **sí**.
– Pero ¡qué miedo! ¿No se equivocaban?
– Bueno, pues me imagino que alguna vez... Pero no, normalmente no.
– No **sé**.... Pues a **mí** me parece horrible. ¿Y los médicos iban a **tu** casa a operarte?
– No, antes, para las operaciones, **se** iba a unos lugares que **se** llamaban hospitales, y allí estaban todas las personas enfermas y tenían lugar las operaciones.
– ¿Y cómo era **el** hospital? No me lo puedo imaginar.
– Pues creo que eran edificios muy grandes.
– ¡Qué horror!, estar enfermo y tener que salir de **tu** casa. Ahora que lo pienso, nuestra máquina es maravillosa, solo con encenderla estás conectado con los mejores robots del mundo que te operan enseguida.

Idea basada en *Cómo se divertían*, de Asimov

Repasa El vocabulario sobre la salud en la unidad 4.

Avanza Puedes continuar el diálogo sobre la medicina del futuro. Escribe cuatro frases más.

B En pequeños grupos, discutid lo que os gusta y no os gusta de la medicina del futuro, según el relato.

C Fíjate en el relato. Hay palabras iguales, pero unas se escriben con tilde y otras sin tilde. ¿Sabes cuál es la diferencia?

D Ahora, escribe con un compañero dos frases más con palabras iguales, con tilde y sin tilde.

ORTOGRAFÍA Y PRONUNCIACIÓN

El acento diacrítico

Las palabras de una sílaba (monosílabos) normalmente no llevan tilde. Hay excepciones para diferenciar dos palabras que tienen un significado distinto, pero que se escriben igual. Estas son algunas de ellas:

- ***mí - mi***
  mí (pronombre con preposición): *Este libro es para **mí**.*
  mi (posesivo): ***Mi** abuela me lo ha contado.*
- ***él - el***
  él (pronombre personal): ***Él** va de blanco.*
  el (artículo determinado): ***El** uniforme es de color blanco.*
- ***tú - tu***
  tú (pronombre personal): *¿Por qué lo sabes **tú**?*
  tu (posesivo): ***Tu** abuela se lo ha inventado.*
- ***sé - se***
  sé (primera persona del presente del verbo *saber*): *No **sé** por qué iban de blanco.*
  se (pronombre): *Para las operaciones **se** iba a los hospitales.*
- ***sí - si***
  sí (afirmativo): *Antes **sí** operaban los médicos.*
  si (condicional): ***Si** era necesario, también operaban.*

Panamá

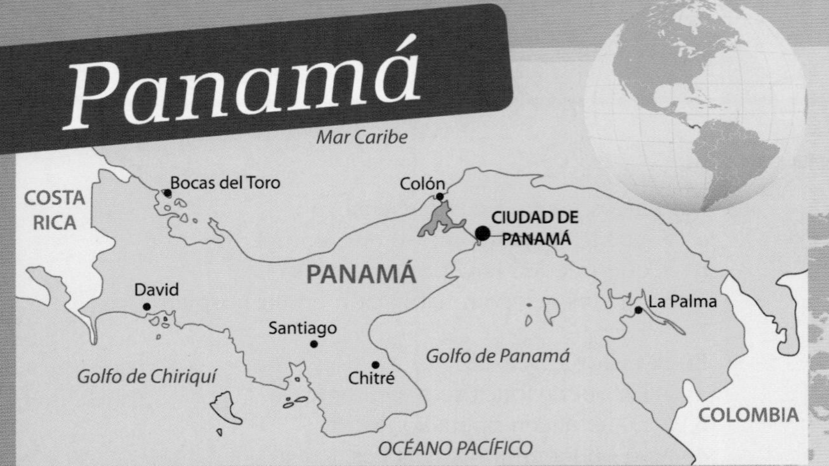

1 **En pequeños grupos, buscad tres informaciones interesantes sobre Panamá. Después, ponedlas en común con la clase.**

2 A **Lee el blog que Ben ha escrito en su viaje a Panamá y contesta a las siguientes preguntas.**

1. ¿Cuántos días estuvo Ben en Panamá?
2. ¿Por qué ha elegido la universidad el país de Panamá para su proyecto?
3. ¿Qué ciudad visitaron el último día? ¿Cómo es?
4. ¿Qué le ha gustado a Ben de Panamá?

Bitácora de viajes...

Ben

Me gustaría contar mis experiencias en Panamá. He estado allí durante diez días. No ha sido un viaje normal, he ido con un grupo de la Universidad de Lenguas Aplicadas de Múnich. Erámos 18 estudiantes en total. Nuestra universidad participa en un proyecto que se llama «Global Brigades». Ofrece a grupos de estudiantes la oportunidad de viajar a un país como Honduras, Nicaragua o Ghana para mejorar las condiciones de la gente de allí. En primer lugar, el grupo tiene que recoger donaciones y dinero de empresas, y también de individuos. En segundo lugar, cuando el grupo ha recogido el dinero que es necesario para financiar el viaje, todo el grupo viaja junto a este país y trabaja con la gente. La razón por la que hemos decidido viajar a Panamá es que es un país hispanohablante, y por eso hemos tenido la oportunidad de hablar con la gente. (…)
Hemos trabajado en una comunidad nativa y hemos plantado 281 plantas en total, en tres días, en el campo de la comunidad (plantas de café, palisandro y plátanos), y hemos construido tres letrinas (una en el campo, una cerca de la *casa comunal* y una para una familia), en tres días también, con la ayuda de los técnicos. Muchas personas que viven allí no tienen acceso a saneamiento. Era un trabajo muy duro porque hacía calor y había mucha humedad. (…)

1 ______________________

2 ______________________

Los habitantes de *Emberá Puru* eran un poco tímidos al principio, pero después hablaban más y estaban interesados en nuestra cultura también. El último día hubo con ellos un acto cultural donde nos presentaron un baile tradicional. Todas las chicas recibieron una corona de flores. Además, cocinaron algo muy delicioso con arroz y pollo para nuestro grupo.

3 ______________________

RECIBE NOTIFICACIONES DE NUEVAS ENTRADAS:

Dirección de email

INFO Y MATERIAL DE CLASE EN:

FOROS PARA ESTUDIANTES

COMENTARIOS RECIENTES

Teresa Moreno en *¿Quién eres? ¿Cómo te llamas?*
Teresa Moreno en *Los sonidos del español*
Marc Rieder en *¿Quién eres? ¿Cómo te llamas?*
Anónimo en *Los sonidos del español*
Leonie en *Desestresarse*

TEMAS POPULARES

Actividades diarias
Inicio
Describir lugares
Describir personas
¿Quién eres? ¿Cómo te llamas?

Adaptado del bitácora de viajes de Benjamin Straub, en el blog de Teresa Moreno (www.es-tema.de)

B Con la información del texto, coloca estas palabras debajo de cada foto.

vista fabulosa • letrinas • plantas • casco viejo • acto cultural

El último día visitamos la Ciudad de Panamá con uno de nuestros intérpretes. La ciudad ofrece más de lo que piensas. Hay un paseo muy bonito que va a lo largo de la bahía. Desde allí se tiene una vista fabulosa. El casco viejo se encuentra muy cerca de la bahía, hay muchas calles pequeñas y casas antiguas. Si vas allí por la noche, hay una amplia variedad de bares. (...)

 ____________________

5 ____________________

Me han gustado muchas cosas en Panamá, por ejemplo, la naturaleza. Hay tantas plantas (¡también venenosas!) y animales diferentes... Toda la gente es muy amable y hospitalaria. ¡Aunque ha sido una experiencia corta, me gustaría viajar a Panamá otra vez en el futuro para ver más de este país!

3 Lee el texto y contesta a las siguientes preguntas.

1 ¿Por qué se organizó la Competencia Nacional de Robots?
2 ¿Dónde tuvo lugar?
3 ¿Quién participó?
4 ¿Cuál fue el premio?

Robot programado por estudiantes

Organizada por el Club de Mecatrónica de la UTP

Con el objetivo de fomentar el interés por las áreas científico-técnicas y de reforzar las habilidades en razonamiento, liderazgo y trabajo en equipo en las nuevas generaciones, la Universidad Tecnológica de Panamá (UTP) [...] organizó la Segunda Competencia Nacional de Robots 2013. Este evento se llevó acabo en el marco de la Feria Familiar de Tecnología e Innovación Expoinnova Internacional, celebrado en el Centro de Convenciones Atlapa, en la Ciudad de Panamá [...]. En esta ocasión participaron 51 equipos, inscritos en la Segunda Competencia Nacional de Robots 2013, distribuidos en las tres categorías abiertas creadas para este año: la categoría *Junior,* con niños de 9 a 12 años; la categoría *Junior High,* de 13 a 17 años, y la categoría *Avanzada,* donde participan estudiantes universitarios de 18 y 19 años. Los ganadores de cada una de las categorías recibieron trofeos y medallas para el primer y segundo lugar en la Categoría *Junior;* en la categoría *Junior High* se seleccionó a uno de los equipos, para representar a Panamá en la Centroamericana de Robótica, que se celebra en septiembre en El Salvador; y los de la categoría *Avanzada* recibieron certificados de regalo.

Extraído de www.utp.ac.pa

Acción - Reflexión

Mira estas fotos sobre diferentes aspectos de la tecnología. Escoge una y habla de ella.

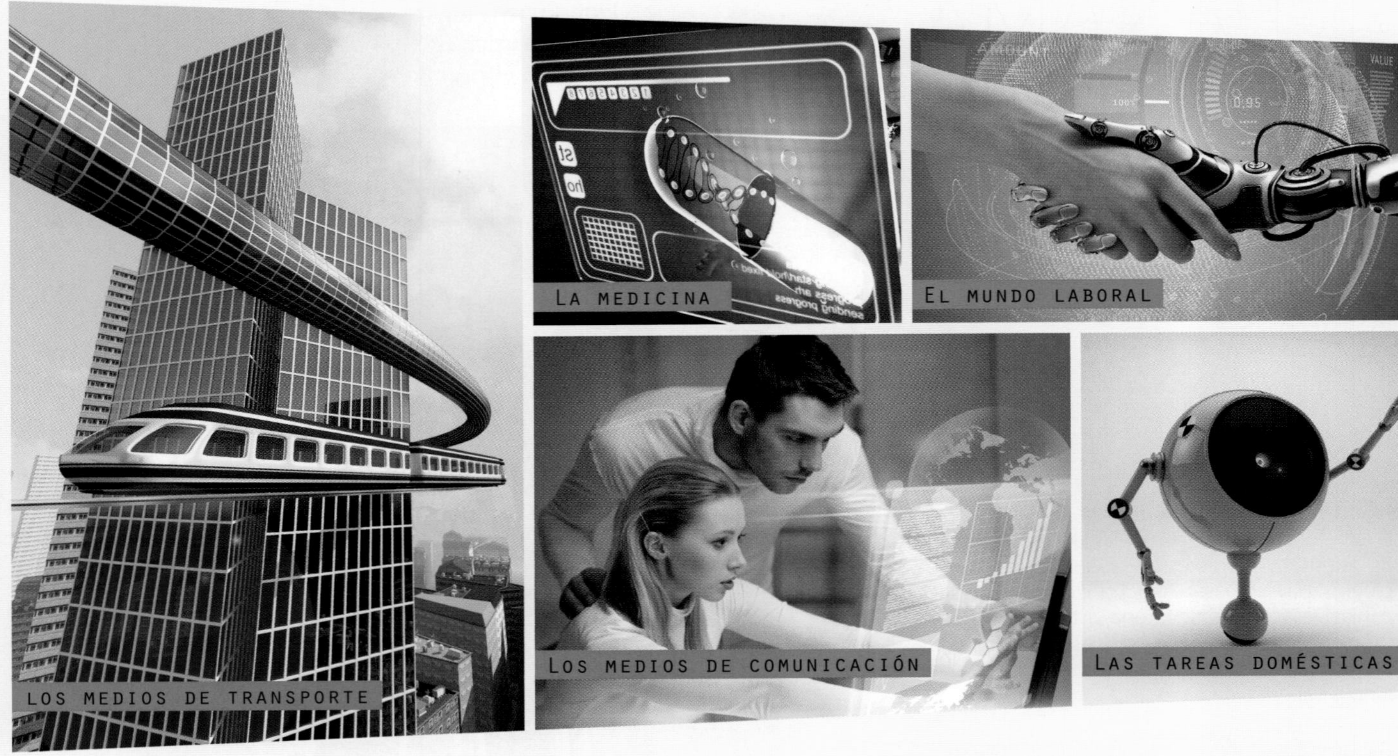

Acción

En pequeños grupos, vais a participar en un foro sobre el impacto de la tecnología en vuestra educación escolar.

1. Entre todos, escribid argumentos positivos y negativos sobre la tecnología.
2. Corregid los textos.
3. Buscad una identidad en el foro (un nombre y una actitud positiva o negativa ante la tecnología).
4. Confeccionad el foro.
5. Si podéis, invitad a otros grupos de la clase y realizad un foro real.
6. Si no es posible, imprimid vuestro foro y colgadlo en la pared de la clase.
7. Dedicid cúal es el mejor foro.

Actitudes y valores

Haz una cruz en la columna más apropiada para ti.

	mucho	bastante	poco
- Soy consciente del cuidado que hay que tener en internet con la privacidad.	☐	☐	☐
- Conozco las ventajas y desventajas de utilizar internet en mis estudios.	☐	☐	☐
- Respeto las opiniones de los demás.	☐	☐	☐

Reflexión

- ¿Es todo positivo respecto a la tecnología?

- ¿Cómo influye la tecnología en nuestras vidas?

- ¿Somos esclavos o dueños de la tecnología?

Gramática

Léxico

Gramática

LOS CUANTIFICADORES

Los cuantificadores son adjetivos y adverbios que sirven para graduar la cantidad o la intensidad. Pueden acompañar a sustantivos, verbos, adjetivos o adverbios.

Con sustantivos:

Concuerdan en género y número con el sustantivo.

masculino	femenino
todos los alumn**os** **demasiado** ruido **muchos** amig**os** **algún** hombre / **algunos** hombr**es** **poco** diner**o** **ningún** teatr**o**	**toda la** gente **demasiada** comid**a** **muchas** person**as** **alguna** pregunt**a** **pocas** amig**as** **ninguna** plaz**a**

- ***Todo / Toda / Todos / Todas*** solo acompañan a sustantivos seguidos de un artículo determinado, un demostrativo o un posesivo.
  *Me gustan **todos** los ejercicios del libro.*
  ***Todos** estos jóvenes tienen 18 años.*
  ***Toda** mi familia vive en Sevilla.*
- ***Demasiado*** se utiliza para expresar que algo es excesivo:
  *Hace **demasiado** calor en la calle. Hoy me quedo en casa.*
- Con ***ningún / ninguna*** utilizamos ***no*** antes del verbo:
  *Soy nuevo en el colegio y por eso **no** tengo **ningún** amigo.*

Usado como pronombre (no va seguido de sustantivo), la forma masculina es ***ninguno***, en lugar de ***ningún***:
- *¿Cuántos churros has comido?*
- *No he comido **ninguno**.*

Con verbos:
- Cuando acompañan a un verbo, funcionan como adverbios y son invariables (no tienen género ni número). Siempre van después del verbo:
  *Juan trabaja **demasiado.***
- Con ***nada*** utilizamos ***no*** delante del verbo:
  *Juan **no** trabaja **nada**.*

Con adjetivos y adverbios:
- Cuando acompañan a un adjetivo, son invariables:
  *La casa es **demasiado** tranquila.*
  *La casa es **muy** tranquila.*
  *La casa es **bastante** tranquila.*
  *La casa es **poco** tranquila.*
  *La casa **no** es **nada** tranquila.*
- Cuando acompañan a un adverbio, también son invariables:
  *Me levanto **demasiado** temprano.*
  *Me levanto **muy** temprano.*
  *Me levanto **bastante** temprano.*
  *Me levanto **poco** temprano.*
  ***No** me levanto **nada** temprano.*

La mayoría:
Se trata de un sustantivo que normalmente va seguido de ***de* + sustantivo:**
*La música es el tema de conversación de **la mayoría de** los jóvenes.*

LOS PRONOMBRES

Los pronombres de objeto directo (OD)

El objeto directo (OD) es el objeto o la persona que recibe la acción del verbo.

me	*Mi madre ya no **me** peina.*
te	*Mamá, **te** quiero mucho.*
lo / la	***Lo** quiero (el pollo) con patatas.*
nos	***Nos** conocemos desde hace años.*
os	*¡**Os** llevo al aeropuerto!*
los / las	***Las** contratan (a mis amigas) solo durante el verano.*

Los pronombres de objeto indirecto (OI)
- El objeto indirecto (OI) es un complemento del verbo e indica la persona destinataria de una acción.
  Hemos regalado una bicicleta a mi sobrino.
- El pronombre de OI se usa para sustituir a la persona, cosa o animal que actúa como objeto indirecto en una oración:

me	*¡**Me** han regalado una camiseta!*
te	***Te** doy el regalo de cumpleaños.*
le (se)	*A Luisa **le** han comprado un vestido.* ***Se** lo han comprado sus padres.*
nos	*¿**Nos** podemos probar las botas?*
os	*¿**Os** compro un regalo a cada uno?*
les (se)	*A ellos **les** han regalado unas gorras.* ***Se** las han regalado en la fiesta.*

- Cuando aparece el OI, es habitual utilizar el pronombre de OI:
  *A Lucía **le** han regalado unos pendientes.*

Pronombres de OI y su combinación con el OD
- Siempre va primero el OI y después, el OD:
  ***Me lo** han regalado por mi cumpleaños.*
  OI OD
- Cuando el OI es el de 3.ª persona ***(le, les)***, este se convierte en ***se***:
  - *¿Quién le da el regalo a Juan?*
  - ~~***Le***~~ ***lo*** *doy yo.* → ***Se lo*** *doy yo.*
    OI OD
- En las perífrasis con infinitivo o con gerundio, los pronombres pueden ir delante o detrás:
  *Queremos regalár**selo** (un sombrero / a mi padre) =* ***Se lo*** *queremos regalar.*
  *Está probándo**selos** (unos pantalones / él) =* ***Se los*** *está probando.*
- Con imperativo, el pronombre siempre va detrás:
  *Dá**selo** = Da**le** el móvil (a Pedro).*
  OI OD OI

Los pronombres posesivos
- Sustituyen a un sustantivo e indican el poseedor.

Objeto	Un poseedor	Más de un poseedor
1.ª persona	mío, mía, míos, mías	nuestro, nuestra, nuestros, nuestras
2.ª persona	tuyo, tuya, tuyos, tuyas	vuestro, vuestra, vuestros, vuestras
3.ª persona	suyo, suya, suyos, suyas	suyo, suya, suyos, suyas

- ¿*El abrigo es* ***tuyo***?
- *No, no es* ***mío***.

- Van precedidos del artículo determinado cuando no van detrás del verbo ***ser***:
- *Mi abrigo es grande.*
- ***El mío*** *también.*

Los pronombres interrogativos

Se utilizan para preguntar algo sobre personas, animales o cosas:

- ***¿Qué?***
  ¿***Qué*** *idiomas hablas?*
  ¿***A qué*** *hora te levantas?*
- ***¿Cuántos / Cuántas?***
  ¿***Cuántos*** *años tienes?*
- ***¿Cuál / Cuáles?***
  ¿***Cuál*** *es tu número de teléfono?*
  ¿***Cuáles*** *son tus apellidos?*
- ***¿Dónde?***
  ¿***Dónde*** *vives?*
  ¿*De* ***dónde*** *eres?*
- ***¿Cómo?***
  ¿***Cómo*** *preparan la carne?*
- ***¿Cuándo?***
  ¿***Cuándo*** *es tu cumpleaños?*
- ***¿Quién / Quiénes?***
  ¿***Quién*** *habla chino en la clase?*
  ¿***Quiénes*** *son los amigos de Ana?*

Usos de *qué* y *cuál*

Para elegir entre varias opciones, podemos preguntar con ***qué*** o ***cuál / cuáles***.

- ***qué*** **+ sustantivo**
  ¿***Qué*** *bañador compro?* / ¿***Qué*** *zapatos te gustan más?*
- ***cuál / cuáles*** **+ *de estos/-as*** **(sustantivo / verbo)**
  Si la opción es singular, se usa ***cuál***:
  - *(De estos vestidos)* ¿***Cuál*** *te gusta más?*
  - *El vestido verde.*

  Si la opción es plural, se usa ***cuáles***:
  - ¿***Cuáles*** *de estos zapatos te gustan más?*
  - *Los negros.*

EL VERBO

- Los verbos están compuestos de una raíz y de una **terminación**: *habl**ar***.
- Existen tres conjugaciones: los verbos de la primera conjugación, que terminan en ***-ar***; los de la segunda conjugación, que terminan en ***-er***; y los de la tercera conjugación, que terminan en ***-ir***. Las terminaciones nos dan información del tiempo (*habl**o***: presente) y de la persona (*habl**as***: tú).

EL PRESENTE

Usamos el presente para:

- Hablar de lo que sabemos o creemos:
  Alfredo ***tiene*** *un coche muy caro.*
  En Madrid ***viven*** *millones de personas.*
- Hablar de hábitos:
  Desayuno *a las siete y media.*
- Hablar de intenciones o hacer propuestas:
  Mañana ***vamos*** *al cine.*
  ¿*Por qué no* ***nos quedamos*** *en casa?*
- Hablar de hechos del pasado en textos sobre historia y donde aparecen cronologías:
  La democracia ***nace*** *en Grecia.*

Verbos regulares

Terminados en *-ar*	Terminados en *-er*	Terminados en *-ir*
hablar	**comprender**	**vivir**
habl**o**	comprend**o**	viv**o**
habl**as**	comprend**es**	viv**es**
habl**a**	comprend**e**	viv**e**
habl**amos**	comprend**emos**	viv**imos**
habl**áis**	comprend**éis**	viv**ís**
habl**an**	comprend**en**	viv**en**

Verbos irregulares

Verbos con cambio en la vocal:

empezar (e > ie)	**volver (o > ue)**	**vestirse (e > i)**	**jugar (u > ue)**
emp**ie**zo	v**ue**lvo	me v**i**sto	j**ue**go
emp**ie**zas	v**ue**lves	te v**i**stes	j**ue**gas
emp**ie**za	v**ue**lve	se v**i**ste	j**ue**ga
empezamos	volvemos	nos vestimos	jugamos
empezáis	volvéis	os vestís	jugáis
emp**ie**zan	v**ue**lven	se v**i**sten	j**ue**gan
Otros verbos: *c**e**rrar, com**e**nzar, ent**e**nder, mer**e**ndar, s**e**ntir, p**e**nsar, p**e**rder, pref**e**rir, qu**e**rer*	Otros verbos: *d**o**ler, d**o**rmir, enc**o**ntrar, m**o**rir, p**o**der, rec**o**rdar, v**o**lar*	Otros verbos: *p**e**dir, s**e**guir, rep**e**tir, r**e**ír, sonr**e**ír, comp**e**tir*	

Verbos irregulares en primera persona:

conocer: **conozco**	salir: **salgo**	caer: **caigo**
saber: **sé**	hacer: **hago**	ver: **veo**
conducir: **conduzco**	poner: **pongo**	dar: **doy**
traducir: **traduzco**	traer: **traigo**	

Otros verbos irregulares:

tener	venir	decir	oír	estar
ten**g**o	ven**g**o	d**ig**o	o**ig**o	est**oy**
t**ie**nes	v**ie**nes	d**i**ces	o**y**es	estás
t**ie**ne	v**ie**ne	d**i**ce	o**y**e	está
tenemos	venimos	decimos	oímos	estamos
tenéis	venís	decís	oís	estáis
t**ie**nen	v**ie**nen	d**i**ce	o**y**en	están

Gramática

Verbos totalmente irregulares:

ser	ir
soy	voy
eres	vas
es	va
somos	vamos
sois	vais
son	van

El voseo

Es un fenómeno lingüístico que se da en algunos países de Hispanoamérica, como es el caso de Argentina. El pronombre de segunda persona de singular es *vos,* y el verbo es diferente en algunos tiempos, como en el presente.

	Voseo
tú **puedes**	vos **podés**
tú **eres**	vos **sos**
tú **vives**	vos **vivís**
tú **hablas**	vos **hablás**
tú **te llamas**	vos **te llamás**

LOS VERBOS REFLEXIVOS

- Van acompañados de un pronombre que coincide con el sujeto.
- Con ellos expresamos que una acción la produce y la recibe el mismo sujeto.

levantarse	
(yo)	**me levanto**
(tú)	**te levantas**
(él, ella, usted)	**se levanta**
(nosotros/-as)	**nos levantamos**
(vosotros/-as)	**os levantáis**
(ellos, ellas, ustedes)	**se levantan**

Otros verbos reflexivos: *ducharse, lavarse (los* dientes), acostarse, vestirse.*

* ***los** dientes*, no ***mis** dientes*

LOS VERBOS VALORATIVOS

- Van acompañados de un pronombre.
- Con ellos expresamos gustos, intereses, opiniones o sensaciones físicas: *gustar, encantar, interesar, apetecer, parecer, doler.*

gustar		
(A mí)	**me**	
(A ti)	**te**	**gusta** el fútbol
(A él, ella, usted)	**le**	
(A nosotros/-as)	**nos**	**gustan** los deportes
(A vosotros/-as)	**os**	
(A ellos/-as, ustedes)	**les**	

- El sujeto puede ser una acción, situación, objeto, persona, etc., que causa una sensación, sentimiento o reacción en una persona, representada normalmente por el pronombre.
- La construcción puede ser:
  - pronombre + verbo en tercera persona + sujeto
  - sujeto + pronombre + verbo en tercera persona

__Me gusta__ la natación. = La natación __me gusta__.
¿__Os gustan__ los deportes? = ¿Los deportes __os gustan__?
Los deportes de aventura __me parecen__ aburridos.

- *¿Qué **le pasa** a tu amigo?*
- ***Le duele** el brazo.*

EL PRETÉRITO PERFECTO

	Presente de haber	+ participio
(yo)	he	
(tú)	has	escuchado
(él, ella, usted)	ha	+ comido
(nosotros/-as)	hemos	salido
(vosotros/-as)	habéis	
(ellos, ellas, ustedes)	han	

El participio se forma sustituyendo las terminaciones del infinitivo ***(-ar, -er, -ir): -ar > -ado** (viajado)*, ***-er / -ir > -ido** (bebido / venido).*

Participios irregulares:

hacer: **hecho** ver: **visto** volver: **vuelto**
decir: **dicho** escribir: **escrito** descubrir: **descubierto**
abrir: **abierto** poner: **puesto** morir: **muerto**
romper: **roto**

Usamos el pretérito perfecto:

- Para hablar de acciones y experiencias realizadas en el pasado y que están relacionadas con el momento en el que hablamos.
  *Laura **se* ha enamorado** de Carlos Daniel.*
  *Los pronombres van antes del verbo ***haber***.
  Es habitual utilizar el pretérito perfecto junto a marcadores temporales que señalan un tiempo no terminado: *esta mañana, esta tarde, hoy, este fin de semana, estos días, esta semana, este mes, este año*, etc. *Hoy*, por ejemplo, señala un tiempo todavía presente. También *esta semana, esta mañana o este mes*…:
  *Esta mañana **he ido** a clase.*
  *Esta semana **ha venido** Laura.*
- Cuando confirmamos que la acción está realizada, utilizamos ***ya***. Indica un cambio de estado o situación:
  *Hoy **ya** he escuchado las noticias.*
- Cuando la acción no está realizada, pero se piensa llevar a cabo utilizamos ***todavía no***. Indica que no hay cambio de estado o situación:
  ***Todavía no** he visto la televisión hoy.*
- Cuando hablamos de experiencias en el pasado, a lo largo de la vida, pero no decimos cuándo. Lo usamos con los siguientes marcadores de frecuencia: *muchas veces, varias veces, alguna vez, dos veces, una vez, nunca.*
  *Xavi **ha estado** en México muchas veces.*
  - *¿**Has estado** alguna vez en México?*
  - *No, nunca **he viajado** a América.*
- Cuando hablamos de nuestra vida, en general:
  ***He estudiado** en España y en Inglaterra.*

EL PRETÉRITO INDEFINIDO

- Se usa para hablar e informar sobre acciones y acontecimientos del pasado que se presentan finalizadas.
- Se suele utilizar con marcadores temporales como: *ayer; el año / mes pasado: hace tres días / años / meses…*
  Entré *en esta empresa hace dos años.*
  El año pasado ***abrí*** *mi propio negocio.*
  Ayer, en la entrevista de trabajo, no ***comprendí*** *una pregunta.*

Verbos terminados en *-ar*:

entrar	
(yo)	entr**é**
(tú)	entr**aste**
(él, ella, usted)	entr**ó**
(nosotros/-as)	entr**amos**
(vosotros/-as)	entr**asteis**
(ellos, ellas, ustedes)	entr**aron**

Verbos terminados en *-er*:

comprender	
(yo)	comprend**í**
(tú)	comprend**iste**
(él, ella, usted)	comprend**ió**
(nosotros/-as)	comprend**imos**
(vosotros/-as)	comprend**isteis**
(ellos, ellas, ustedes)	comprend**ieron**

Verbos terminados en *-ir*:

descubrir	
(yo)	descubr**í**
(tú)	descubr**iste**
(él, ella, usted)	descubr**ió**
(nosotros/-as)	descubr**imos**
(vosotros/-as)	descubr**isteis**
(ellos, ellas, ustedes)	descubr**ieron**

Verbos totalmente irregulares:

tener	
(yo)	tuv**e**
(tú)	tuv**iste**
(él, ella, usted)	tuv**o**
(nosotros/-as)	tuv**imos**
(vosotros/-as)	tuv**isteis**
(ellos, ellas, ustedes)	tuv**ieron**

- Todos estos verbos con raíz irregular tienen las mismas terminaciones que *tener:*

estar: **estuv-**	hacer: **hic-**
poner: **pus-**	venir: **vin-**
poder: **pud-**	saber: **sup-**

Te ***hice*** *una pregunta y no* ***supiste*** *qué contestar.*

- El verbo ***decir*** tiene una terminación diferente en la tercera persona del plural (***-jeron*** en lugar de *-ieron*): *dije, dijiste, dijo, dijimos, dijisteis, di****jeron****.* Los acabados en *-ducir (traducir, introducir, conducir),* también: *tradu****jeron****, introdu****jeron****…*

- Estos verbos irregulares, a diferencia de los regulares, que llevan el acento en la última sílaba en la primera y en la tercera persona *(trabajé / trabajó, comí / comió...),* se acentúan en la penúltima: *es****tu****ve / es****tu****vo,* ***pu****de /* ***pu****do...*
- Otros irregulares: los verbos ***ser*** e ***ir*** (que tienen la misma forma) y el verbo ***dar***:
  Fue *presidente entre 1990 y 1994.*
  Fue *a la universidad cuatro años.*
  Dio *los mayores éxitos a su equipo.*

	ser / ir	dar
(yo)	fui	di
(tú)	fuiste	diste
(él, ella, usted)	fue	dio
(nosotros/-as)	fuimos	dimos
(vosotros/-as)	fuisteis	disteis
(ellos, ellas, ustedes)	fueron	dieron

- Observa que los verbos que tienen una sola sílaba no llevan tilde: *fui / fue, di / dio.*

Verbos irregulares en tercera persona

Los siguientes verbos son irregulares en la tercera persona del singular y del plural:

	pedir (e > i)	dormir (o > u)	leer (i > y)
(yo)	pedí	dormí	leí
(tú)	pediste	dormiste	leíste
(él, ella, usted)	p**i**dió	d**u**rmió	le**y**ó
(nosotros/-as)	pedimos	dormimos	leímos
(vosotros/-as)	pedisteis	dormisteis	leísteis
(ellos/-as, ustedes)	p**i**dieron	d**u**rmieron	le**y**eron

- Otros verbos con la misma irregularidad:

e > i: *rep**e**tir, s**e**ntir, s**e**guir, comp**e**tir, el**e**gir, m**e**dir, pref**e**rir, s**e**rvir*
o > u: *m**o**rir*
i / e > y: *o**í**r, ca**e**r*

EL PRETÉRITO IMPERFECTO

Con el presente de indicativo describimos personas, cosas, situaciones y hechos en la actualidad; con el pretérito imperfecto las describimos en el pasado:
En mi ciudad, antes ***había*** *muchos cines.*
En aquel tiempo, en este barrio ***vivían*** *muchos italianos.*

Verbos regulares:

-ar	-er / -ir	
jugar	**tener**	**vivir**
jug**aba**	ten**ía**	viv**ía**
jug**abas**	ten**ías**	viv**ías**
jug**aba**	ten**ía**	viv**ía**
jug**ábamos**	ten**íamos**	viv**íamos**
jug**abais**	ten**íais**	viv**íais**
jug**aban**	ten**ían**	viv**ían**

Verbos irregulares:
El pretérito imperfecto solo tiene tres verbos irregulares.

ir	ser	ver
iba ibas iba íbamos ibais iban	era eras era éramos erais eran	veía veías veía veíamos veíais veían

*No **éramos** una potencia, pero vivíamos muy bien.*

CONTRASTE PRETÉRITO INDEFINIDO / PRETÉRITO IMPERFECTO

En el relato o la narración de hechos pasados sin relación con el presente usamos los dos tiempos con valores diferentes:

Pretérito indefinido:

- Acción que se desarrolla en un tiempo que ya terminó:
  *El año pasado **decidí** viajar a cuatro países.*
  *En noviembre **empecé** mi viaje en México.*
- Valoración de cómo fue la acción:
  *¡**Fue** una experiencia inolvidable!*
  ¡Me encantó!

Pretérito imperfecto:

- Descripción de situaciones, gente, lugares, sentimientos, etc., en el pasado:
  *¡**Estaba** tan contenta!*
  ***Era** un señor muy simpático.*
  ***Era** un lugar muy bonito y muy grande.*
- Acción pasada habitual que se repite:
  *Por la mañana, **me levantaba** muy temprano, **cogía** el autobús y **visitaba** la feria.*

El verbo, en **pretérito imperfecto**, expresa una situación, un contexto en **pretérito indefinido**, un acontecimiento que ocurre en esa situación o contexto. Es frecuente usar ***mientras***, ***cuando*** y ***porque*** con el imperfecto.
*Cuando **estaba** en la Casa Museo de García Márquez, **conocí a** un escritor que **era** el guía. Mientras **estaba** allí sentada, **vi** a Bonelli.*
***Fui** allí porque **quería** comprar libros.*

EL IMPERATIVO

Se usa, entre otras funciones, para:
- dar instrucciones
- dar consejos o hacer recomendaciones
- hacer una petición / dar una orden

Se forma:
- Verbos terminados en ***-ar:***
  instal**a** (tú) instal**ad** (vosotros)
- Verbos terminados en ***-er:***
  le**e** (tú) le**ed** (vosotros)
- Verbos terminados en ***-ir:***
  abr**e** (tú) abr**id** (vosotros)

La forma *tú* del imperativo coincide con la forma *él / ella / usted* del presente.
En las zonas con voseo, el imperativo se conjuga de la siguiente manera:
*instal-**á*** *le-**é*** *abr-**í***

Imperativos irregulares

Los verbos irregulares en el presente también son irregulares en la forma *tú* del imperativo.

Irregulares con cambio en la vocal:

	irregular (tú)	regular (vosotros)
empezar	**empieza**	**empezad**
soñar	**sueña**	**soñad**
pedir	**pide**	**pedid**

Otros irregulares:

	irregular (tú)	regular (vosotros)
decir	**di**	**decid**
hacer	**haz**	**haced**
ir	**ve**	**id**
poner	**pon**	**poned**
salir	**sal**	**salid**
ser	**sé**	**sed**
tener	**ten**	**tened**

Imperativos con pronombres

Los pronombres de objeto directo y objeto indirecto van siempre detrás del imperativo y forman una sola palabra:
***Conéctate** a internet.* (tú)
***Conéctalo** a internet.* (el ordenador)
Cuando el imperativo de *vosotros* va seguido de ***-os***, pierde la ***-d***:
*conectad + el ordenador > conecta**d**lo*
conectad + os > conectaos

EL GERUNDIO

Se forma sustituyendo las terminaciones del infinitivo ***(-ar, -er, -ir)*** por:
-ando*:** infinitivos terminados en ***-ar
-iendo*:** infinitivos terminados en ***-er, ***-ir***

*La educación está **cambiando**.*
*¿El rol del profesor está **perdiendo** importancia?*
*La educación está **viviendo** una crisis.*

- Gerundios irregulares

decir: **diciendo**
contribuir: **contribuyendo**
oír: **oyendo**
leer: **leyendo**
ir: **yendo**
pedir: **pidiendo**
repetir: **repitiendo**
morir: **muriendo**
dormir: **durmiendo**
venir: **viniendo**
sentir: **sintiendo**

LAS PERÍFRASIS

Son construcciones con dos o más verbos (normalmente, un verbo principal y otro auxiliar) que sirven para expresar aspectos que no pueden expresarse con una forma simple.

Expresar el principio o el final de una acción

- ***Empezar a*** **+ infinitivo** (expresa el comienzo de la acción):
  Empiezo a *sentir cambios.*
- ***Acabar de*** + **infinitivo** (expresa el final de una acción):
  Acabo de *salir de mi clase de música.*

Expresar obligaciones

- ***Deber*** **+ infinitivo:**
  Un buen alumno ***debe*** *hacer preguntas.*
  Debemos *estar más tiempo al aire libre.*
- ***Hay que*** **+ infinitivo:**
  Hay que *comer de forma variada.*
  No hay que *estar mucho tiempo sentado.*
- ***Tener que*** **+ infinitivo:**
  Tengo que *beber más agua.*
  No tienes que *preocuparte tanto por las calorías.*

Expresar el desarrollo de una acción

- ***Estar*** **+ gerundio** (expresa el desarrollo de la acción):
  Están *ocurriendo cambios en la educación.*
- ***Seguir*** **+ gerundio** (expresa el desarrollo sin interrupción de la acción):
  El profesor ***sigue*** *teniendo un papel importante.*

Expresar hábitos

- ***Soler*** **+ infinitivo:**
  ¿A qué hora ***sueles*** *llegar a casa? = ¿A qué hora llegas normalmente a casa?*

Dar consejos

- ***Deber / Tener que*** **+ infinitivo:**
  Debes *tomar menos azúcar.*
  Tienes que *beber más agua y hacer una dieta durante unos días.*

Hablar de posibilidades u opciones

- ***Poder*** **+ infinitivo:**
  Puedes *practicar el fútbol en la playa.*

Hablar de planes

- ***Ir*** **+** ***a*** **+ infinitivo:**
  El sábado ***voy a*** *ir a un concierto de rap.*

Expresar deseos o intenciones

- ***Querer / Preferir / Tener ganas de*** **+ infinitivo:**
  Quiero *comprar regalos para los abuelos.*
  Preferimos *descansar primero.*
  Tengo ganas de *correr por el parque.*

Invitar

- ***¿Quieres / Te apetece + infinitivo?:***
  *¿****Quieres*** *venir el sábado de compras?*
  ¿Te ***apetece*** *ir al cine?*

NOMINALIZACIÓN

Algunos sustantivos derivan de verbos. Entre los tipos más habituales:
- Los que terminan en ***-ción*** (son siempre femeninos):

verbo	sustantivo
elevar	eleva**ción**
provocar	provoca**ción**
disminuir	disminu**ción**

- Los que terminan en ***-o*** (son siempre masculinos):

verbo	sustantivo
cambiar	cambi**o**
aumentar	aument**o**
incrementar	increment**o**

- Los que terminan en ***-miento*** (son siempre masculinos):

verbo	sustantivo
derretir	derreti**miento**
calentar	calenta**miento**

LOS CONECTORES

Hay palabras (adverbios, preposiciones y conjunciones) que son invariables, no tienen género, número, tiempo o persona. Normalmente, sirven para enlazar palabras, frases o ideas.

Expresar duración

- ***Desde:***
  Nos referimos a un punto concreto en el pasado; expresa el momento en que comienza algo: ***desde*** *ayer / 2013 / abril.*
  Trabajo aquí ***desde*** *el año pasado.*
- ***Desde hace / Hace ... que:***
  Nos referimos a todo el periodo de tiempo que ha transcurrido desde el comienzo de algo: ***desde hace / hace*** *dos días / meses / años.*
  - *¿Cuánto tiempo* ***hace que*** *estudias alemán?*
  - ***Hace*** *un año* ***que*** *estudio alemán.*

  - *¿****Desde*** *cuando estudias alemán?*
  - ***Desde hace*** *un año.*

Relacionar dos hechos en el tiempo

- ***Antes de / Después de*** **+ infinitivo:**
  Meriendo un poco ***antes de*** *ir a la clase de alemán.*
  Toma un zumo de frutas ***después de*** *practicar yoga.*

Expresar frecuencia

+	*siempre*
	casi siempre
	normalmente, generalmente
	una vez, dos veces, tres veces, a veces
	casi nunca
-	*nunca*

Yo ***siempre*** *me levanto a las siete y media.*
A veces *voy al instituto en bicicleta.*

Organizar ideas

- *En primer lugar, en segundo lugar, por una parte / por otra parte, por último (finalmente):*

En primer lugar*, es interesante conocer el origen de la medicina naturista…*
Por último*, con respecto a la materia prima empleada…*

Secuenciar

- *Primero..., Luego..., Después...:*

Primero *me ducho,* ***luego*** *desayuno y* ***después*** *me lavo los dientes.*

Expresar consecuencia

- *Por eso:*

Soy programadora y estoy mucho tiempo sentada, **por eso** *correr es tan importante para mí.*

Aclarar

- *Es decir, o sea...:*

El origen de la medicina naturista se remonta al origen de la humanidad, ***es decir****, es la medicina más antigua.*

Concluir

- *En conclusión, en resumen, para resumir...:*

En conclusión*, la medicina naturista puede ser una buena opción para conseguir una vida sana…*

Situar en el tiempo

- ***A las..., Por la mañana / tarde..., Aproximadamente a las..., Sobre las..., Durante...:***

Me acuesto ***a las*** *doce.*
Los sábados ***por la mañana*** *juego al baloncesto.*
Todos los días entrenamos a las siete, ***aproximadamente****.*
Desayuno ***sobre las*** *ocho de la mañana.*
Durante *la semana me levanto pronto.*

- Para referirse al presente se utiliza ***actualmente, hoy en día, en la actualidad***:

Hoy en día, *hay más libertad que antes.*

- Para referirse al pasado se utiliza: ***a principios / mediados / finales del siglo XIII; en esa época / década; en aquel periodo / tiempo; en los (años) cuarenta; después de ocho siglos; en el mismo periodo; en los siglos XII y XIII; en las últimas décadas...:***

En aquel periodo, *se incorporan muchas palabras de origen germánico al español.*

A los 18 años *terminó el bachillerato.*
Al año / mes / día siguiente *encontró trabajó.*
A la semana siguiente *volví a la universidad.*
Dos años / meses / días / semanas después *se fueron a Berlín.*
Al cabo de tres años / dos meses...
Ese mismo año / mes / día...
Esa misma semana…
Estudié Medicina **de 1999 a 2004***.*
Estudié Medicina **hasta 2004***.*

Expresar cambio de estado

- *Ya / Ya no:*

Ya *he terminado el trabajo.*
En esta ciudad ***ya no*** *hay cines.*

Expresar que no hay cambio de estado

- *Todavía / Todavía no:*

Todavía *hay pequeñas tiendas en mi barrio.*
Todavía no *sé qué nota he sacado.*

Expresar causa

- *A causa de (que), porque, por:*

Mi ciudad es interesante **porque** *hay muchos museos.*
Hago cualquier cosa **por** *mis hijos.*
El calentamiento global es el aumento de la temperatura del planeta **a causa de** *las actividades humanas.*

Añadir información

- *Y, además, también, tampoco:*

Tiene el pelo corto **y** *lleva un tatuaje.*
Hoy hace sol en el sur. **Además***, hace mucho calor.*

● *Siempre llevo zapatillas de deporte.*
■ *Yo* ***también*** *llevo zapatillas siempre.*

● *Nunca tomo café.*
■ *Yo* ***tampoco*** *tomo café.*

Indicar diferencia o alternativa

- *O:*

O *es muy simpático* **o** *es muy falso.*
Podemos comer gazpacho **o** *tortilla.*

Contrastar o expresar oposición

- *Pero, aunque, sin embargo, sino (que):*

Juan Miguel es muy trabajador, **pero** *un poco aburrido, ¿no?*
Aunque *hace sol en Buenos Aires ahora, esta tarde va a llover.*
Parte de la energía solar llega al suelo. **Sin embargo***, no toda esa energía es aprovechada.*
Los gases no solo atrapan la energía solar, **sino que** *provocan un aumento de la temperatura.*

Expresar finalidad

- *Para:*

Estudio español **para** *viajar por Sudamérica.*

Referirse a un lugar o ubicar

detrás de ≠ delante de
debajo de ≠ encima de
a la izquierda de ≠ a la derecha de
entre
en el centro de
lejos de ≠ cerca de
al norte / al sur / al este / al oeste de

El gato está ***debajo del*** *sofá.*
El sombrero está ***encima de*** *la mesa.*
Guatemala y México están ***lejos de*** *Europa.*
Ciudad de Guatemala está ***cerca del**** *océano Pacífico.*
Guatemala está ***al**** ***sur de*** *México.*
Guatemala está ***al norte de*** *El Salvador.*
* de + el = del
** a + el = al

LOS GÉNEROS DISCURSIVOS

La carta o el correo

Saludo:
- *Muy señor(es) mío(s):*
- *Estimado/-a…:*
- *Querido/-a…:*
- *¡Hola!*

Comienzo de la carta / correo:
- *Me dirijo a usted para…*
- *El motivo de mi carta es…*
- *Te escribo para…*

Despedida de la carta / correo:
- *Sin otro particular, esperando noticias suyas, …*
- *Me despido atentamente, …*
- *Un cordial saludo, …*
- *Un abrazo, …*
- *Besos, …*
- *Recuerdos. / Saludos a…*

La conferencia

Estructura de una conferencia:

1. Saludo inicial
- *Buenos días*
- *Señoras, señores / Estimado público*
- *Gracias por invitarme*
- *Es un placer estar aquí*

Buenos días *a todos y* ***muchas gracias por invitarme*** *a participar en esta conferencia.*

2. Introducción al tema
- *Como sabemos, …*
- *Todo el mundo dice…*

Como sabemos, *nuestro planeta es rico en recursos naturales.*

3. Presentación de la problemática
- *Sin embargo, …*
- *El problema es…*
- *La cuestión a discutir es…*
- *A continuación, voy a hablar de…*

Sin embargo, *creo que todos conocemos los problemas ambientales.*

A continuación, *voy a hablar de los principales problemas ambientales*

4. Diferentes puntos a tratar
- *En primer / segundo / tercer / último lugar, …*
- *El primer / segundo / tercer / último problema…*
- *Lo primero / segundo / tercero / último…*

El primer problema *es el crecimiento poblacional.*
Precisamente, este es ***nuestro segundo problema:*** *la deforestación.*
Nuestro tercer problema *es la contaminación.*
El último problema *que voy a mencionar es el tráfico de especies.*

5. Conclusión
- *Como vemos, …*
- *Resumiendo, …*
- *Para terminar, …*

Como vemos*, nuestro planeta sufre graves problemas ambientales.*
Para terminar*, quiero decirles que quedan muchas cosas por hacer.*

6. Saludo final (cierre)
- *Muchas gracias…*
- *Agradezco su participación…*
- *Ha sido un placer…*

Muchas gracias*. Comencemos con las preguntas.*
Ha sido un placer *estar hoy con ustedes.*

El debate

Organizar la información:
- *En primer lugar, … / Lo primero… / Por último, …*
- *Por un lado, … / Por otro, …*
- *Y además, …*

Expresar opiniones:
- *Pienso que…*
- *Me parece que…*
- *En mi opinión, …*
- *Desde mi punto de vista, …*
- *Para mí, …*

Presentar y desarrollar argumentos:
- *Un problema es… / Uno de los mayores problemas es...*
- *La verdad es que…*
- *Es importante / innegable / necesario…*
- *Hay ventajas y desventajas / puntos a favor y en contra…*

Expresar acuerdo o desacuerdo:
- *Estar (totalmente) de acuerdo / en desacuerdo (con)…*
- *Estar de acuerdo en parte (con)…*
- *Ya, pero…*

Resumir / Concluir:
- *Para resumir, …*
- *En resumen, …*
- *En conclusión, …*

Léxico

1 Educación

El estudio

aburrirse
aprobar un examen
arriesgarse
buscar nuevas estrategias
cometer errores
consultar (un diccionario)
costar
cumplir un plazo
dar un toque personal
deducir por el contexto
divertirse
elegir un tema
equivocarse
hacer los deberes
interesar
participar en clase
planificar (un proyecto)
presentar un trabajo
sacar buenas / malas notas
subrayar
suspender un examen
tener ideas originales
tener una mentalidad abierta
tomar apuntes

El sistema educativo

Niveles:

Educación | Preescolar / Primaria / Secundaria / Superior (Universitaria)

Modalidades:

Educación | de menores / de adultos / especial

Comunidad educativa:

el/la alumno/-a
el/la director(a)
el/la estudiante
las madres
el/la maestro/-a
los padres
el/la profesor(a)

Instituciones educativas:

la guardería
el colegio
la escuela
el instituto
la universidad

2 Consumo

Comprar ropa

gastar dinero
ir de | compras / rebajas
llevar una prenda
ponerse una prenda
probarse una prenda
quedar bien una prenda
quedar mal una prenda

La ropa

Prendas:

el abrigo
el bañador
el biquini
las botas
las bragas
los calzoncillos
la camisa
la camiseta
la chaqueta
los *jeans*
el jersey
las medias
los pantalones
la sudadera
el sujetador
el traje
los vaqueros
el vestido
las zapatillas
los zapatos

Materiales y estilos:

de algodón
de cuadros
de cuello alto
de cuero
de deporte
de fiesta
de lana
de manga corta
de manga larga
de marca
de piel
de rayas
de segunda mano
(gorra) de béisbol
(zapatos) de tacón
corto/-a
largo/-a
liso/-a

Medidas:

el número (para calzado)
la talla | pequeña / mediana / grande

Precios:

barato/-a
caro/-a
los descuentos
las rebajas

Complementos y accesorios:

el anillo
la bufanda
el cinturón
la corbata
las gafas de sol
la gorra
el gorro
los guantes
los pendientes
el sombrero

Lugares:

el centro comercial
el mercadillo
la tienda
la zapatería

Consumo:

comprar
consumir
intercambiar
reciclar
reutilizar
el consumo sostenible
el reciclaje
el trueque

3 Trabajo

Profesiones

el/la abogado/-a
el/la asesor(a) de imagen
el/la asistente/-a personal
el/la bloguero/-a
el/la bombero/-a
el/la camarero/-a
el/la cazador(a) de tendencias
el/la conserje
el/la contable
el/la creador(a) de aplicaciones
el/la dependiente/-a
el/la diseñador(a) gráfico/-a
el/la enfermero/-a
el/la farmacéutico/-a
el/la filólogo/-a
el/la forense digital
el/la logopeda
el/la médico/-a
el/la peluquero/-a
el/la piloto
el/la policía
el/la probador(a) de videojuegos
el/la profesor(a)
el/la publicista
el sociólogo/-a

Hablar del trabajo

dedicarse a
hacer prácticas
lo mío es / son
pasar el tiempo
sentir pasión por
tener disponibilidad para
trabajar para

El mundo laboral

el/la cliente/-a
el currículum
el desempleo
el/la empleado/-a
la empresa
el/la empresario/-a
la entrevista de trabajo
la experiencia laboral
el horario fijo / flexible
el/la jefe/-a
el negocio
las prácticas
el sueldo
la titulación
el/la trabajador(a) autónomo/-a
la vida laboral

Habilidades y capacidades

saber | argumentar
presentarse

ser | flexible
honesto/-a
puntual

tener | capacidad de trabajar en equipo
conocimientos de (informática)
empatía
iniciativa

Trabajos temporales

cortar el césped
dar clases particulares a niños
hacer de canguro
pasear perros
trabajar | en una tienda
de / como camarero

4 Salud

Las partes del cuerpo

la boca
el brazo
la cabeza
el cuello
el dedo
los dientes
el estómago
la frente
el hombro
la mano
la nariz
el ojo
la oreja
el pecho
el pelo
el pie
la pierna
la rodilla
el vientre

Estados físicos, mentales y de ánimo

estar | de pie
en forma
nervioso/-a
relajado/-a
sentado/-a
tenso/-a
tumbado/-a

el cuidado
cuidar(se)
la meditación
meditar
la relajación
relajarse
la respiración
respirar

Expresar malestar

el dolor
doler
romperse (el brazo)
torcerse (el pie)
encontrarse | bien
mal

estar | agotado/-a
cansado/-a
enfermo/-a
mareado/-a

tener | dolor de cabeza
dolor de estómago
catarro
fiebre
gripe
tos
un virus

Remedios

dejar de tomar | azúcar
café

hacer | dieta
ejercicio

hacerse unos análisis

ponerse | una bolsa de agua caliente
una crema

quedarse | en casa
en la cama

tomar | una infusión
vitaminas

5 Comunicación

Verbos relacionados con la prensa

criticar
educar
emocionar
enterarse
entretener
hacer una crítica
informar
opinar
reflejar la realidad

Prensa en papel o digital

la batería
el cable
la conexión
el hipertexto
la pantalla
el periódico
la revista
la comunicación virtual
el contenido interactivo
la información actualizada
la tecnología multimedia

Secciones de los periódicos

Ciencia
Cultura
Deportes
Economía
El Tiempo
Opinión
Política (Nacional e Internacional)
Sociedad
Sucesos
Tecnología
Televisión
Viajes

La noticia

un cuerpo
una entradilla
un titular

Reaccionar

¡Qué | bien!
bonito!
desastre!
despacio!
horror!
injusticia!
interesante!
mal!
miedo!
pena!
raro!
tontería!
vergüenza!

Actividades en redes sociales

colgar fotos
compartir música
establecer relaciones
estar conectado/-a
publicar mensajes
tener una conversación privada

6 Medio ambiente

Medio ambiente

las aguas residuales
la atmósfera
el aumento de la temperatura
el calentamiento global
el combustible
la contaminación ambiental
el crecimiento de la población
la deforestación
el descenso de la natalidad
los desperdicios
el efecto invernadero
el electrodoméstico
la emisión de gases tóxicos
la energía / luz solar
la extinción de los animales
la fauna
la flora
los gases invernadero
el planeta
la quema de combustibles
los recursos naturales
los sistemas marinos
la Tierra
el tráfico de especies
el uso de la electricidad
acumular calor
producir energía

Fenómenos naturales

el derretimiento de la capa de hielo
la desertificación
la evaporación de los océanos
el huracán
el incendio
la inundación

la nevada
la precipitación
la sequía
la tormenta

Educación medioambiental

la energía renovable
apagar las luces
limitar el consumo de agua
reciclar plásticos
utilizar bombillas fluorescentes
utilizar papel reciclado

7 Migración

Términos relacionados con la política y la historia

el bienestar
la colonia
la democracia
el empleo
el estado
la expansión
el gobierno
la guerra
el imperio
la independencia
la industria
el nivel de vida
la revolución
la seguridad
el sistema feudal
la sociedad
el territorio

El origen de las lenguas

el dialecto
el origen
los términos
enriquecerse
incorporarse / tomar palabras
proceder

Referirse a un momento del pasado o histórico

a principios / mediados / finales
a. C.
antes de Cristo
d. C.
después de Cristo
la actualidad
los años cuarenta / cincuenta
la década
la Edad Antigua
la Edad Contemporánea
la Edad Media
la Edad Moderna
la época
el periodo
el siglo

Etapas de la vida

la niñez
la infancia
la adolescencia
la juventud
la madurez
la vejez

8 Arte

Manifestaciones artísticas

la arquitectura
el cine
la danza
el dibujo
la escultura
la fotografía
la literatura
la moda
la música
la pintura
el teatro

Descripciones

en el fondo
en primer plano
interpretar
mostrar
observar
transmitir / comunicar sentimientos

Prohibición y permiso

estar prohibido/-a
se prohíbe
estar permitido/-a
se permite

Literatura

la biblioteca
el/la escritor(a)
la librería
el/la narrador(a)
la novela
la obra
el poema
la sinopsis

Géneros musicales

el bolero
la cumbia
el flamenco
el *jazz*
la música clásica
la música *country*
la música electrónica
la música pop
la música folclórica
la ópera
el rap
el *reggae*
el reguetón
el *rock and roll*
la salsa
el tango

9 Tecnología

Los inventos

construir
contribuir
desarrollar
fabricar
inventar
patentar
revolucionar
usar
utilizar
eléctrico/-a
funcional
revolucionario/-a
el aparato
el desarrollo
la fabricación
el invento
la máquina
el motor
la patente
la producción
el producto
la revolución
el sistema

Ingeniería

el canal
la carretera
la comunicación marítima
la construcción
la inauguración
el lago
el material
la navegación
la obra
el océano
el proyecto
el puente
el río
el tránsito de mercancías
el transporte
el túnel
el valle

El ordenador

el cable
la pantalla
el ratón
el teclado

La informática

abrir / cerrar un documento
buscar información
colgar un archivo
compartir recursos
conectar el ordenador
copiar un documento
cortar un párrafo
crear un archivo
descargar un programa
escribir el usuario / la contraseña
guardar una presentación
instalar un programa
pegar una foto
subir al blog
utilizar un buscador

La ciencia ficción

el androide
el avatar
el clon
el replicante
el robot
la programación
la tecnología cibernética
los seres humanos

Diverso 2

Cuaderno
de ejercicios

1 Educación

Aprender a aprender

1 Completa las siguientes frases sobre hábitos de estudio con las siguientes palabras. Puede haber más de una opción.

trabajo • ideas • nativos • plazo • clase • deberes • estrategias • profesor • decisiones • redacción

1 Participar en ______________.
2 Hacer los ______________.
3 Presentar un ______________.
4 Buscar nuevas ______________.
5 Escuchar al ______________.
6 Tomar ______________.
7 Escribir una ______________.
8 Desarrollar ______________.
9 Hablar con ______________.
10 Cumplir un ______________.

2 Relaciona las dos columnas.

1 Me cuestan
2 Saco
3 Realizo
4 Me aburro
5 Apruebo
6 No me cuesta
7 Me pongo

a malas notas en Inglés.
b nervioso en una presentación.
c siempre los exámenes de Geografía.
d las Matemáticas con buena nota.
e un proyecto cada semana en Biología.
f concentrarme en clase.
g en la clase de Química.

3 *¿Me cuesta* o *me cuestan*? Completa las frases.

1 ______________ escuchar al profesor durante más de 30 minutos.
2 ______________ mucho la Geografía y la Historia.
3 No ______________ nada la Biología.
4 No ______________ levantarme temprano para ir al instituto.
5 ______________ sacar buenas notas en Alemán.
6 No ______________ los exámenes de Física.

4 ¿Qué deben hacer un buen alumno, un buen cocinero, un buen padre y un buen actor? Completa los mapas mentales.

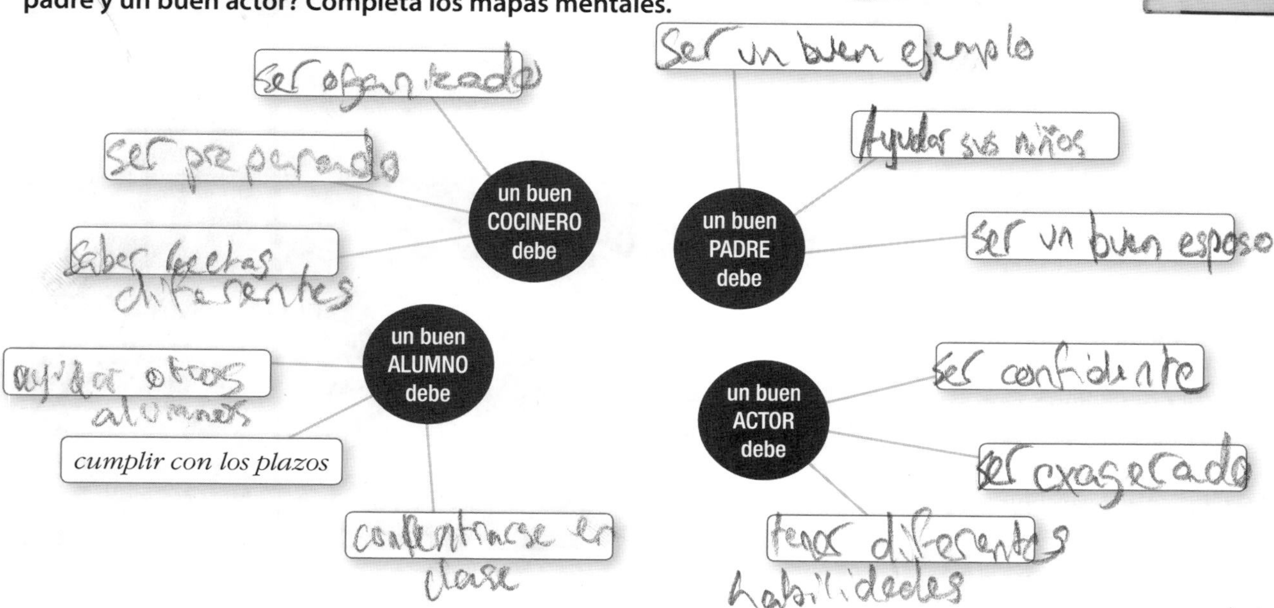

5 Lee el título de la presentación de esta empresa y contesta: ¿cuánto dura la exposición de ideas creativas?

BLOG | LINKEDIN | YOUTUBE | TWITTER | FACEBOOK ESPAÑOL | INGLÉS

¿QUÉ ES EL SER CREATIVO? IDEAS PARA CAMBIAR EL MUNDO

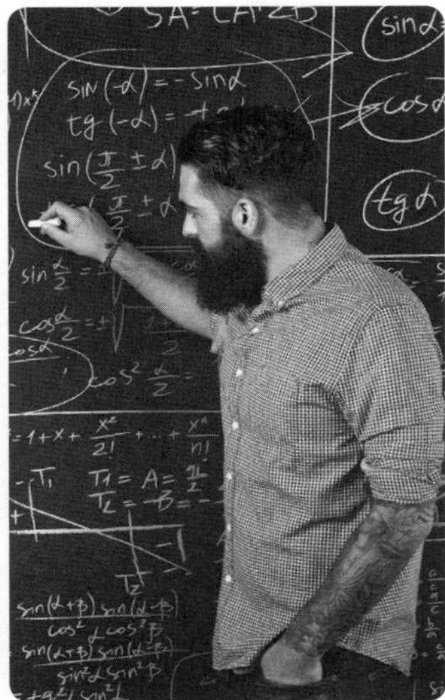

Las ideas más brillantes en 21 minutos

El Ser Creativo (1) ______ (ser) el nombre de una empresa que (2) ______ (organizar) eventos en los que se (3) ______ (exponer) las mejores ideas para (4) ______ (cambiar) el mundo. Con una temática multidisciplinar, los eventos organizados por El Ser Creativo (5) ______ (reunir) a los mejores expertos nacionales e internacionales en diferentes campos del conocimiento y las artes. Cada experto (6) ______ (disponer) de 21 minutos para (7) ______ (exponer) sus ideas. Este es el tiempo que se (8) ______ (estimar) que el cerebro (9) ______ (prestar) la máxima atención...

Veintiún minutos para (10) ______ (exponer) las mejores ideas sobre algunos de los temas que (11) ______ (afectar) a la humanidad y su futuro. Ponencias y debates para (12) ______ (hablar) de los temas que (13) ______ (ser) inquietudes generales de la humanidad: creatividad, innovación, salud, cambio climático, sostenibilidad, evolución, genética, educación, neurociencia, tecnología, religión, redes sociales, ética...

Extraído de www.elsercreativo.com

6 Lee el texto y complétalo con los verbos entre paréntesis.

7 ¿Te parece interesante la plataforma de El Ser Creativo? ¿Por qué? Coméntalo con un compañero.

Cambios en los sistemas educativos

8 Completa la tabla con *estar/seguir* + gerundio.

	yo	tú	él, ella, usted	nosotros/-as	vosotros/-as	ellos/-as, ustedes
Estar + cambiar		*estás cambiando*		*estamos cambiando*		
Seguir + leer	*sigo leyendo*					*siguen leyendo*
Estar + oír			*está oyendo*		*estáis oyendo*	
Seguir + hablar		*sigues hablando*				
Estar + aprender				*estamos aprendiendo*		
Seguir + contribuir					*seguís contribuyendo*	

9 ¿A qué tres frases corresponden estas imágenes?

1. Estoy haciendo un examen y ¡me está costando mucho! ☐
2. Estamos jugando un torneo de ajedrez. ☐
3. Maarten está buscando un libro de historia en la biblioteca. ☐
4. Carla está sola estudiando para su examen de Historia. ☐
5. Tobías y Marius están presentando un trabajo. ☐
6. María, Kate y Tom están buscando información para el proyecto. ☐

10 Mira lo que están haciendo en cada clase de este instituto y escríbelo. Usa las siguientes expresiones.

leer un libro • escuchar música • aprender italiano • hacer ejercicios • pintar un cuadro • practicar gimnasia

Clase 1: *Están aprendiendo italiano.*
Clase 2: leyendo libro
Clase 3: [illegible]
Clase 4: [illegible]
Clase 5: [illegible]
Clase 6: [illegible]

11 Lee el correo de María a su amiga Christine y completa las frases con gerundios.

Mensaje nuevo

Hola, Christine:
¿Cómo estás? ¿Sigues (1) ________ (estudiar) para tu examen de Biología? ¡Espero que no!
Necesitamos tu ayuda... Dos compañeros y yo estamos (2) ________ (preparar) un proyecto en la clase de francés y estamos un poco perdidos. Tenemos que hacer una presentación oral y nuestra pronunciación es ¡un desastre! ¿Nos ayudas? Estamos (3) ________ (leer) en voz alta, estamos (4) ________ (hacer) ejercicios de pronunciación y estamos (5) ________ (trabajar) mucho, pero nos cuesta mucho hablar en francés. No sabemos qué hacer y estamos (6) ________ (perder) un poco la paciencia.
¿Puedes ayudarnos?
Besos,
María

12 (34) Escucha a un profesor de Bolivia hablando del efecto del uso de las TIC en el aula y contesta a las preguntas.

1 ¿Cómo se sienten los alumnos?

2 ¿Tienen material para las TIC?

3 ¿Qué comprenden mejor los alumnos?

13 ¿Qué elementos forman la estructura de un sistema educativo? Coloca las siguientes palabras o frases en las distintas columnas.

Educación Preescolar • Educación de menores
Director(a) • El instituto • La escuela • Maestro/-a
El colegio • Padres • Profesor(a) • La universidad
Educación de adultos • Educación especial
Alumno/-a / Estudiante • Educación Secundaria
Educación Primaria • Educación Superior (universitaria)

Niveles	Modalidades	Comunidad educativa	Instituciones educativas
Educación Preescolar	*Educación de menores*	*Padres*	*El instituto*

Otras formas de educarse

14 ¿A qué actividades se refieren estas definiciones? Escribe el nombre.

1 Movimiento del cuerpo al compás de la música: *baile*.
2 Actividad de componer, interpretar o poner en escena obras dramáticas: ____________.
3 Técnica de desarrollo, fortalecimiento y flexibilización del cuerpo por medio del ejercicio físico: ____________.
4 Arte y técnica de nadar como deporte o ejercicio: ____________.
5 Arte de pintar: ____________.
6 Arte de combinar los sonidos de la voz humana o de los instrumentos, o de unos y otros a la vez, para producir un determinado efecto: ____________.
7 Actividad de representar palabras o ideas con letras y otros signos: ____________.
8 Arte de realizar una obra con piedra, madera, metal u otros materiales: ____________.

15 Lee estos dos folletos de Bolivia y contesta a las preguntas.

Ayni Bolivia

Somos una organización de comercio justo en la que trabajamos desde hace más de una década junto a 25 talleres pequeños de productores: comercializando sus artesanías, ayudando con la administración y las ventas, haciendo productos que respetan profundamente nuestro medio ambiente y responden a las exigencias de nuestros clientes en Bolivia y el exterior.

Nuestra tienda está en La Paz desde 2012. La vas a encontrar en pleno centro.
Av. Illampu, 704 (Hotel Rosario)
La Paz, Bolivia

Horarios:
Lunes a viernes, de 9:00 a 20:00
Sábados, de 10:00 a 13:00
Tel.: (591) 2792395 76217335

Clases de charango a cargo del maestro

Jorge Alvarado

Especializado en charango
Desde 1979

Lugar: en la prestigiosa Academia Musical Amerindia creada en 1991 y por la que han pasado reconocidos artistas bolivianos.

Dirección: calle Junín, n.º 12, Cochabamba.
Tel.: 591 44407371
http://www.jorgealvarado-bo.com

1 ¿Cuánto tiempo hace que Jorge Alvarado da clases de charango?
____
____

2 ¿Desde hace cuántos años funciona la Academia Musical Amerindia?
____
____

3 ¿Qué es Ayni Bolivia?
____
____

4 ¿Cuánto tiempo hace que funciona?
____
____

5 ¿Desde cuándo está la tienda en el centro de La Paz?
____
____

16 Ahora, tú. Completa las frases. Luego escribe tres frases más con actividades que haces y menciona desde cuándo las haces.

1 Hace ______________ que estudio español.
2 Desde ______________ practico (deporte).
3 Estudio en este centro desde hace ______________.
4 ______________________________
5 ______________________________
6 ______________________________

17 (35) **Escucha a Carmen hablando de su semana con una amiga. Marca con una cruz (X) las frases que dice.**

1 Carmen practica equitación los lunes después del instituto. ☐
2 Los lunes también hace yoga después del instituto. ☐
3 Los martes y viernes, antes de ir a teatro, toca la guitarra. ☐
4 Los viernes, antes de practicar *hockey,* va al instituto. ☐
5 Los jueves está haciendo un voluntariado. ☐
6 Después de ir a visitar a niños en hospitales, va al teatro. ☐

18 Elige un día de la semana y escribe lo que haces antes y después de ir a clase.

19 Completa la tabla.

	empezar	acabar	poder
yo			*puedo*
tú		*acabas*	
él, ella, usted			
nosotros/-as	*empezamos*		
vosotros/-as		*acabáis*	
ellos/-as, ustedes			*pueden*

20 Lee un fragmento de un artículo sobre la educación y complétalo con las partes que faltan. Hay dos partes más de las necesarias.

a acaba de
b donde se pueden
c Debe cambiar
d Deben acompañarse
e están expresando
f empieza

Educación al servicio de la comunidad

Un nuevo modelo de aprendizaje trata de inculcar los valores de los Derechos Humanos a través del trabajo de los alumnos directamente con comunidades desfavorecidas

N. CAPARRÓS y D. CARBONERO (Cátedra Unesco)

El reto que plantea el desarrollo sostenible es hoy mayor que nunca. Cada vez se tiene más conciencia de que los avances tecnológicos, las legislaciones y los marcos políticos no bastan. (1) ________ de cambios en las mentalidades y en los valores y del fortalecimiento de la visión transformadora de los individuos.

La educación (2) ________ a ser una respuesta a estos retos globales que, como ciudadanos del mundo, hemos identificado. Las Naciones Unidas y las organizaciones internacionales están expresando la necesidad de establecer políticas educativas integradoras y holísticas, y los tratados internacionales más esenciales coinciden en las orientaciones, contenido y alcance que deben tomar los planes de estudio. La Unesco (3) ________ desarrollar todo un plan de acción teórico-práctico en torno a la educación para el desarrollo sostenible, (4) ________ configurar nuevas metodologías pedagógicas y docentes para el progreso de los conocimientos académicos, las competencias cognitivas y el desarrollo de competencias para el ejercicio de una ciudadanía activa y la educación en derechos humanos.

Extraído de www.elpais.com

21 *¿B* o *V*? Escribe cinco palabras que has visto en la unidad con *b* y cinco con *v*. Después, compara las palabras con las de tu compañero.

B	V
1 ________	1 ________
2 ________	2 ________
3 ________	3 ________
4 ________	4 ________
5 ________	5 ________

Lengua y comunicación

Marca la respuesta correcta.

1 Me ____ las Matemáticas.
a) ☐ cuesta
b) ☐ cuestan
c) ☐ gusta

2 Siempre ____ buenas notas en Español.
a) ☐ hago
b) ☐ saco
c) ☐ realizo

3 Un buen alumno debe ____ una mentalidad abierta.
a) ☐ teniendo
b) ☐ tenido
c) ☐ tener

4 La educación está ____ en todo el mundo.
a) ☐ cambiando
b) ☐ cambiar
c) ☐ cambiado

5 No ____ leyendo mucho, no tengo tiempo.
a) ☐ estamos
b) ☐ estoy
c) ☐ están

6 Esta semana estamos ____ mucha música latina en clase.
a) ☐ oyendo
b) ☐ oído
c) ☐ oír

7 Me encanta mi clase de yoga, empiezo ____ sentirme muy relajada.
a) ☐ de
b) ☐ a
c) ☐ con

8 Soy consciente de que tengo que desarrollar ____ para aprender mejor.
a) ☐ deberes
b) ☐ errores
c) ☐ estrategias

9 Rodrigo acaba ____ presentar un proyecto muy interesante.
a) ☐ de
b) ☐ Ø
c) ☐ a

10 El número de colegios que utilizan las TIC ____ aumentando.
a) ☐ están
b) ☐ sigue
c) ☐ siguen

11 La comunidad ____ está formada también por padres.
a) ☐ educación
b) ☐ educativa
c) ☐ educada

12 Los gobiernos ____ invirtiendo dinero en educación en este momento.
a) ☐ son
b) ☐ están
c) ☐ siendo

13 Practico natación ____ 2006.
a) ☐ desde hace
b) ☐ hace
c) ☐ desde

14 Después de ____ yoga, voy a casa.
a) ☐ practicar
b) ☐ practico
c) ☐ practicando

15 ____ cinco años que estudio portugués.
a) ☐ Desde
b) ☐ Hace
c) ☐ Desde hace

16 ____ muchos años toco la guitarra eléctrica.
a) ☐ Desde hace
b) ☐ Hace
c) ☐ De

17 Los sábados, antes de ____ al fútbol, siempre voy con mi madre al supermercado.
a) ☐ jugando
b) ☐ juego
c) ☐ jugar

18 Siempre ____ errores de ortografía en mis exámenes de Español.
a) ☐ saco
b) ☐ cometo
c) ☐ tomo

19 ____ apuntes a menudo, me ayuda mucho.
a) ☐ Realizo
b) ☐ Participo
c) ☐ Tomo

20 Todas mis carpetas y cuadernos tienen mi toque ____.
a) ☐ personal
b) ☐ interesante
c) ☐ participativo

Total: ____ / 10 puntos

Destrezas

1. COMPRENSIÓN ESCRITA

1 ¿Cuáles son los cuatro temas más interesantes del año que menciona el título del blog? (___ /de 2 puntos)

1 Pensamiento crítico
2 Innovación en educación
3 Inteligencias múltiples
4 educación y emoción

2 Lee el apartado «Pensamiento crítico» y contesta a la pregunta. (___ /de 2 puntos)

¿Qué significa *pensamiento crítico*?
Pensar por uno mismo

3 Lee el apartado «Innovación en educación» y busca una palabra que signifique lo mismo que: (___ /de 2 puntos)

1 cambio innovación 2 tenemos que debemos

4 Lee el apartado «Inteligencias múltiples» y completa el texto con las palabras del recuadro. (___ /de 2 puntos)

2 4 1 3
enseñar • personales • educativo • inteligencia

5 Lee el apartado «Educación y emoción» y nombra al menos dos efectos de las emociones positivas.
(___ /de 2 puntos)

1 La memoria
2 resolución creativa de problemas

Con TIC
educar la mente..., educar la emoción (y corazón)

INICIO CON TIC + CON CORAZÓN BLOG CONTACTO

Beatriz Montesinos

LOS 4 TEMAS MÁS INTERESANTES DEL AÑO

Aquí está mi resumen del año, con aquellos temas que más han despertado el interés de los lectores de *conTICycorazon* y del magazine de INED21, donde tengo el placer de escribir y editar contenidos relacionados con la psicología y la educación.

1. PENSAMIENTO CRÍTICO

Aprender a pensar, a ser crítico con lo que se enseña y con lo que se aprende, es uno de los principios de los que más se ha hablado este año. En una sociedad del conocimiento, no podemos educar ciudadanos como meros consumidores pasivos de información. Es necesario educar a personas capaces de pensar por sí mismas.

2. INNOVACIÓN EN EDUCACIÓN

Innovación en educación. ¿De qué estamos hablando? [...] La gran innovación va a venir de la mano de un cambio de modelo, se va a cambiar el foco de atención del contenido al proceso, del profesor al alumno, de lo teórico y memorístico a la importancia de la experiencia [...]. Pero, entonces, ¿a qué o a quién debemos esperar para que todo esto se produzca? Empieza TÚ mismo AHORA.

3. INTELIGENCIAS MÚLTIPLES

El enfoque (1) __________ basado en la teoría de las inteligencias múltiples, de Howard Gardner, es un enfoque de actualidad. Moda para algunos, teoría clave para lograr un cambio en el modo de (2) __________ y aprender para otros, lo que es evidente es que su planteamiento de la (3) __________ humana, basado en las diferencias (4) __________, supone una visión mucho más positiva de la educación.

4. EDUCACIÓN Y EMOCIÓN

En los últimos años, la ciencia está demostrando el impacto que tienen las emociones en el aprendizaje y la importancia de la gestión de las mismas frente a los contenidos académicos. Las emociones positivas tienen efectos beneficiosos sobre el aprendizaje al mejorar procesos relacionados con la atención, la memoria o la resolución creativa de problemas.

Un clima emocional positivo en el aula, creado o favorecido por el profesor, es el instrumento didáctico más potente; y los alumnos que aprenden acerca de sus emociones y cómo manejarlas serán adultos con una mayor capacidad de control de sus propias vidas y de su bienestar personal.

Extraído de www.conticycorazon.com

Total: _____ / 10 puntos

2. PRODUCCIÓN ESCRITA

(100 palabras, aproximadamente)

Escribe un artículo en una revista sobre la educación en tu país.

Incluye:
- introducción: sobre la educación en tu país en general
- estructura del sistema educativo
- situación actual
- conclusión: tu opinión sobre el futuro

▶ EVALUACIÓN DE TU PRODUCCIÓN ESCRITA

- **Lengua** (___ / 4 puntos)
  - Léxico: sistemas educativos
  - Gramática: presente, gerundio, conectores

- **Contenido** (___ / 4 puntos)
  - Introducción: sobre la educación en tu país
  - Estructura del sistema educativo
  - Situación actual
  - Conclusión: tu opinión sobre el futuro

* **Formato: artículo** (___ / 2 puntos)
- ¿Hay título?
- ¿Incluyes quién escribe el artículo?

Total: _____ / 10 puntos

3. PRODUCCIÓN Y COMPRENSIÓN ORAL (interacción)

(Mínimo, dos minutos)

Con un compañero, habla de las actividades extraescolares que realizáis.

Incluye:
- qué actividad estás realizando
- desde cuándo la realizas
- por qué la estás realizando
- qué debes hacer para mejorar en la actividad

▶ EVALUACIÓN DE TU PRODUCCIÓN ORAL Y LA COMPRENSIÓN ORAL DE TU COMPAÑERO

- **Lengua** (___ / 4 puntos)
  - Léxico: las actividades extraescolares
  - Gramática: *estar* + gerundio, *deber, desde hace, hace... que*

- **Contenido** (___ / 4 puntos)
  - Expresar qué actividad se realiza
  - Decir desde hace cuánto tiempo se realiza
  - Decir la razón por la cual se está realizando la actividad
  - Decir qué se debe hacer para mejorar

- **Expresión** (___ / 2 puntos)
  - Hablas con fluidez
  - Tienes una buena pronunciación y entonación

- **Interacción** (___ / 10 puntos)
  - Comprendes lo que dice tu compañero y utilizas estrategias
  - Respondes de forma coherente a lo que dice tu compañero

Total: _____ / 20 puntos

Total: _____ / 50 puntos

Mi progreso

Valora tu progreso después de esta unidad.

Mis habilidades			
- Hablar, entender y escribir sobre las características de un buen alumno, los sistemas educativos y otras formas de educarse			
- Entender y escribir un artículo, un texto de opinión y un decálogo			
Mis conocimientos			
- Características de un buen alumno			
- Perífrasis verbales con gerundio e infinitivo			
- Expresiones con *desde, hace... que, desde hace, después de, antes de*			
- Las letras *b* y *v*			
- Información sobre Bolivia y los sistemas educativos			
Soy más consciente			
- De las características de un buen alumno, los sistemas educativos y diferentes formas de educarse			
- De la importancia de responsabilizarme de mi propio aprendizaje			
- De las estrategias para aprender mejor			

 Bien  Adecuado  Mal

2 Consumo

La moda

1 Relaciona las palabras de la columna de la izquierda con las de la derecha.

1 ser un experto en	a comercial
2 comprar en un centro	b compras
3 llevar ropa	c un descuento
4 ofrecer	d al espejo
5 mirarse	e poco dinero
6 ir de	f de segunda mano
7 quedar bien	g una prenda
8 gastar	h moda

2 Estas frases están extraídas de la entrevista a Isabel Casas, la bloguera experta en moda. Complétalas con las siguientes palabras o expresiones.

barata • marcas • lleva • mercadillos • ropa • temporada
se prueban • descuentos • centros comerciales • rebajas

1 A muchos jóvenes de hoy no les interesan las ______________, no les gusta comprar la ropa que ______________ todo el mundo.
2 Por eso, van a ______________ donde pueden encontrar ropa más ______________.
3 Suelen ir a ______________ donde pueden encontrar la ropa que está de moda cada ______________.
4 Hay épocas del año en que prácticamente todo el mundo compra ______________ que no necesita: cuando hay ______________.
5 La mayoría de las marcas y las tiendas ofrecen el *stock* que no han vendido durante la temporada con ______________ que pueden llegar hasta el 70%.
6 Todos o casi todos se miran en el espejo y ______________ varias prendas antes de salir de casa, igual que las chicas.

3 (36) Escucha y anota tus respuestas.

yo también • yo tampoco • yo sí • yo no

1 ______________
2 ______________
3 ______________
4 ______________
5 ______________
6 ______________

4 Responde a las siguientes preguntas y después coméntalas con tu compañero.

1 ¿Sueles llevar ropa de marca?
• *Yo nunca llevo ropa de marca.*
■ *Yo sí.*
2 ¿Gastas mucho dinero en ropa?
____
3 ¿Normalmente, vas de compras solo o acompañado?
____
4 ¿Compras cuando hay rebajas?
____
5 ¿Vas de compras a centros comerciales?
____

5 Clasifica las siguientes prendas y accesorios. En algunos casos puede haber más de una opción. ¿Puedes ampliar el vocabulario?

zapatos	chaqueta	camisa	pantalones
pendientes	cinturón	bañador	vestido
sandalias	sudadera	abrigo	camiseta
jersey	guantes	zapatillas	gorra
calzoncillos	bragas	bufanda	falda

6 Escribe todas las combinaciones posibles con las siguientes palabras.

de piel • de cuello alto • de lana • de fiesta • de novia
de algodón • de manga corta • largo • negros • blanca
corto • de deporte • de tacón

7 ¿Qué cosas te quedan bien o mal? Escribe frases en tu cuaderno como las de ejemplo.

Me quedan muy bien los pendientes y los gorros.
No me quedan bien. / Me quedan mal las botas y las faldas largas.

8 (37) Escucha este anuncio de un centro comercial colombiano y anota cuánto cuestan estas prendas ahora, en las rebajas.

9 En parejas, elige a una de estas personas: tu compañero tiene que adivinar quién es, pero tú solo puedes responder *sí* o *no* a sus preguntas.

• *¿Lleva pantalones cortos?* ■ *No.*

10 **Elige a un chico y a una chica de las imágenes del ejercicio anterior y escribe en tu cuaderno qué ropa llevan.**

De compras

11 **Completa los diálogos con *qué, cuál* o *cuáles*.**

1 • Mira estas botas. ¿________ te gustan más?
 ▪ A mí me gustan las rojas.
2 • ¿________ es tu abrigo? ¿Este o ese?
 ▪ Es ese, el abrigo de lana.
3 • ¿________ camiseta compramos para tu hermano?
 ▪ ¿________ es la más barata?
4 • ¿________ pantalones me compro? ¿Te gustan estos?
 ▪ ¿________? ¿Los negros?
5 • ¿________ cinturón prefieres? ¡Te lo regalo yo!
 ▪ El de piel me encanta.
6 • ¿________ vestido vas a llevar para la fiesta?
 ▪ No sé ________ ¿Y tú?

12 **Contesta a las preguntas (utiliza un pronombre de OD para responder).**

1 ¿Dónde compras la ropa?
La compro en ________________.
2 ¿Dónde llevas la ropa cuando sales para un fin de semana?
________________.
3 ¿Cuándo llevas gafas de sol?
________________.
4 ¿En qué situaciones usas guantes?
________________.
5 ¿Cuando llevas bufanda en tu país?
________________.
6 ¿Cuándo haces regalos?
________________.
7 ¿Usas gorro?
________________.
8 ¿Llevas accesorios normalmente?
________________.

13 **Sustituye las palabras señaladas en negrita por un pronombre. ¡Atención! No siempre tiene la misma posición.**

No sé si comprar **este vestido tan bonito** para la fiesta de graduación. Si compro **este vestido**, solo puedo usar **este vestido** para esta fiesta. Pero si llevo **este vestido** en la fiesta, todo el mundo va a pensar que voy muy guapa… No sé, creo que es muy caro. Si cuesta menos de 100 euros, compro **el vestido**, pero si cuesta más no compro **el vestido**. Pero es que si no compro **este vestido** no sé qué me voy a poner en la fiesta… Creo que voy a comprar **el vestido…**, Pero primero me tengo que probar **el vestido** porque si no me queda bien tengo que buscar otra cosa. ¡Decidido! ¡Compro **el vestido**!

14 **Escribe en tu cuaderno un texto como el anterior, pero con una de estas prendas. Puedes cambiar todo lo que quieras.**

camisa • chaqueta • pantalones • zapatos • botas • zapatillas

15 **Completa las frases siguiendo el modelo.**

1 • Quiero comprar un anillo a mi novia.
 ▪ ¿A María? ¿Estás seguro de que quieres *comprárselo* (comprar a María un anillo)?
2 • ¿Y si le compramos a Daniela este sombrero?
 ▪ Sí, buena idea. Podemos ________ (comprar a Daniela este sombrero).
3 • ¿Puede traerme una talla más grande?
 ▪ Sí, claro, ahora mismo ________ (le traigo una talla más grande a usted).
4 • ¿Por qué no te pruebas este vestido verde?
 ▪ ¡Qué bonito! ________ (¡Voy a probarme este vestido verde!)
5 • Podemos comprarle a Sergio unas gafas de sol.
 ▪ De acuerdo, ________ (le regalamos a Sergio unas gafas de sol).
6 • Quiero enviar a mis padres una camiseta desde Colombia.
 ▪ ¿Cómo quieres ________ (enviar una camiseta a tus padres)?
7 • Mañana, para ir al instituto, me pongo las zapatillas.
 ▪ Si tú ________ (te pones las zapatillas), yo también ________ (me pongo las zapatillas).

16 Completa las frases con los pronombres adecuados.

le • los • te (x2) • la • me la • se lo • os • les

1 Me encanta llevar pendientes y siempre ________ llevo de plata.
2 • A mi padre ________ he regalado un jersey que he hecho yo.
  ▪ Y a ti, ¿qué ________ han regalado?
3 ¿La ropa? ________ compro siempre cuando hay rebajas.
4 • ¿________ has dado el regalo de aniversario a tus padres?
  ▪ No, no ________ he dado. Su aniversario es mañana.
5 ¿Qué ________ van a comprar vuestros padres?
6 • ¿Estás probándo________ la camisa?
  ▪ Sí, ________ estoy probando y me queda muy bien.

17 Construye frases según el modelo.

1 Me quiero probar el cinturón.
Quiero probármelo. / Me lo quiero probar.
2 Estoy comprando una camisa para Luisa.
____.
3 Queremos regalar a nuestro profesor este libro.
____.
4 Antonia se está poniendo el vestido en este momento.
____.
5 Vamos a regalar las gorras a los niños.
____.
6 Os quiero dar unas botas que tengo en casa.
____.
7 ¿No te quieres probar este vestido?
____.

De segunda mano

18 Escribe el sustantivo de los siguientes verbos.

1 contaminar: *la contaminación*
2 fabricar: ________
3 consumir: ________
4 regalar: ________
5 ahorrar: ________
6 reciclar: ________
7 reutilizar: ________
8 confeccionar: ________

19 Lee el artículo y completa después las siguientes frases.

1 Los diseñadores que basan su diseños en la eco moda utilizan materiales ________________.
2 Las grandes marcas también ofrecen colecciones con estos materiales porque ________________.
3 Según Liza Arico, lo más importante para estos nuevos diseñadores es ________________.

BLANCA ESPADA

La eco moda es una nueva tendencia de algunos diseñadores de crear sus colecciones con materiales reciclados, básicamente textiles ya usados y otro tipo de elementos naturales y ecológicos sin nada sintético ni químico.
Esta tendencia de vanguardia ha sido lanzada y llevada a cabo inicialmente por pequeños diseñadores. Al ver el éxito de esta iniciativa, casi todas las grandes marcas han añadido a sus colecciones una línea ecológica, pero el verdadero espíritu y compromiso está en los pequeños productores.
[...]
Según Liza Arico, una diseñadora francesa, «acercarse al máximo a una nueva clientela europea que busca el NO UNIFORME o la ECO MODA o la MODA ÉTICA y que tienen como principios fundamentales conciliar el arte del creador, el bienestar del trabajador y el respeto al medio ambiente».
Estas palabras de Liza sintetizan de la mejor manera el espíritu de estos nuevos diseñadores, «pequeñas marcas y jóvenes creadores vanguardistas que tienen como sello y características la ética aplicada a su trabajo –que no es otra cosa que el respeto al hombre y al medio ambiente; algo semiolvidado en la jerga comercial– y que para ser aceptados han firmado un código de «honor y buena conducta» comprometiéndose entre otros términos a:
-El respeto a las condiciones de los trabajadores que participan en la fabricación del producto.
-La prohibición del trabajo forzado y esclavo.
-El respeto a un sueldo mínimo y a un límite de horas semanales de trabajo.
-La salud y la seguridad en el lugar de trabajo.
-La libertad sindical.
-La no discriminación.
-La reducción del impacto ambiental de sus fábricas.
-La utilización de materias primas y sustancias con poco impacto en el medio ambiente; sin sustancias químicas ni tóxicas.
-El trabajo en colaboración con artesanos locales.
[...]

Extraído de www.modaellas.com

20 Vuelve a leer el código de honor que han firmado los diseñadores en el artículo anterior; ¿cuáles de las siguientes situaciones lo respetan y cuáles no?

	Sí	No
1 En una empresa, los empleados trabajan un máximo de 40 horas a la semana y tienen derecho a unas vacaciones pagadas.	☐	☐
2 Los trabajadores tienen que trabajar a altas temperaturas en verano.	☐	☐
3 Los trabajadores no pueden estar afiliados a un sindicato.	☐	☐
4 En una empresa utilizan diseños locales y dan trabajo a personas de la región.	☐	☐
5 Se utiliza material reciclado para la confección de las prendas.	☐	☐
6 En una fábrica solo pueden trabajar mujeres menores de 40 años.	☐	☐

21 Describe qué significan estas palabras que han aparecido en la unidad.

1 rebajas: ______________________
2 trueque: ______________________
3 objeto: ______________________
4 consumir: ______________________
5 regalar: ______________________
6 reciclar: ______________________

22 Termina las frases con posesivos.

1 La camisa es de usted, señor Jiménez. La camisa es *suya*.
2 Estas son mis camisetas, estas camisetas son ______.
3 Este es tu traje, este traje es ______.
4 Estos son nuestros bañadores, estos bañadores son ______.
5 Señora Antúnez, estos son sus guantes, estos guantes son ______.
6 La bufanda es de Mercedes, la bufanda es ______.
7 La sudadera es de Marino, la sudadera es ______.
8 Estos son vuestros cinturones, estos cinturones son ______.
9 Los abrigos son de Lucas y de Alberto, los abrigos son ______.
10 Este es tu vestido, este vestido es ______.

23 Completa las frases con el posesivo.

1 • Conocemos al escultor Renato Leale.
■ ¿De verdad? ¿Es amigo ______ ?
2 • Alberto, ¿este cinturón es ______ ?
■ No, no es ______, creo que es de Juanjo.
3 • Este vestido es de Marcela.
■ No, no es ______ , es de Loreto.
4 • Señor Roncero, ¿es ______ esta bufanda?
■ Ah, sí, gracias, es ______ .
5 • ¿Estos libros son de Ana y de Carolina?
■ Sí, creo que son ______ .

24 Completa la tabla con los pronombres y los posesivos que corresponden a cada persona.

Pronombre sujeto (*Tú hablas.*)	Pronombre con preposición (*A él le gusta.*)	Pronombre de objeto directo (*Os llamo luego.*)	Pronombre de objeto indirecto (*Le envío un mensaje a Cora.*)	Posesivo (antes del sustantivo) (*Son tus amigos.*)	Posesivo (después del verbo) (*La gorra es mía.*)
	a mí		me		mío/-a/-os/-as
tú		te		tu(s)	
	a él		le		suyo/-a/-os/-as
ella		la		su(s)	
	a nosotros/-as		nos		nuestro/-a/-os/-as
vosotros/-as		os		vuestro/-a/-os/-as	
	a ellos		les		suyo/-a/-os/-as
ellas		las		su(s)	

25 Termina o completa las frases con información sobre ti.

1 Yo ______________________________.
2 A mí ______________________________.
3 Me ______________________________.
4 Mi ______________________________.

Lengua y comunicación

Marca la respuesta correcta.

1 ● **Siempre voy de compras con mis padres.**
■ **Yo ____, prefiero ir con mis amigos.**
a) ☐ también
b) ☐ no
c) ☐ sí

2 ● **Nunca compro ropa de marca.**
■ **Yo ____, prefiero la ropa de los mercadillos.**
a) ☐ tampoco
b) ☐ no
c) ☐ sí

3 **No me gustan nada las camisas de rayas ni de cuadros, las prefiero ____.**
a) ☐ largas
b) ☐ lisas
c) ☐ altas

4 **Me gusta ir de rebajas porque todo es más ____.**
a) ☐ caro
b) ☐ descuento
c) ☐ barato

5 **En invierno, cuando hace frío uso un abrigo ____.**
a) ☐ de tacón
b) ☐ de lana
c) ☐ de novia

6 **En verano, cuando hace calor, uso pantalones ____.**
a) ☐ de manga corta
b) ☐ de cuello alto
c) ☐ de algodón

7 **Para ir al gimnasio siempre llevo ____.**
a) ☐ unos zapatos
b) ☐ unas zapatillas
c) ☐ unas botas

8 **No me gusta nada ____ la ropa.**
a) ☐ probarme
b) ☐ ponerse
c) ☐ quedar

9 **Estás muy guapo con esta camisa. Te queda ____.**
a) ☐ muy bien
b) ☐ mucho
c) ☐ muy mal

10 **¿ ____ gorra compro? ¿La roja o la verde?**
a) ☐ Cuál
b) ☐ Qué
c) ☐ Cuáles

11 ● **No sé qué vestido comprar.**
■ **¿ ____ vas a llevar en una fiesta?**
a) ☐ Lo
b) ☐ Te
c) ☐ Le

12 **Tenemos un regalo para Ana y Juan, ¿cuándo ____ damos?**
a) ☐ se la
b) ☐ se lo
c) ☐ se los

13 **¿Estás ____ los pantalones?**
a) ☐ probándote
b) ☐ probándose
c) ☐ probándolos

14 **¿Me puedes ____ una talla más grande, por favor?**
a) ☐ llevar
b) ☐ traer
c) ☐ probar

15 **Perdone, ¿cuánto ____ esta chaqueta?**
a) ☐ cuesta
b) ☐ es
c) ☐ gasta

16 **Mira estas gorras para los niños, ¿____ compramos?**
a) ☐ se los
b) ☐ se las
c) ☐ les

17 **¿El regalo de María? Vamos a ____ mañana.**
a) ☐ dársela
b) ☐ darle
c) ☐ dárselo

18 **Antonia, ¿estos pendientes son ____?**
a) ☐ tuyas
b) ☐ tuyos
c) ☐ tus

19 ● **¿Estas camisetas son de Laura?**
■ **No, no son ____, son de Camila.**
a) ☐ tuyas
b) ☐ mías
c) ☐ suyas

20 **Señor Ramírez, ¿esta bufanda es ____?**
a) ☐ su
b) ☐ tuya
c) ☐ suya

Total: ____ / 10 puntos

Destrezas

1. COMPRENSIÓN ESCRITA

1 Lee el texto. ¿Qué tipo de texto es? Marca (X) la opción correcta. (___ / 2 puntos)

1 Un foro ☐
2 Un folleto promocional ☐
3 Un artículo en una revista digital ☐
4 Una entrevista ☐

2 Busca en el texto los sinónimos de estas cuatro palabras. (___ / 2 puntos)

En el párrafo 1:
1 bonitos: ______________
2 descuento: ______________

En el párrafo 2:
3 números: ______________
4 días: ______________

3 Marca si estas informaciones son verdaderas (V) o falsas (F). (___ / 6 puntos)

1 Las rebajas en Colombia son todo el mes de enero y todo el de febrero. ☐
2 La gerente de Fenalco afirma que en los últimos años no solo hay rebajas en enero y en febrero. ☐
3 En Mango ofrecen un descuento del 50 % todo el año. ☐
4 En Bogotá los centros comerciales tienen rebajas en diferentes fechas. ☐
5 En Medellín los centros comerciales más grandes ofrecen descuentos a finales de febrero. ☐

TEMPORADA DE REBAJAS

Comprar a mitad de precio la chaqueta que le gusta; pagar un 50 y hasta un 60 % menos por los zapatos más lindos de su tienda favorita; todo eso es posible gracias a la temporada de rebajas que ofrece por estas fechas el comercio nacional. A partir del 6 de enero y hasta finales de febrero, los almacenes y las tiendas de ropa se llenan de rebajas y promociones. Así lo explica Carolina Nieto, gerente del área de Investigaciones Económicas de Fenalco Bogotá, y asegura que en Colombia hay cada vez más jornadas de precios especiales por la llegada de cadenas internacionales. «Es muy difícil medir el fenómeno en cifras», explica, «pues de unos años para acá prácticamente hay rebajas todos los meses, aunque las temporadas fuertes son enero y febrero».

María Isabel Uribe, gerente de Mango en Colombia, destaca la importancia de estas fechas. Ponemos en rebajas del 50 % todo lo que nos queda de la colección de fin de año. Es una oportunidad para atraer a otro tipo de clientes, explica.

- En Bogotá tienen jornadas especiales los siguientes centros comerciales: Santa Fe (7 al 15 de febrero), Unicentro (29 de enero al 8 de febrero), Plaza Imperial (13 al 22 de febrero), Plaza de las Américas (comienza el 6 de febrero), Gran Estación (26 de enero al 3 de febrero) y Hayuelos (25 de enero al 20 de febrero).
- En Medellín los principales centros comerciales preparan «Medellín es una Ganga», que se realiza en más de 1500 almacenes de la ciudad a fines de febrero.
- En Barranquilla sus sus dos centros comerciales más importantes, Buena Vista y Portal del Prado, promocionan sus jornadas de descuentos en el mes de agosto.

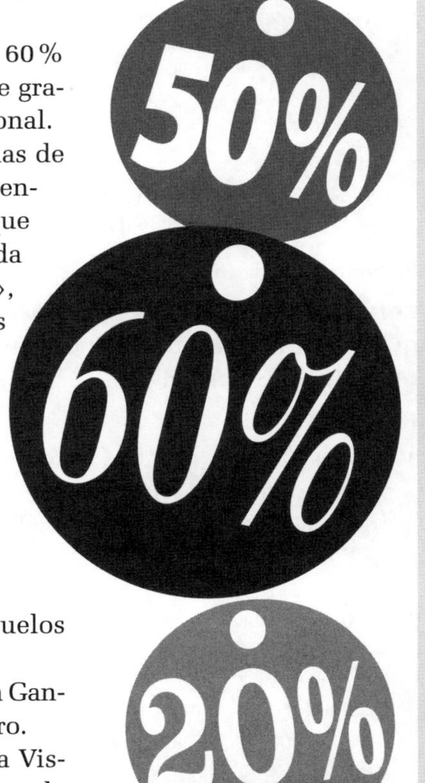

Extraído de www.portafolio.com

Total: _____ / 10 puntos

2. PRODUCCIÓN ESCRITA

(100 palabras, aproximadamente)

Escribe un breve artículo para la revista de tu colegio sobre consumo responsable.

Incluye:
- una introducción
- tus hábitos de consumo
- ideas y sugerencias para un consumo responsable
- una conclusión

▶ EVALUACIÓN DE TU PRODUCCIÓN ESCRITA

- **Lengua** (___ / 4 puntos)
  - Léxico: vocabulario de ropa, compras y moda
  - Gramática: pronombres de OD /OI, posesivos
- **Contenido** (___ / 4 puntos)
  - Introducción
  - Tus hábitos de consumo
  - Ideas y sugerencias para un consumo responsable
  - Conclusión
- **Formato: artículo** (___ / 2 puntos)
  - ¿Hay título?
  - ¿Tiene autor?

Total: _____ / 10 puntos

3. PRODUCCIÓNY COMPRENSIÓN ORAL (interacción)

(Mínimo, un minuto cada uno)

Con dos compañeros, prepara un diálogo e imagina que estáis en una tienda. Uno es el dependiente y los otros dos sois dos amigos.

Incluye:
- saludar
- pedir y dar información sobre algunas prendas
- preguntar y decir el precio, la talla, el color...
- probarse una prenda y comprarla

▶ EVALUACIÓN DE TU PRODUCCIÓN ORAL Y DE LA COMPRENSIÓN ORAL DE TU COMPAÑERO

- **Lengua** (___ / 4 puntos)
  - Léxico: ropa, color, materiales y estilos, tallas y precios
  - Gramática: pronombres de OD /OI
- **Contenido** (___ / 4 puntos)
  - Saludar
  - Pedir y dar información sobre algunas prendas
  - Preguntar y decir el precio, la talla, el color...
  - Probarse una prenda y comprarla
- **Expresión** (___ / 2 puntos)
  - Hablas con fluidez
  - Tienes una buena pronunciación y entonación
- **Interacción** (___ / 10 puntos)
  - Comprendes lo que dicen tus compañeros
  - Respondes de forma coherente a lo que dicen tus compañeros

Total: _____ / 20 puntos

Total: _____ / 50 puntos

Mi progreso

Valora tu progreso después de esta unidad.

Mis habilidades			
- Hablar, entender, escuchar y escribir sobre compras, moda y consumo			
- Escribir y entender un catálogo de moda			
Mis conocimientos			
- Léxico de la ropa, la moda y el consumo			
- Los pronombres personales de OD /OI			
- Los posesivos			
- Pronunciación y ortografía de la *ch* y la *ll*			
- La diferencia entre *qué* y *cuál* / *cuáles*			
- El acento tónico			
- Información sobre Colombia y el consumo responsable			
Soy más consciente			
- De mis hábitos de consumo			
- De la importancia del respeto a los gustos y criterios de mis compañeros			
- Del valor que tiene aceptar las propuestas de mis compañeros cuando trabajo en grupo			

 Bien  Adecuado  Mal

3 Trabajo

Profesiones

1 Completa las siguientes frases sobre ti y tus hábitos.

1 Los fines de semana suelo ______________________.
2 Lo bueno de ser estudiante es ______________________.
3 Lo malo de estudiar es ______________________.
4 Siento pasión por ______________________.
5 Paso la mayor parte de mi tiempo ______________________.
6 Los domingos normalmente me dedico a ______________________.

2 Ahora pregunta a tu compañero y anota sus respuestas en tu cuaderno, pero antes completa las preguntas.

1 ¿Qué sueles ______________________?
2 Para ti, ¿qué es lo bueno ______________________?
3 Para ti, ¿qué es lo malo ______________________?
4 ¿Por qué ______________________ pasión?
5 ¿Cómo pasas ______________________?
6 ¿A qué ______________________ los domingos?

3 Completa las frases.

jefe • clientes • sueldo • trabajadores • empresa
entrevista de trabajo • autónomo • horario

1 Trabajo en una gran ____________.
2 Ahora trabajo en casa, soy ____________.
3 Nuestro negocio va muy bien, cada día tenemos más ____________.
4 En mi nuevo trabajo me pagan muy bien, tengo muy buen ____________.
5 Tengo que cambiar de trabajo porque no me entiendo con mi ____________.
6 Estoy nervioso porque mañana tengo una ____________.
7 Trabajo solo de nueve a tres. Estoy muy contento con el ____________.
8 En la empresa de mi tío hay cincuenta ____________.

4 ¿Qué habilidades o conocimientos se necesitan para dedicarse a estas profesiones? Hay varias posibilidades.

1 peluquero
2 enfermero
3 policía
4 decorador
5 actor
6 farmacéutico
7 recepcionista
8 empresario

a ser sociable
b tener conocimientos de química
c tener capacidad para trabajar en equipo
d ser capaz de tomar decisiones
e ser creativo
f saber hablar varios idiomas
g saber negociar

5 Escribe una habilidad o capacidad para poder ejercer estas profesiones.

1 arquitecto/-a ____________

2 médico/-a ____________

3 carpintero/-a ____________

4 pintor(a) ____________

5 cocinero/-a ____________

6 camarero/-a ____________

7 diseñador(a) ____________

8 bailarín(ina) ____________

9 ejecutivo/-a ____________

Desarrollo profesional

6 Completa la tabla con estos verbos regulares en pretérito indefinido.

	aprobar	vender	escribir
yo			
tú			
él, ella, usted			
nosotros/-as			
vosotros/-as			
ellos/-as, ustedes			

7 Completa los siguientes microdiálogos con los verbos que faltan en pretérito indefinido.

1 ● Y tú, ¿cuándo (acabar) ___________ el máster?
■ Lo (terminar) ___________ hace dos años.
2 ● ¿Cuándo (aprender) ___________ tu hermano a cocinar profesionalmente?
■ En 1980.
3 ● Y vosotros, ¿cuándo (empezar) ___________ las prácticas en la empresa?
■ Las (empezar) ___________ el martes pasado.
4 ● ¿Cuándo (abrir) ___________ el negocio tu madre?
■ El verano pasado.
5 ● Tus abuelos (vivir) ___________ en México, ¿no?
■ Sí, hace muchos años. Creo que (emigrar) ___________ en los años sesenta.
6 ● Fernando, ¿qué (estudiar) ___________ cuando (acabar) ___________ bachillerato?
■ No (estudiar) ___________ nada, (trabajar) ___________ en un restaurante durante seis meses.
7 ● Señor Hernández, ¿cuándo (vender) ___________ su empresa?
■ No la (vender) ___________, la (cerrar) ___________ en junio.

8 Ordena los marcadores temporales del más lejano al más cercano al presente.

hace quince años • en 1992 • en el siglo XIX • ayer
el verano pasado • hace dos años • en octubre • anteayer
la semana pasada • en diciembre de 2013 • el viernes

___________, ___________, ___________,
___________, ___________, ___________,
___________, ___________, ___________,
___________, ___________, hoy

9 Escribe una frase con tres de los marcadores temporales del ejercicio anterior.

1 ___________
2 ___________
3 ___________

10 Completa la tabla con estos verbos irregulares en pretérito indefinido.

ser / ir	estar	hacer(se)	dar	tener
fui		(me) hice		tuve
	estuviste		diste	
fue		(se) hi**z**o		tuvo
	estuvimos		dimos	
fuisteis		(os) hicisteis		tuvisteis
	estuvieron		dieron	

11 ¿Sabes quiénes son estos personajes? Relaciona las frases con las fotos.

1 Estuvo 30 años en la cárcel y fue presidente de Sudáfrica.
2 Fue una famosa diseñadora de ropa que cambió la forma de vestir de las mujeres.
3 Fue un empresario y un magnate de los negocios y fundó Apple.
4 Escribió *Harry Potter* y tuvo mucho éxito. Se hizo multimillonaria en solo cinco años.
5 Fue el científico más conocido del siglo XX y descubrió la teoría de la relatividad.
6 Luchó por los derechos de los afroamericanos y en un famoso discurso en Washington dijo: «Yo tengo un sueño».

Albert Einstein ☐

Coco Chanel ☐

Martin Luther King ☐

Steve Jobs ☐

J. R. Rowling ☐

Nelson Mandela ☐

12 Busca información en internet sobre los personajes del ejercicio anterior e incluye una cosa más que hicieron.

1 ______________________
2 ______________________
3 ______________________
4 ______________________
5 ______________________
6 ______________________
7 ______________________
8 ______________________

13 Lee este fragmento del blog de un viajero por Latinoamérica que cuenta su experiencia en Paraguay y responde a las preguntas.

JAIME ROLDÁN

PARAGUAY

DE LO QUE ES, NO ES O LO QUE FUE

Me siento más latinoamericano que colombiano mismo; me siento más de todos los lugares por los que voy pasando y hace tanto tiempo soñé. […], Paraguay me volvió a recordar una parte de lo que significa ser latinoamericano.

Después del gigante brasilero todo queda cerca, *tudo fica perto,* como dirían allá. Así es como solo 330 kilómetros me separaron de la capital, Asunción. Fui pasando rápido, con paso seguro en esa línea recta […], pasando por Juan Manuel Frutos, Coronel Oviedo, Itacurubí de la Cordillera, Caacupé. Fui atravesando pueblitos, pequeñas poblaciones, ciudades…, en esas rectas de campos de soja, cultivos de yerba, la yerba del mate y el tereré, tan consumidos aquí. Tereré frío y refrescante, tereré de todas horas, tereré costumbre, de menta o clásico, pero siempre rico. […], Lo otro son comidas para reafirmar aquello de la unidad; seguimos con la conexión del maíz y la yuca. La yuca que es mandioca aquí, la que te sirven en todos los platos, el acompañante de siempre; estamos alimentados por las raíces de la tierra, la misma que desechamos y ensuciamos hasta el cansancio y la inconsciencia.

La cuestión del tiempo en suspenso se nota con fuerza en la capital, Asunción. Aquí me saludan viejos buses que me recuerdan a las provincias de Colombia, donde esos antiguos artefactos todavía se pasean ofreciendo transporte eficiente; de algún modo todavía se mueven, sus latas truenan por todas las calles; aquí los buses «nuevos» son los del vecino país, los que Brasil desechó. Latinoamérica es como el reflejo de una familia y aquella situación donde la ropa del hermano mayor pasa al más pequeño […], También veo una Asunción que progresa bajo la sombra de su gran represa, Itaiupú, la más grande del continente, que suministra luz y energía (también la venden). De ella se toma más que agua para transformarla en progreso cuando se quieren dar esos grandes pasos: invertir en educación en el país: Así tenemos una Asunción con un centro limpio, organizado y unas construcciones que impresionan. […]

Extraído de www.erransaudade.blogspot.com.es

1 ¿De dónde es la persona que escribe?
______________________.

2 ¿Por qué lugares pasó el autor del blog hasta que llegó a Asunción?
______________________.

3 ¿Qué es el tereré?
______________________.

4 ¿Qué cosas son comunes en Latinoamérica, según el autor?
______________________.

5 ¿Cómo ve el autor la relación entre los diferentes países de Latinoamérica?
______________________.

6 ¿Qué impresión tiene de Asunción?
______________________.

Vida laboral

14 Completa la tabla con las formas verbales que faltan en pretérito indefinido.

	repetir	dormir	leer
yo		dormí	
tú	repetiste		
él, ella, usted			le**y**ó
nosotros/-as		dormimos	
vosotros/-as			leísteis
ellos/-as, ustedes	repi**t**ieron		

15 Completa las frases.

de ... a • durante • después • al ... siguiente • a los
hasta • desde • hace • al cabo de

1 Fue director de la empresa ___________ 2009 ___________ 2014.
2 Estudié en Londres desde enero ___________ junio.
3 En 2013 acabó sus estudios y dos años ___________ se fue a vivir a Atlanta.
4 Hizo unas prácticas en Holanda y ___________ año ___________ volvió a España.
5 Cambió de trabajo ___________ tres meses.
6 Trabajó como camarero en un restaurante ___________ tres meses.
7 Encontró trabajo en abril y ___________ dos meses lo dejó.
8 Nació en Paraguay y ___________ 14 años se fue a vivir a Brasil.
9 Trabaja organizando eventos en Jerez ___________ 2013.

16 Escribe un resumen de tu vida e incluye un dato falso. Tus compañeros tienen que descubrir cuál es ese dato.

17 Relaciona.

1 hacer
2 pasear
3 dar clases
4 trabajar de dependiente en
5 cortar

a casas
b de canguro
c perros
d el césped
e una tienda
f particulares a niños

18 Completa el resumen de la vida de Roa Bastos. Puedes extraer la información de la unidad.

el 13 de junio de 1917 • a los 15 años • en 1976
al año siguiente • 12 años después • ese mismo año
en 2005 • al cabo de dos años • hasta 1989

1 Augusto Roa Bastos nació ___________ en Asunción.
2 ___________ fue a la guerra y empezó a escribir teatro y trabajó como periodista.
3 ___________ formó parte del grupo Vy'a Raity.
4 ___________ pasó un año en Inglaterra.
5 ___________ abandonó Asunción y se fue a Buenos Aires.
6 ___________ se trasladó a Francia y vivió en ese país ___________
7 ___________ regresó a Paraguay.
8 Murió en Asunción ___________.

19 (38) Escucha qué dice Roa Bastos sobre Paraguay en un fragmento de una entrevista y completa las frases.

mágico • una incógnita • desconocido • pasado • el corazón

1 Es un país que es ___________ en América Latina.
2 Paraguay es un país ___________, incluso en su ubicación geográfica.
3 Me parece que es un país ___________, inventado por los novelistas y los escritores.
4 Es un país que existe realmente en ___________ de América Latina.
5 Es un país con un gran ___________.

20 Lee la historia de dos chicos que tuvieron dificultades en sus estudios, pero triunfaron en sus carreras, y completa los artículos con la información que falta.

a repitió 8.º de EGB y COU*,
b empezó a jugar con el ordenador de su padre,
c se marchó un corto periodo a Inglaterra
d cuando internet llegó a su casa,
e Manuel es responsable de Redes Sociales del Grupo Prisa,
f donde cursó un máster en Administración de Negocios (MBA).

*EGB: En España la Enseñanza General Básica se estudió hasta el año 1996. Actualmente, el plan de estudios es diferente.
COU: Curso de Orientación Universitaria, que dejó de existir en el año 2001. Actualmente, equivale a segundo de Bachillerato.

Extraído de *20 minutos*. Autor: A. Martín Larios.

MANUEL MONTILLA

Fichó por Microsoft con 18 años.

Manuel siempre ha sido un apasionado de la informática. Con apenas 5 años (1) ___________ un modelo 486, y desde entonces no ha parado de investigar. Primero fue con la programación y, (2) ___________ con las páginas web. Con apenas 15 años comenzó a obtener sus primeros ingresos creando y posicionando sus propias páginas web. Ello, unido a la desmotivación en el instituto, fue el último empujón que lo llevó a abandonar los estudios. [...]

Con 17 años comenzó a trabajar en una empresa de *marketing on-line* y con apenas 18 fue reclutado por Microsoft. «He llegado a entrevistar a gente con dos carreras», comenta con humildad, admitiendo que a pesar de su falta de titulación nunca le han faltado las ofertas laborales. Ahora, con 22 años, (3) ___________ se considera «una persona muy afortunada» y no descarta retomar los estudios en un futuro.

GONZALO IBÁÑEZ

Fundó su propia empresa.

[...] El hoy director general de Kanlli, una empresa especializada en servicios de *marketing* interactivos que él mismo fundó, recuerda su mala experiencia como estudiante: (4) ___________ y a punto estuvo de matricularse en este último curso por tercera vez. «El profesor de Química me llegó a decir que era idiota», asegura.

Gonzalo no superó la selectividad, pero (5) ___________ a estudiar inglés. Tras ello probó suerte en EE. UU., donde se graduó en Publicidad y Relaciones Públicas con una mención de honor. [...] Después de trabajar varios años al otro lado del Atlántico, regresó a España, (6) ___________ Actualmente dirige su propia empresa, Kanlli, con cerca de una treintena de personas a su cargo.

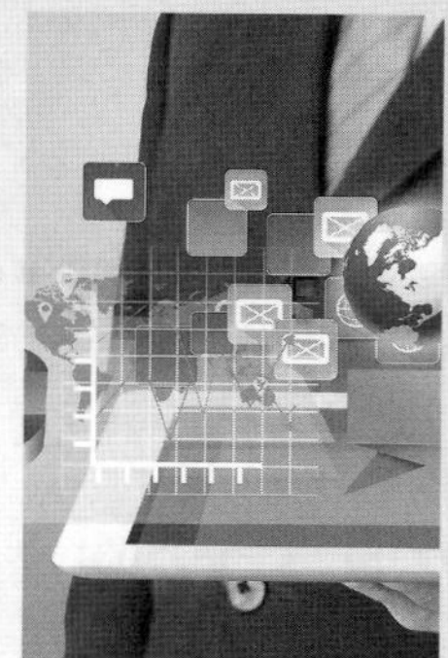

21 (39) Completa la conversación con los verbos que faltan. Después, escucha y comprueba.

- Alberto, ¿has trabajado alguna vez?
- Sí, (1) ___________ el año pasado como camarero en una cafetería, pero solo los fines de semana, de junio a septiembre.
- ¿Y (2) ___________ mucho dinero?
- Bueno, bastante...
- ¿Y qué (3) ___________ con el dinero? (4) ___________ una moto y (5) ___________ una parte de la matrícula de la universidad.
- ¡Qué suerte!
- Lola, y tú, ¿qué trabajos has hecho?
- Yo, el verano pasado, (6) ___________ clases particulares a algunos niños de mi calle. (7) ___________ solo durante el mes de julio, porque en agosto casi todos (8) ___________ de vacaciones. Y durante el año también hago de canguro para una familia, normalmente, los fines de semana. Es que me encantan los niños. Por eso quiero ser maestra.
- Y este verano, ¿qué vas a hacer?
- Este verano no lo sé... El año pasado en agosto (9) ___________ a Dublín a estudiar inglés. ¿Y tú?
- Creo que voy a volver a la cafetería...

Autoevaluación

Lengua y comunicación

Marca la respuesta correcta.

1 ¿A qué hora sueles ____ del trabajo?
a) ☐ saliendo
b) ☐ salir
c) ☐ sales

2 Lo bueno de mi trabajo ____ el horario.
a) ☐ es que
b) ☐ es
c) ☐ que

3 Siento pasión ____ los idiomas.
a) ☐ por
b) ☐ de
c) ☐ con

4 En casa paso la mayor parte de mi tiempo ____.
a) ☐ estudio
b) ☐ estudiar
c) ☐ estudiando

5 Lo mío ____ las matemáticas.
a) ☐ es
b) ☐ son
c) ☐ están

6 En mi trabajo ____ hablar con los clientes.
a) ☐ me dedico
b) ☐ me dedico a
c) ☐ dedico a

7 No trabajo en una empresa porque soy ____.
a) ☐ libre
b) ☐ autónomo
c) ☐ trabajador

8 Lo malo de mi trabajo es el sueldo. Gano ____.
a) ☐ mucho
b) ☐ poco
c) ☐ bastante

9 En esta empresa es importante tener ____ de informática.
a) ☐ conocimientos
b) ☐ capacidad
c) ☐ habilidades

10 Es necesario ir bien preparado a un proceso de ____.
a) ☐ entrevista
b) ☐ recursos humanos
c) ☐ selección

11 Mi padre ____ su verdadera vocación en Sudamérica.
a) ☐ descubrí
b) ☐ descubriste
c) ☐ descubrió

12 Llegué a mi país ____ tres años.
a) ☐ desde
b) ☐ hace
c) ☐ al cabo

13 Nací en Barcelona ____ 1998.
a) ☐ el 5 de agosto
b) ☐ 5 de agosto de
c) ☐ el 5 de agosto de

14 ____ en esa empresa cinco años.
a) ☐ Fui
b) ☐ Estuve
c) ☐ Fue

15 ¿Quieres saber qué ____ yo ayer?
a) ☐ hizo
b) ☐ hice
c) ☐ hiciste

16 Nelson Mandela ____ presidente de Sudáfrica.
a) ☐ estuvo
b) ☐ hizo
c) ☐ fue

17 Empecé el proyecto en 2005 y ____ lo terminé.
a) ☐ los dos años después
b) ☐ al cabo de dos años
c) ☐ dos años siguientes

18 Trabajé en una empresa ____ finales de 2012.
a) ☐ hasta
b) ☐ desde
c) ☐ durante

19 Unos amigos me ____ dinero y se lo di.
a) ☐ piden
b) ☐ pidieron
c) ☐ pedisteis

20 Se fue a vivir a Granada después de ____ la carrera.
a) ☐ terminó
b) ☐ terminando
c) ☐ terminar

Total: _____ / 10 puntos

Destrezas

1. COMPRENSIÓN ESCRITA

1 Lee el texto. ¿A quién va dirigido? (___ / 2 puntos)

1 A empresarios ☐
2 A departamentos de Recursos Humanos ☐
3 A candidatos a un trabajo ☐
4 A entrevistadores ☐

2 Busca en el texto a qué cualidades o habilidades corresponden estas frases. Escribe el número al lado. (___ / 8 puntos)

A En una entrevista de trabajo es importante ir bien vestido. ☐
B Si hay cambios en la empresa, debes ser capaz de cambiar tú también. ☐
C Es importante ser optimista y demostrar que quieres hacer ese trabajo. ☐
D En una entrevista debes estar seguro de los conocimientos que dices que tienes. ☐
E Debes tener la capacidad de relacionarte con todo tipo de personas. ☐
F Las empresas buscan personas capaces de resolver problemas. ☐
G Es importante demostrar pasión por el trabajo. ☐
H Debes mostrar seguridad en ti mismo. ☐

Las 10 cualidades que más buscan las empresas

Las personas tenemos muchas cualidades, habilidades, capacidades, conocimientos y competencias tanto en lo personal como en lo profesional. Normalmente, se suelen definir en los perfiles profesionales unas u otras, ya que, dependiendo de las funciones a ejercer, algunas son más relevantes que el resto. Pero casi todas las empresas piden las mismas diez cualidades o habilidades.

1 Actitud positiva hacia el trabajo y la vida. Para resumirlo de forma sencilla, son aquellas personas que están felices y demuestran que tienen ganas de trabajar (muy pocas lo saben demostrar).

2 Facilidad para la comunicación. En un mundo cada día más globalizado y conectado, se valora la capacidad de comunicarse con otros. Ningún puesto de trabajo está aislado de las personas: clientes, proveedores, compañeros, jefes, etc.

3 Confianza. Si confías en ti, también van a confiar en ti los clientes, tus jefes, tus compañeros, el seleccionador, etc. Recuerda que si te llaman a una entrevista es porque creen que puedes ser buen trabajador.

4 Capacidad de análisis y resolución de problemas. En todos los puestos hay problemas que pueden surgir, y las empresas necesitan personas capaces de entender lo que ocurrió y, además, solucionarlo.

5 Imagen. Es importante dar una buena imagen siempre, y en una entrevista, mucho más.

6 Adaptabilidad. Los entornos cambian y los puestos evolucionan. Si demuestras que puedes adaptarte a los cambios, tienes más posibilidades, ya que el seleccionador va a estar más tranquilo sabiendo que puedes cambiar y evolucionar a medida que lo hace la empresa.

7 Automotivación. Un candidato no debe dar a entender que lo importante para él es el sueldo. El dinero es importante para sobrevivir, pero para alimentar el espíritu también es importante ilusionarse y vivir con pasión el trabajo al que aspiras.

8 Liderazgo. Si hay una dificultad y no está el jefe, tú tienes que ser capaz de resolver la situación y guiar a otros. También es importante la capacidad que tienes para liderarte a ti mismo, es decir, tu capacidad de disciplina, de organización y de gestión de tu tiempo.

9 Trabajo en equipo. Tanto si lideras un equipo como si no, tienes que poder trabajar con otros en armonía y con eficacia.

10 Conocimientos en el área específica de tu trabajo. Si la empresa pide tus conocimientos de un programa informático o tus conocimientos de un idioma, tienes que demostrarlo. Analiza bien la oferta de empleo, porque si no cumples uno de los requisitos sobre conocimientos específicos no vas a tener éxito en la entrevista.

Ahora que conoces las más solicitadas, puedes saber cuáles tienes y, lo más importante, prepararte para explicárselas y demostrárselas al entrevistador.

Extraído de www.mejorartucv.com

Total: _____ / 10 puntos

 2. PRODUCCIÓN ESCRITA

(100 palabras, aproximadamente)

Escribe tu biografía (real o inventada).

Incluye:
- tu lugar y fecha de nacimiento
- tu formación y estudios
- tu experiencia laboral
- otros datos personales

▶ EVALUACIÓN DE TU PRODUCCIÓN ESCRITA

- **Lengua** (___ / 4 puntos)
  - Léxico: estudios, trabajos, habilidades y capacidades
  - Gramática: pretérito indefinido
- **Contenido** (___ / 4 puntos)
  - Introducción: lugar y fecha de nacimiento
  - Formación y estudios
  - Experiencia profesional
  - Otros datos personales
- **Formato: biografía** (___ / 2 puntos)
  - ¿Has incluido las fechas?
  - ¿Has incluido conectores para relacionar las fechas?

Total: _____ / 10 puntos

 3. PRODUCCIÓN Y COMPRENSIÓN ORAL (interacción)

(Mínimo, un minuto cada uno)

Con un compañero, imagina que los dos os presentáis a una entrevista de trabajo.

Incluye:
- vuestros conocimientos (idiomas, estudios, formación, etc.)
- vuestras capacidades y habilidades
- vuestro carácter y forma de ser
- vuestra experiencia laboral

▶ EVALUACIÓN DE TU PRODUCCIÓN ORAL Y DE LA COMPRENSIÓN ORAL DE TU COMPAÑERO

- **Lengua** (___ / 4 puntos)
  - Léxico: trabajo, habilidades y capacidades, estudios
  - Gramática: pretérito indefinido y marcadores personales
- **Contenido** (___ / 4 puntos)
  - Conocimientos (idiomas, estudios, formación, etc.)
  - Capacidades y habilidades
  - Carácter y forma de ser
  - Experiencia laboral
- **Expresión** (___ / 2 puntos)
  - Hablas con fluidez
  - Tienes una buena pronunciación y entonación
- **Interacción** (___ / 10 puntos)
  - Comprendes lo que dice tu compañero
  - Respondes y reaccionas de forma coherente a lo que dice tu compañero

Total: _____ / 20 puntos

Total: _____ / 50 puntos

Mi progreso

Valora tu progreso después de esta unidad.

Mis habilidades			
- Hablar, entender y escribir sobre el trabajo, la formación y las capacidades			
- Escribir y entender un currículum			
Mis conocimientos			
- Léxico relacionado con el trabajo, la formación y las capacidades			
- El pretérito indefinido			
- Los marcadores y conectores temporales para el pasado			
- La diferencia entre los sonidos *p / b, t / d* y *k / g*			
- Información sobre Paraguay y biografía de un personaje famoso			
Soy más consciente			
- De las posibilidades sobre mi futuro profesional			
- De la importancia de la formación y la experiencia			
- De mis intereses profesionales			

 Bien  Adecuado  Mal

4 Salud

El cuerpo humano

1 Escribe en tu cuaderno las partes del cuerpo.

2 ¿Con qué partes del cuerpo asocias estas palabras? Escríbelas en el dibujo.

estudiar • querer • pensar • cocinar • andar • sentir
comer • soñar • ver • oír • hablar • enamorarse

Yo asocio estudiar con la cabeza…

3 Completa las frases con las siguientes palabras.

la nariz • los pies • el pelo • la boca • los dientes
el dedo • la cabeza • los ojos

1 Si vas al dentista es porque tienes problemas con __________.
2 Si vas a la peluquería es porque quieres cortarte __________.
3 El sombrero se pone en __________.
4 Los zapatos se ponen en __________.
5 Las gafas se ponen delante de __________.
6 Para respirar se usa __________.
7 Para hablar se usa __________.
8 Un anillo lo llevas en __________.

4 ¿Cómo haces estas cosas: de pie, sentado o tumbado? Colócalas en la tabla. Puede haber varias opciones.

leer • dormir • esperar al autobús • comer
desayunar • hablar por teléfono • estudiar
tomar el sol • correr • ver la televisión

de pie	sentado	tumbado

5 Señala los hábitos que se corresponden a una vida sana. Resalta en un color los que son para ti buenos y en otro, los que consideras malos.

ir al gimnasio
hacer ejercicios de meditación
no comer fruta y verdura
hacer pausas en el estudio
estar mucho tiempo sentado
comer comida prefabricada
comer deprisa
beber poca agua

6 Escribe los verbos que corresponden a estos sustantivos.

1 La relajación: *relajarse*
2 La meditación: __________
3 La respiración: __________
4 El cuidado: __________
5 El entrenamiento: __________
6 La bebida: __________
7 El pensamiento: __________
8 El descanso: __________

7 (40) Escucha y di de qué actividades hablan.

1 __________
2 __________
3 __________
4 __________

Problemas de salud

8 Elige la forma correcta.

1 A nosotros nos **duele** / **duelen** mucho los pies hoy porque hemos andado demasiado.
2 A mi madre **le** / **les** duelen mucho los oídos si practica submarinismo.
3 A mí me **duele** / **duelen** la espalda porque he estado muchas horas frente al ordenador.
4 A Juan le **duele** / **duelen** los ojos. Necesita gafas nuevas.
5 A mis amigos les **duele** / **duelen** el estómago porque han comido algo en mal estado.
6 A mi hermano **le** / **les** duelen los dedos porque ha tocado muchas horas el piano.
7 A mí me **duele** / **duelen** las rodillas porque he jugado muchas horas al fútbol.

9 Ordena este diálogo.

☐ ■ Pues he bajado muy deprisa las escaleras y me he dado un golpe. ¡Ay mi pie!
☐1 ■ ¡Ay, ay, me duele el pie!
☐ ● Vamos al coche, te llevo al hospital.
☐ ● ¿Pero, qué te pasa?
☐ ■ Roto, no, pero creo que me lo he torcido.
☐ ● ¿Crees que te lo has roto?

10 (41) Escucha estas frases y relaciónalas con dónde crees que tienen lugar. Hay varias opciones. Después, comenta y justifica tu respuesta con un compañero.

1 ______
2 ______
3 ______
4 ______

a en el médico
b en el gimnasio
c en casa
d en el instituto

11 (42) Completa el diálogo, la parte del paciente, con las siguientes frases. Después, escucha y comprueba.

A Muy bien. ¿Tengo que volver?
B ¿Una gripe? ¿Y qué me aconseja?
C Sí, mucho; bueno también me duelen los brazos, las piernas..., todo el cuerpo.
D Creo que estoy resfriado, y tengo mucha tos.
E ¿Y tengo que tomar algún medicamento?
F Ah, por eso tengo tanto frío....

Doctor: ¿Qué le pasa?
Paciente: (1) ______
Doctor: ¿Le duele la cabeza?
Paciente: (2) ______
Doctor: De acuerdo, en primer lugar vamos a ver si tiene fiebre...
[...]
Doctor: Pues sí, tiene 38 de fiebre.
Paciente: (3) ______
Doctor: Sí, claro, es normal tener frío y calor. Es más que un resfriado; usted tiene una gripe.
Paciente: (4) ______
Doctor: Es importante quedarse un día o dos en la cama. Además, debe beber mucha agua; bueno, líquidos en general.
Paciente: (5) ______
Doctor: Sí, aquí tiene la receta: unas pastillas contra la fiebre y otras para la tos.
Paciente: (6) ______
Doctor: Si no se encuentra mejor en unos días, sí.

12 ¿Cómo te sientes en estas situaciones? Utiliza una o más palabras en cada caso. Puede haber más de una opción.

relajado • cansado • mareado • agotado • tenso • nervioso
calor • frío • dolor de estómago • dolor de cabeza • dolor de ojos
dolor de pies • dolor de espalda • tos • fiebre • diarrea

1 Hace cuarenta grados. *Me duele la cabeza, tengo sed...*
2 Viajas durante diez horas. ______
3 Comes demasiados dulces. ______
4 Te han dado un masaje. ______
5 No has dormido bien por la noche. ______
6 Has estado más de ocho horas estudiando. ______
7 Tienes un examen mañana. ______
8 Vienes de andar muchas horas por la montaña. ______
9 Tienes un catarro muy fuerte. ______

13 Relaciona estos consejos con los posibles problemas de estas personas.

a Tengo dolor de estómago ☐
b Tengo fiebre ☐
c Tengo diarrea ☐
d Estoy agotado ☐
e Me duele la cabeza ☐
f Me duelen las piernas ☐

1 Es conveniente beber agua, salir un poco al aire libre y, si no se te pasa, tomar una aspirina.
2 Debes ponerte una bolsa de agua caliente, tomar una infusión y no comer nada durante unas horas.
3 Puedes ponerte esta crema por la noche y poner las piernas en alto.
4 Lo mejor es quedarse en la cama todo el día, beber mucha agua y dormir mucho.
5 Tienes que dejar de trabajar, dormir o relajarte unas horas y tomar unas vitaminas.
6 Es necesario hacer dieta, beber mucho líquido y, si no se te pasa, tomar un medicamento.

14 Ahora, escribe tú consejos para estos problemas.

1 Tu mejor amigo tiene gripe.
____________________.
____________________.

2 Tu compañera está muy nerviosa por el examen de Física.
____________________.
____________________.

3 Tu hermano está muy mareado.
____________________.
____________________.

15 Pon detrás de cada frase *tú* o *usted*.

1 ¿Qué te pongo? *Tú*
2 ¿Tiene cursos de verano? _____
3 ¿Desea alguna cosa más? _____
4 ¿En qué puedo ayudarte? _____
5 Debe beber mucha agua. _____
6 ¿Qué es lo que le pasa? _____
7 ¿Me puedes decir qué hora es? _____
8 ¿Puede repetir, por favor? _____

16 Cambia estas frases a *usted* y *ustedes*.

1 ● Debes dejar de tomar tanto azúcar.
■ Sí, tienes razón.
● ____________________
■ ____________________

2 ● Tenéis que tomar aire fresco.
■ Sí, podemos salir al patio. ¿Vienes con nosotros?
● ____________________
■ ____________________

3 ● Pero, Hugo, ¿qué te pasa?
■ Pues que me duele la cabeza, ¿tienes una aspirina?
● ____________________
■ ____________________

4 ● Estáis muy tensos últimamente.
■ Es que tenemos muchos exámenes y proyectos. ¿Vosotros no?
● ____________________
■ ____________________

5 ● ¿Puedes darme el libro?
■ Sí, ¿y tú puedes darme el cuaderno, por favor?
● ____________________
■ ____________________

6 ● ¿Os quedáis en casa esta noche?
■ No, por fin, vamos a la fiesta, ¿vienes con nosotros?
● ____________________
■ ____________________

7 ● ¿Te pones la crema una o dos veces al día?
■ Dos veces, una por la mañana y otra por la noche. ¿Tú no la usas?
● ____________________
■ ____________________

8 ● ¿Te encuentras mal?
■ Sí, estoy muy mareada. ¿Me traes un vaso de agua, por favor?
● ____________________
■ ____________________

Vida sana

17 Ordena este artículo en cada uno de estos apartados. Primero, añade los conectores al comienzo de los párrafos.

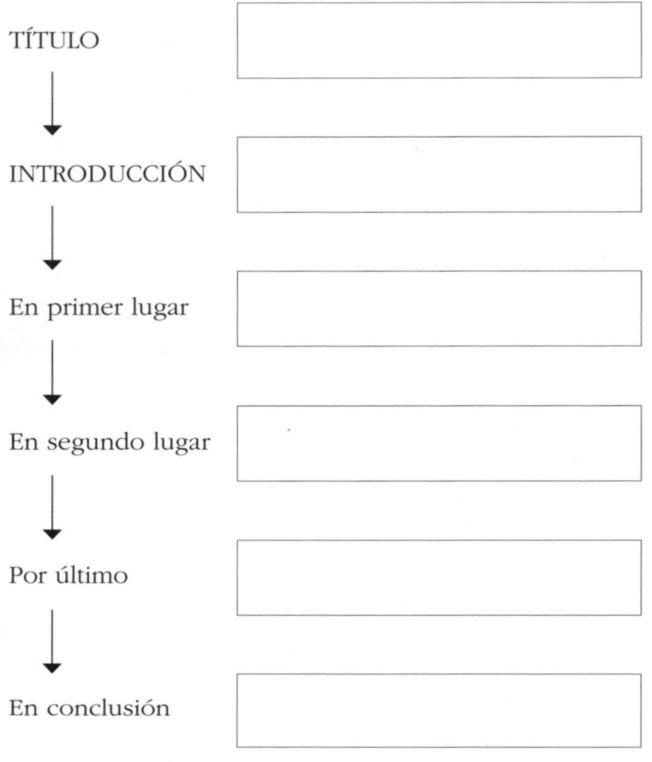

18 Une estas frases con uno de estos conectores.

ya que • por eso • es decir • en resumen • así como • además

1 A mi hermano le duele mucho la cabeza, __________ no ha ido al instituto hoy.
2 El ejercicio es muy importante, __________ comer bien y estar relajado.
3 Hay que beber al menos 10 vasos al día de agua, __________, unos dos litros.
4 La fruta es muy sana, __________ tiene muchas vitaminas.
5 __________ de la comida, también es muy importante dormir al menos ocho horas.
6 Sí, son muchas cosas, pero __________, lo que debe hacer es: relajaciones y ejercicio.

19 Elige uno de los dos conectores en las siguientes frases.

1 **Y por último / Ya que** quiero decir que para una vida sana hay que cuidar el cuerpo y la mente.
2 Por una parte, el ejercicio es importante, pero **por otra parte / así como** hay que tener cuidado de cómo se practica.
3 Como despacio y **además / porque** tengo una alimentación muy variada.
4 Estoy mucho tiempo sentada, **por eso / además** correr es tan importante para mí.
5 Yo no hago mucho deporte **porque / igualmente** voy todos los días a la universidad en bicicleta.
6 Mi problema es que trabajo mucho **y / es que** duermo muy pocas horas.

A __________, los padres deben ser un modelo para sus hijos y utilizar el celular con respeto, y no buscar la excusa de que lo utilizan por trabajo. Las normas deben servir para todos.

B __________, las nuevas tecnologías y, entre ellas, los celulares son un magnífico medio de comunicación. Tienen muchísimas ventajas, pero debemos aprender una serie de normas para utilizarlos de una forma segura y educada.

C El celular se ha convertido en el compañero más fiel de los adolescentes. Su uso frecuente ocasiona muchos conflictos entre padres e hijos. Los padres piensan que sus hijos usan demasiado el celular y los hijos opinan que tienen demasiadas restricciones para usarlo. Hay tres cuestiones a tener en cuenta: seguridad, respeto y ejemplo.

D Los adolescentes y el celular (de Juan Morales)

E __________ los adolescentes pueden hacer un buen uso del celular si muestran educación y aprenden que hay veces que hay que apagarlo. Si se acepta que el celular debe apagarse en espacios como el cine o el teatro, se tiene también que aprender que hay momentos en los que, aunque no existe ninguna prohibición, su uso es una muestra de mala educación, por ejemplo, a la hora de comer o cuando te está hablando una persona. Es muy aconsejable apagar el celular durante la noche, porque se necesita dormir y descansar.

F __________ está la seguridad. No se debe enviar nunca información íntima a través del celular. No hay que olvidar que toda la información puede llegar a ser pública. Y, por supuesto, no se debe contestar a llamadas o mensajes de desconocidos. Además, si se reciben llamadas o mensajes de desconocidos, es aconsejable comunicárselo a los padres.

20 ¿Qué debes hacer para estudiar de una forma eficaz? Elige cuatro actividades y construye frases con *hay que, se tiene que* y *se debe* + infinitivo.

comer bien • dormir al menos ocho horas • hacer muchos descansos • comer chocolate
tomar el aire • escuchar música • beber mucha agua • estar sentado
compartir con los compañeros • buscar en internet • repasar notas • leer libros

____
____
____
____

21 Contesta este test para saber si llevas una vida sana. Después, puedes comentar las respuestas con un compañero.

¿Llevas una vida sana?

1 ¿Qué es lo primero que bebes cuando te levantas?
a) ☐ Un café.
b) ☐ Un vaso de agua.
c) ☐ Un té.
d) ☐ Otra opción.

2 ¿Qué desayunas?
a) ☐ Casi nada.
b) ☐ Algo dulce.
c) ☐ Cereales o pan con queso.
d) ☐ Otra opción.

3 ¿Cuánta agua bebes al día?
a) ☐ Unos dos litros.
b) ☐ Menos de dos litros.
c) ☐ Casi nunca me acuerdo de beber agua.
d) ☐ Otra opción.

4 ¿Cuánto andas al día?
a) ☐ No ando, porque voy siempre en coche.
b) ☐ Solo los fines de semana.
c) ☐ Intento ir andando a mi centro educativo y al centro de la ciudad.
d) ☐ Otra opción.

5 ¿Consumes comida rápida?
a) ☐ De vez en cuando.
b) ☐ Dos o tres veces por semana.
c) ☐ Siempre, me encanta.
d) ☐ Otra opción.

6 ¿Cuándo practicas deporte?
a) ☐ Una vez a la semana.
b) ☐ Tres veces a la semana.
c) ☐ Una vez al mes.
d) ☐ Otra opción.

7 ¿Cuántas horas estás al aire libre?
a) ☐ Más de tres horas.
b) ☐ En invierno ninguna porque hace frío.
c) ☐ Menos de una, porque voy en coche de casa al trabajo y del trabajo a casa.
d) ☐ Otra opción.

8 ¿Cuántas horas duermes al día?
a) ☐ Más de diez horas.
b) ☐ Unas ocho horas.
c) ☐ Menos de siete horas.
d) ☐ Otra opción.

Soluciones: Estas letras corresponden con las opciones más sanas: 1 b; 2 c; 3 a; 4 c; 5 a; 6 b; 7 a; 8 b

22 ¿Recuerdas cuáles de estas palabras de la unidad llevan tilde? Escríbelas correctamente.

1 estomago
2 rodilla
3 cabeza
4 meditacion
5 cuidado
6 enfermo
7 mareado
8 azucar
9 infusion
10 medicina
11 indigena
12 naturista
13 ademas
14 tambien
15 resumen
16 volcan
17 beisbol
18 lago
19 tropical
20 jaguar
21 juventud
22 tesoro
23 ejercicio
24 salud

Lengua y comunicación

Marca la respuesta correcta.

1 Tengo ____ grandes y estos guantes me quedan pequeños.
a) ☐ las piernas
b) ☐ los dientes
c) ☐ las manos

2 He comido mucho y tengo ____ muy lleno.
a) ☐ el estómago
b) ☐ el cuello
c) ☐ el hombro

3 ● Estás un poco tenso, ¿no?
■ No, no; estoy muy ____ .
a) ☐ relajado
b) ☐ enfermo
c) ☐ sentado

4 En la clase de teatro tenemos que estar ____ mucho tiempo.
a) ☐ a pie
b) ☐ de pies
c) ☐ de pie

5 Me gusta estar mucho tiempo ____ aire libre.
a) ☐ al
b) ☐ por el
c) ☐ con el

6 ● ¿Qué tal?
■ No muy bien, ____ bastante mareado.
a) ☐ soy
b) ☐ tengo
c) ☐ estoy

7 ¡Uf! He corrido veinte kilómetros y estoy ____ .
a) ☐ estresado
b) ☐ agotado
c) ☐ nervioso

8 ● Me duelen mucho ____ .
■ Pues debes cambiar de zapatos.
a) ☐ las manos
b) ☐ los dientes
c) ☐ los pies

9 Llevo dos horas tocando el piano y me duelen mucho los ____ .
a) ☐ los dientes
b) ☐ los ojos
c) ☐ los dedos.

10 A mi hermana ____ mucho las piernas.
a) ☐ le duelen
b) ☐ se duelen
c) ☐ les duelen

11 No puedo respirar, tengo frío y me duele la cabeza. Creo que tengo ____ .
a) ☐ un catarro
b) ☐ una diarrea
c) ☐ algo roto

12 Es conveniente ____ estas pastillas contra la tos.
a) ☐ tomando
b) ☐ de tomar
c) ☐ tomar

13 Contra la fiebre, ____ es quedarse en la cama.
a) ☐ mejor
b) ☐ lo mejor
c) ☐ el mejor

14 Señor Blanco, está muy nervioso últimamente. Usted ____ dejar de tomar café.
a) ☐ debes
b) ☐ debéis
c) ☐ debe

15 En Argentina se usa ____ en lugar de ____ .
a) ☐ usted / vos
b) ☐ vos / os
c) ☐ vos / tú

16 ● Estás mucho tiempo sentada...
■ Sí, es verdad. ____ hacer más ejercicio.
a) ☐ Tengo
b) ☐ Tengo que
c) ☐ Tiene que

17 Juega al tenis, al golf y ____ practica yoga.
a) ☐ además
b) ☐ en resumen
c) ☐ por eso

18 Me voy a casa ____ me encuentro mal.
a) ☐ en resumen
b) ☐ porque
c) ☐ además

19 Creo que tengo fiebre, ____ tengo tanto calor.
a) ☐ es decir
b) ☐ igualmente
c) ☐ por eso

20 El partido de baloncesto es el 23, ____, el próximo sábado.
a) ☐ es decir
b) ☐ por otra parte
c) ☐ igualmente

Total: ____ / 10 puntos

Destrezas

1. COMPRENSIÓN ESCRITA

1 Lee el texto y marca (X) cuál es la intención que tiene. (__ / 2 puntos)

1 ☐ Informar sobre los trastornos alimenticios
2 ☐ Anunciar un tipo de tratamiento médico
3 ☐ Denunciar los hábitos de los chicos jóvenes en las comidas

2 Coloca estas frases en la columna correspondiente. (__ / 8 puntos)

	trastornos en general	anorexia	bulimia	obesidad
1 Hay más mujeres que hombres con esta enfermedad.				
2 La enfermedad puede tener causas genéticas.				
3 Ocurre más entre la gente joven.				
4 Se pierden kilos.				
5 Todavía se sigue investigando sobre las causas.				
6 Se come mucho de una vez.				
7 En algunas profesiones hay que tener un cuidado especial.				
8 Si se adelgaza un poco, es bueno.				

Los trastornos alimenticios

VALENTINA ETXENIKE

Son varios los trastornos alimenticios que existen, y los factores que los producen son biológicos, emocionales, psicológicos, interpersonales y sociales. Los científicos e investigadores están todavía aprendiendo sobre las causas subyacentes de estas perturbaciones en un terreno emocional y físico. A menudo, suelen presentarse en edades comprendidas entre los 12 y los 35 años. Entre otros trastornos alimenticios encontramos la anorexia, la bulimia y la obesidad.

La anorexia

Se estima que existe entre un 0,5 % y un 3 % en el grupo de adolescentes y mujeres jóvenes, y es que el mayor número de casos se producen en mujeres, con una distribución, aproximadamente de nueve mujeres y un hombre de cada diez. Estas cifras aumentan al doble cuando se incluyen adolescentes «sanas» con conductas alimentarias anormales o con una preocupación anormal sobre el peso corporal. Las bailarinas, las atletas y las gimnastas constituyen, además, un grupo de alto riesgo para desarrollar la enfermedad. En las últimas décadas se ha visto un aumento importante en la incidencia de la anorexia nerviosa en la población adolescente. Los trastornos del apetito son más prevalentes en las sociedades occidentales industrializadas y en niveles socioeconómicos medios y altos, aunque pueden darse en todas las clases sociales.

La bulimia

La bulimia se define como una serie de episodios incontrolados de comer en exceso (atracones) seguidos normalmente de purgas (autoinducción del vómito), mal uso de laxantes, enemas o medicamentos que producen un incremento en la producción de ayuno o en un ejercicio excesivo para controlar el peso. Los atracones, en esta situación, se definen como comer cantidades mucho más grandes de alimentos de las que se consumen normalmente en un período corto de tiempo (normalmente, menos de dos horas). Los atracones de comida se producen al menos dos veces a la semana durante tres meses, y pueden producirse incluso varias veces al día.

La obesidad

La obesidad es una enfermedad que se caracteriza por un aumento de la masa grasa y, en consecuencia, por un aumento de peso. Es decir, existe un aumento de las reservas energéticas del organismo en forma de grasa. Se considera obesa a una persona con un índice de masa corporal igual o superior a 30 kg/m^2. Para poder valorar la obesidad se deben tener en cuenta también los posibles factores genéticos; hay que investigar las causas de la enfermedad y comprobar la posible existencia de complicaciones y enfermedades asociadas. El tratamiento siempre debe ser personalizado y adaptado a las características del enfermo, pero está demostrado que con una pérdida moderada de peso corporal (5-10%) se puede conseguir una notable mejoría.

Extraído de www.wikisaber.es

Total: _____ / 10 puntos

2. PRODUCCIÓN ESCRITA

(100 palabras, aproximadamente)

Escribe una entrada del blog con el título: «Lo que yo hago para llevar una vida sana».

Incluye:

- tus hábitos alimenticios
- el tipo de ejercicio que realizas
- lo que haces para relajarte y cuidar tu mente
- otras rutinas o hábitos

▶ EVALUACIÓN DE TU PRODUCCIÓN ESCRITA

- **Lengua** (__ / 4 puntos)
  - Léxico: estados físicos, mentales y de ánimo
  - Gramática: presente de indicativo, adverbios de frecuencia

- **Contenido** (____ / 4 puntos)
  - Los hábitos alimenticios
  - El ejercicio
  - El cuidado de la mente
  - Otras rutinas o hábitos

- **Formato: entrada de blog** (____ / 2 puntos)
  - ¿Es personal, informal, incluyes el nombre?
  - ¿Utilizas conectores para unir las frases de los párrafos?

Total: _____ / 10 puntos

3. PRODUCCIÓN Y COMPRENSIÓN ORAL (interacción)

(Mínimo, dos minutos)

Con un compañero, imagina que los dos os encontráis mal: os lo contáis y os dais consejos.

Incluye:

- cómo os sentís
- por qué creéis que os sentís así
- dar consejos sobre lo que te cuenta tu compañero
- llegar a una conclusión de lo que vais a hacer

▶ EVALUACIÓN DE TU PRODUCCIÓN ORAL Y DE LA COMPRENSIÓN ORAL DE TU COMPAÑERO

- **Lengua** (__ / 4 puntos)
  - Léxico: expresar malestar
  - Gramática: verbo *doler, estar* + adjetivo y *tener* + sustantivo

- **Contenido** (__ / 4 puntos)
  - Expresar estados de ánimo
  - Preguntar por el estado de tu compañero
  - Dar y recibir consejos
  - Tomar una decisión para los problemas

- **Expresión** (__ / 2 puntos)
  - Hablas con fluidez
  - Tienes una buena pronunciación y entonación

- **Interacción** (__ / 10 puntos)
  - Comprendes lo que dice tu compañero
  - Respondes y reaccionas de forma coherente a lo que dice tu compañero

Total: _____ / 20 puntos

Total: _____ / 50 puntos

Mi progreso

Valora tu progreso después de esta unidad.

Mis habilidades   

- Hablar, entender y escribir sobre el cuerpo humano, los problemas de salud y la vida sana

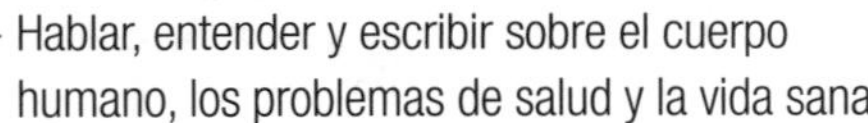

- Escribir y entender una entrada de blog y un artículo

Mis conocimientos  

- Léxico relacionado con el cuerpo humano, la salud, las enfermedades y los buenos hábitos

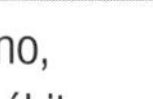

- Dar consejos y ofrecer remedios
- Expresar la obligación
- Los conectores textuales
- El uso de la tilde
- Información sobre Nicaragua y la medicina natural

Soy más consciente:   

- De la importancia de la salud
- De valorar el cuerpo y la vida
- De la importancia de los buenos hábitos, el ejercicio, la comida y la relajación

 Bien  Adecuado  Mal

5 Comunicación

La prensa escrita

1 Completa la tabla con las características de la prensa en papel y digital.

Prensa en papel	Prensa digital
	Lectura en pantalla
Sin batería ni cables	
	Se pueden incluir audios y vídeo
No hace falta conexión a internet	

2 Coloca las siguientes palabras en la columna correspondiente. Puede haber varias opciones.

accidente • empresas • teatro • partido • boda • crimen • elecciones • extranjero • baile
catástrofe natural • campeonato • descubrimiento • mercado • música • investigación • fiesta popular

Sucesos	Sociedad	Ciencia	Cultura	Política nacional e internacional	Deportes	Economía

3 ¿Qué tipo de información encuentras en estas secciones del periódico?

1 Tecnología __________
2 Internacional __________
3 El tiempo __________
4 Opinión __________
5 Cartelera __________
6 Bolsa __________

4 Completa esta tabla.

verbo	sustantivo	participio
finalizar	*el final*	*finalizado*
desaparecer		
	el aprendizaje	
crear		
	el estreno	
	el accidente	

5 Convierte estos párrafos en titulares.

1 __________

Existe actualmente una campaña a la que muchos países se están uniendo. Se trata de prohibir las actuaciones de animales salvajes en los circos. Se considera una gran injusticia.

2 __________

Ayer tuvo lugar una manifestación masiva de estudiantes. Se encontraron en la Plaza Mayor después de andar más de una hora por las principales calles de la ciudad. La manifestación se hizo en silencio y sin ningún tipo de problemas. Terminó a las nueve de la noche.

3 __________

Un estudiante de bachillerato ha creado una nueva aplicación para el teléfono móvil. Por cuestiones de privacidad no se han mencionado datos personales sobre el estudiante, pero se sabe que tiene unos diecisiete años y que en su cuenta corriente están entrando millones de dólares.

4 __________

Ya es un hecho reconocido por los científicos que la energía solar es la más barata y segura. Ahora se trata de convencer a los gobiernos, porque estos tienen que apoyar, investigar e invertir en esta energía.

6 Lee esta entrada de blog y completa esta información.

1 Tradicionalmente, los colores de la prensa han sido ________________.
2 La prensa amarilla es ________________.
3 El término *prensa amarilla* apareció ________________.
4 La prensa rosa es ________________.

HOME ACERCA DE CONTACTA

Teresa Belmonte
COMUNICANDO

La prensa y los colores

Es curioso que durante muchos años la característica principal de la prensa fue la falta de color, es decir, el uso del blanco y negro. Poco a poco, los colores se fueron incorporando en los anuncios y las portadas y, aunque la mayoría de la información sigue siendo en blanco y negro, hoy en día es raro leer un periódico sin color en alguna de sus páginas. También hay dos colores que se asocian a la prensa: el amarillo y el rosa.

¿Has oído hablar de la prensa amarilla? Es un término que se utiliza mucho en inglés, pero que cada vez se oye más también en español. Se trata de la prensa sensacionalista, aquella que su objetivo principal no es informar, sino vender, y para ello exagera y se inclina por noticias sobre catástrofes naturales, accidentes, crímenes, etc. El origen del término *prensa amarilla* viene de los EE. UU. , donde, al finalizar el s. XIX, tuvo lugar una batalla periodística entre el diario *New York World,* de Joseph Pulitzer y el *New York Journal,* de William Randolph Hearst. En los dos diarios había un personaje de cómic muy popular: *The Yellow Kid*.

Por otra parte, nos encontramos con la prensa rosa, también llamada prensa del corazón, porque dedica la mayor parte de sus páginas a informarnos de bodas, compromisos, divorcios, nuevas parejas, nacimientos, etc., sobre personajes famosos. Tradicionalmente, en los periódicos ha existido siempre una sección dedicada a los actos sociales donde se informaba de estos acontecimientos, pero estas revistas se dedican en exclusiva a estos temas. En los últimos años, este tipo de prensa ha invadido la televisión, donde actualmente existen muchos programas dedicados a los «temas del corazón». Este tipo de prensa ofrece una visión de la sociedad llena de lujo y con grandes dosis de optimismo. Ignora los problemas sociales y no existe un compromiso moral. Parece que el deseo de sus lectores es imitar ese estilo de vida.

7 ¿Qué tipos de revistas lees tú?

cocina • jardinería • medicina • tecnología • decoración
literatura • salud • manualidades • educación
automovilismo • programación • televisión • corazón
música • arte • videojuegos

8 Busca a compañeros de la clase que leen el mismo tipo de revistas y comentad qué es lo que más os gusta de ellas.

9 Elige el tiempo verbal correcto.

1 En el año 2012 **han tenido / tuvieron** lugar los Juegos Olímpicos de Londres.
2 Este año mis padres y yo **hemos hecho / hicimos** un viaje a Puerto Rico.
3 Ayer **ha habido / hubo** un concierto de rock en la Plaza Mayor.
4 El jueves pasado **se ha estrenado / se estrenó** la última película de Benicio del Toro.
5 Esta semana **ha habido / hubo** muchas tormentas en la isla.
6 Este mes **se ha iniciado / se inició** un proyecto en la ciudad para utilizar menos bolsas de plástico.
7 El día de mi cumpleaños **he ido / fui** con mis amigos a la piscina.

10 Completa este texto con el pretérito perfecto o el pretérito indefinido.

ESTUDIANTES CONTRA EL PLÁSTICO

Primera reunión del grupo Adiós al Plástico con las autoridades.

Esta mañana (1) ____________ (tener) lugar la primera reunión de estudiantes del grupo Adiós al Plástico con las autoridades de la ciudad. Los estudiantes (2) ____________ (presentar) hoy los resultados del proyecto que (3) ____________ (empezar) el año pasado. Se trata de una propuesta para terminar con las bolsas de plástico. Ayer, un día antes de la reunión, este grupo (4) ____________ (participar) en un programa de radio para explicar su propuesta. «(5) ____________ (tener, nosotros) la idea hace dos años en la clase de ciencias» y «Al principio del proyecto (6) ____________ (encontrar) muchos problemas», fueron algunas de sus frases en el programa.
Además, el grupo (7) ____________ (reunir) más de mil firmas, que también (8) ____________ (entregar) hoy en la reunión.
¡Les deseamos mucho éxito!

La radio y la televisión

11 Haz una cruz en la opción más apropiada para ti y compara tus respuestas con las de un compañero.

	muchas veces	pocas veces	nunca
1 Escucho música en la radio.	☐	☐	☐
2 Escucho las noticias en la radio.	☐	☐	☐
3 Escucho programas culturales en la radio.	☐	☐	☐
4 Escucho la radio en casa.	☐	☐	☐
5 Veo series en la televisión.	☐	☐	☐
6 Veo concursos en la televisión.	☐	☐	☐
7 Veo programas musicales en la televisión.	☐	☐	☐
8 Veo películas en la televisión.	☐	☐	☐

12 Lee estas dos noticias y contesta a las preguntas.

A

OLA DE FRÍO

El frío y la nieve llegan con gran fuerza

La anunciada ola de frío polar ha comenzado este martes en el norte del país. Hay más de cuatro provincias con grandes cantidades de nieve y temperaturas extremadamente bajas. Además, la Agencia Estatal de Meteorología (Aemet) ha emitido otros avisos por nieve, fuertes vientos y lluvias para los próximos días.

1 ¿Qué? ____________
2 ¿Dónde? ____________
3 ¿Cuándo? ____________

B

El éxito del cómic

Inauguración de la nueva feria del cómic con gran asistencia de público

El sábado pasado se inauguró la Feria del Cómic en nuestra ciudad. Los protagonistas fueron, sin duda, los participantes, que han aumentado significativamente respecto al año pasado. Una vez más, pudimos disfrutar de esta feria en los salones de la Universidad Central. Es indudable que el cómic, también llamado novela gráfica, es cada vez más popular entre los lectores adultos.

1 ¿Qué? ____________
2 ¿Dónde? ____________
3 ¿Cuándo? ____________

13 (43) Escucha esta noticia en la radio y contesta a estas preguntas.

1 ¿Quién? ____________
2 ¿Cuándo? ____________
3 ¿Dónde? ____________
4 ¿Por qué? ____________

14 Escribe si ya has hecho hoy estas cosas o todavía no.

1 Ducharse. *Ya me he duchado hoy. / Todavía no me he duchado hoy.*
2 Desayunar. ________
3 Comer. ________
4 Leer el periódico. ________
5 Hacer ejercicio. ________
6 Hacer los deberes. ________
7 Beber agua. ________

15 Reacciona ante estas noticias con *qué* + adjetivo / adverbio / sustantivo o *qué* + sustantivo + *tan / más* + adjetivo.

1 Mañana tenemos vientos de más de 100 kilómetros por hora.
¡Qué miedo! ¡Qué vientos más peligrosos!
2 Salvados los tres excursionistas perdidos en las montañas.
____
3 Jóvenes indígenas de México cantan en sus lenguas a ritmo de rock y hip hop.
____
4 Campaña contra los vídeos violentos en Facebook.
____
5 Seleccionado nuestro equipo local para la final de baloncesto.
____
6 Accidente de dos autobuses en la autopista.
____
7 Come 120 hamburguesas en 12 minutos.
____
8 Un niño encuentra dos millones de euros en una mochila en un parque.
____

16 ¿Qué ves en la televisión? Ordénalo por frecuencia (de más a menos).

Publicidad | Noticias | Concursos | Series | Programas de moda | Películas | Documentales | Programas de música

+
____
____
____
____
____
____
____
____
-

17 Lee esta entrevista a un actor de telenovelas y añade las preguntas.

Pregunta 1: ________
Denise 13/11/2015 - 17:01h
Soy gallego, de la provincia de Lugo, pero a los dos años vinimos toda la familia a vivir a Madrid. A mí, al principio, me costó mucho adaptarme a la gran ciudad y perder a todos mis amigos, pero, poco a poco, me fui acostumbrando y ahora no me imagino vivir en otro sitio.

Pregunta 2: ________
Denise 13/11/2015 - 17:05h
No, no; no fui nunca a una escuela de teatro. En realidad, yo estudié Ingeniería Mecánica, pero nunca he trabajado como ingeniero. Siempre me han gustado las cámaras.

Pregunta 3: ________
Denise 13/11/2015 - 17:08h
Pues tuve mucha suerte. La verdad es que nunca me imaginé dedicarme a esta profesión, pero un día acompañé a un amigo a un *casting* para un anuncio de ropa y cuando me vieron sentado en la sala ¡me eligieron a mí!

Pregunta 4: ________
Denise 13/11/2015 - 17:01h
Con todas, de verdad, y eso que he trabajado con muchas, pero no tengo una favorita, todas mis compañeras son estupendas y ha sido un verdadero placer trabajar con ellas.

Pregunta 5: ________
Denise 13/11/2015 - 17:13h
En verano voy a rodar una comedia romántica. Trata de dos chicos jóvenes que se conocen en las vacaciones y después se tienen que separar al terminar el verano para ir a sus respectivas ciudades. Bueno, no cuento más. La tenéis que ver. Estoy muy ilusionado porque es mi primera película para el cine y espero que no la última.

Pregunta 6: ________
Denise 13/11/2015 - 17:17h
Creo que como el de todos los actores. Un día, hacer una buena película, tener mucho éxito, ganar algún premio y hacerme muy muy famoso…

Mensajes escritos

18 Cambia este correo electrónico por una carta formal dirigida a los padres de un compañero de colegio y por un mensaje de móvil a tu mejor amigo.

Mensaje nuevo

Querida Victoria:
Una vez más, muchísimas gracias por tu invitación. Me lo pasé fenomenal en tu fiesta y me encantaron tus amigos.
Nos vemos aquí en Sevilla en marzo. Yo tengo que ir a la universidad, pero voy a buscar tiempo para estar contigo.
Te envío en un anexo las fotos de la fiesta. Algunas son superdivertidas.
Besos y recuerdos.
Patricia

Carta formal

Mensaje

19 Lee este artículo sobre la intimidad en las redes sociales y relaciona una frase con cada párrafo.

1 Los adolescentes utilizan varias redes sociales y en ellas tienen contacto con muchas personas, incluso con algunas que no conocen. _____
2 Es muy importante tener cuidado con las condiciones legales, la información que compartimos y con quién lo hacemos. _____
3 Nuestra actividad en internet está controlada por otros. ¡Nos observan! _____
4 Cuando entramos en nuevas redes no nos preocupamos de informarnos de nuestros derechos y de los aspectos legales. _____
5 Cada vez con más frecuencia las personas exponen su vida privada en internet. _____
6 Se debe pensar en el futuro, en que la información en internet se queda ahí, sin nuestro control. _____

Internet y la vida privada

SEBASTIÁN RODRÍGUEZ

[A] *Maleta, preparada. ¡¡¡Allá voy, Puerto Rico!!!!, Fiesta de cumpleaños de Manel, ¡guapo! Con mi hermana en la playa.* Encontramos este tipo de mensajes acompañados de fotos con mucha frecuencia en las redes sociales. Seguro que tú lo has hecho alguna vez. En ellos proporcionamos información sobre nuestras vidas privadas sin ningún tipo de filtro.

[B] Las últimas estadísticas dicen que el 92 % de los jóvenes de 16 a 24 años tienen una o varias cuentas activas en Twitter, Facebook, Tuenti o Instagram. «Muchos adolescentes aceptan la mayoría de las solicitudes que reciben (también de desconocidos) a través de las redes sociales», afirma Dolores Vázquez, psicóloga especializada en cuestiones de tecnología.

[C] Millones de personas pueden tener acceso directo a nuestra información. Y, además, el hecho de utilizar estas redes nos crea un perfil de usuario según nuestros hábitos de navegación. Por ejemplo, por el uso de *cookies*, si buscas unos pantalones para comprártelos *on-line*, enseguida recibes publicidad de otras tiendas *on-line*.

[D] Muchas veces aceptamos una serie de condiciones legales sin leer en absoluto los textos. De esta forma, aceptamos compartir datos, proporcionar el lugar donde nos encontramos, o permitir el acceso a fotos sin darnos cuenta.

[E] También se sabe que los departamentos de Recursos Humanos buscan estas informaciones en internet antes de decidirse por un candidato. Fotos que publicas hoy de una fiesta con tus amigos pueden darte problemas en el futuro, mientras buscas trabajo.

[F] En conclusión, debemos proteger nuestra vida personal, tener cuidado con lo que compartimos y a quién aceptamos y, por supuesto, leer todas las condiciones antes de aceptarlas.

20 Coloca los signos de puntuación en el siguiente chat.

- Hola
- Hola Sonia cómo estás
- Muy bien qué tal tu nuevo instituto
- Me gusta mucho pero os echo de menos a todos
- Oye el sábado que viene es mi cumpleaños y hago una fiesta quieres venir
- Qué bien por supuesto que voy
- Vale te mando un mensaje con la hora exacta todavía no lo he decidido
- Fenomenal
- Entonces nos vemos el sábado
- Adiós

Lengua y comunicación

Marca la respuesta correcta.

1 En la sección de sucesos se escribe sobre ____.
a) ☐ finanzas y empresas
b) ☐ arte y música
c) ☐ accidentes y catástrofes naturales

2 La prensa puede ser ____ papel o digital.
a) ☐ en
b) ☐ a
c) ☐ con

3 «¡Grave accidente de trenes!» Es ____ de un periódico.
a) ☐ un titular
b) ☐ una sección
c) ☐ una característica

4 ¿ ____ alguna vez en Puerto Rico?
a) ☐ Estás
b) ☐ Has estado
c) ☐ Fuiste

5 Hoy ____ una noticia muy interesante en el periódico.
a) ☐ leo
b) ☐ leyendo
c) ☐ he leído

6 Ayer ____ lugar un concierto de salsa en el auditorio.
a) ☐ tiene
b) ☐ ha tenido
c) ☐ tuvo

7 ____ nunca a una feria de cómics.
a) ☐ No he ido
b) ☐ He ido
c) ☐ Fui

8 No hay que tener miedo, ____ ha pasado el peligro del huracán.
a) ☐ ya
b) ☐ todavía
c) ☐ todavía no

9 Los jugadores ____ han llegado al campo. Están en el autobús.
a) ☐ ya
b) ☐ todavía
c) ☐ todavía no

10 Mi madre ____ ha escrito el artículo para su periódico, pero dice que lo va a hacer esta noche.
a) ☐ ya
b) ☐ todavía
c) ☐ todavía no

11 El día de su cumpleaños, Gabriela ____ una fiesta con todos sus amigos.
a) ☐ hicimos
b) ☐ hice
c) ☐ hizo

12 ¿____ el número de víctimas de malaria ha descendido por primera vez?
a) ☐ Te has enterado de que
b) ☐ Te has enterado de
c) ☐ Sabes

13 Hay muchas víctimas en el accidente del autobús.
a) ☐ ¡Qué interesante!
b) ☐ ¡Qué horror!
c) ☐ ¡Qué maravilla!

14 ¡Qué tiempo ____ horrible! ¡Está lloviendo desde ayer!
a) ☐ como
b) ☐ tanto
c) ☐ tan

15 Mis padres ____ en Puerto Rico de 1990 a 1998.
a) ☐ vivieron
b) ☐ han vivido
c) ☐ viven

16 Despedirse es lo mismo que ____.
a) ☐ dar las gracias
b) ☐ decir hola
c) ☐ decir adiós

17 Al comienzo de una carta formal se dice: ____.
a) ☐ ¡Hola!
b) ☐ Estimado señor López
c) ☐ Querido Juan:

18 Llevo todos los documentos que usted ____.
a) ☐ solicitó
b) ☐ solicitaste
c) ☐ solicitaron

19 ____ hay muchas agencias informativas que son fiables, otras no lo son.
a) ☐ Aunque
b) ☐ Sin embargo
c) ☐ Además

20 Los ____ sirven para hacer una aclaración.
a) ☐ signos de interrogación
b) ☐ signos de admiración
c) ☐ paréntesis

Total: _____ / 10 puntos

Destrezas

1. COMPRENSIÓN ESCRITA

1 Lee y contesta a las preguntas. (__ / 3 puntos)

a ¿Cuál es el programa que solo se emite el fin de semana? ______

b ¿Qué programa dura sesenta minutos? ______

c ¿Qué programa es un concurso? ______

2 Completa esta tabla con el nombre del programa al que corresponde la información. Atención, sobran tres. (__ / 7 puntos)

Un programa...	Nombre
sobre teatro	
para aprender a llevar una vida sana	
sobre personas con discapacidad	
ideal para niños	
para aprender a escribir mejor	
donde se analiza lo que está pasando	
para los que les gustan las películas	

INICIO PROGRAMACIÓN DOCUMENTALES NUEVOS NEGOCIOS

Programación de la A a la Z

CONTRA VIENTO Y MAREA
[martes 6:30pm] Revista semanal informativa que resalta el dinamismo de la comunidad de personas con discapacidad. En cada edición exploramos los retos que enfrenta esta comunidad y los servicios disponibles para ella.

CHUCHO AVELLANET
[jueves 9pm] Bohemia, baladas y buen humor con Chucho y sus amigos.

EN LA PUNTA DE LA LENGUA
[martes 10am] Si te gusta la literatura, si te apasiona el arte, seguro que te gusta este programa, donde poetas, escritores y artistas confiesan los secretos del quehacer creativo.

¿QUIÉN SABE MÁS?
[lunes a viernes 5:30pm] Carlos Esteban Fonseca anima este programa de juegos donde tu conocimiento puede ser la ficha ganadora. Filmado en un estudio virtual, *¿QSM?* es color, entretenimiento, ánimo y cultura.

PUERTO RICO Y SU CINE
[domingo 6pm] Edgardo Huertas nos acompaña en esta travesía a través del desarrollo del cine en nuestro país. En este programa puedes ver las nuevas tendencias y cosechas de nuestros jóvenes cineastas, como también disfrutar de filmes de la época dorada del cine en Puerto Rico. ¡Fascinante!

ENFOQUE, Noticias 24/7
[martes 9pm] [miércoles 7pm] [viernes 6pm] Enfoque Noticias 24/7 es un programa de análisis de una hora de duración.

ESTUDIO ACTORAL
[lunes 9pm] [sábado 6pm] Dean Zayas conduce este interesante programa de entrevistas, donde vas a conocer a los artistas que trabajan en y detrás de la pantalla y del escenario.

HABLEMOS DE SALUD
[miércoles 6pm] Carmen Jovet y sus invitados nos llevan por el camino del bienestar, compartiendo valiosa información y conocimiento.

LA CASA DE MARíA CHUZEMA
[lunes a viernes 6am] [sábado 6am] ¡En Lilipún es fácil y divertido aprender! Porque hay cuentos, música y amigos con buenos valores.

UNO A UNO
[miércoles 9pm] [domingo 8pm] Programa semanal de entrevistas reveladoras donde Myraida Chaves conversa con interesantes invitados.

Total: _____ / 10 puntos

2. PRODUCCIÓN ESCRITA

(100 palabras, aproximadamente)

Escribe una carta formal al director de un periódico comentando una noticia que has leído.

Incluye:
- introducción, presentándote y felicitándolo por el periódico
- explicación de la noticia
- opinión (lo que te gusta y no te gusta)
- despedida

▶ EVALUACIÓN DE TU PRODUCCIÓN ESCRITA

- **Lengua** (__ / 4 puntos)
  - Léxico: medios de comunicación, redes sociales
  - Gramática: diferencia entre pretérito perfecto, pretérito indefinido, *ya / todavía no*
- **Contenido** (__ / 4 puntos)
  - la introducción de la carta
  - el resumen de la noticia
  - los comentarios sobre la noticia
  - la despedida
- **Formato: carta formal** (__ / 2 puntos)
  - ¿Utilizas el *usted* y las fórmulas formales de las cartas?
  - ¿Has incluido fecha, introducción y despedida?

Total: _____ / 10 puntos

3. PRODUCCIÓN ORAL (expresión)

(Mínimo, dos minutos)

Graba dos noticias para la radio.

Incluye:
- una noticia sobre sucesos
- una noticia sobre sociedad

▶ EVALUACIÓN DE TU PRODUCCIÓN ORAL

- **Lengua** (__ / 4 puntos)
  - Léxico: variado y correcto
  - Gramática: pretérito indefinido o pretérito perfecto
- **Contenido** (__ / 4 puntos)
  - una noticia sobre sucesos
  - una noticia sobre sociedad
- **Expresión** (__ / 2 puntos)
  - Hablas con fluidez y utilizas estrategias
  - Tienes una buena pronunciación y entonación

Total: _____ / 10 puntos

4. COMPRENSIÓN ORAL

44 Escucha este *podcast* que habla de la televisión y los adolescentes, y escoge las cinco frases que se dicen en él.

1. La televisión influye en los hábitos, el comportamiento y el lenguaje de los adolescentes. ☐
2. Pasar muchas horas viendo la televisión es una de las causas de la obesidad en los adolescentes. ☐
3. Los adolescentes ven demasiadas horas de televisión. ☐
4. Los adolescentes, en los últimos años, ven menos televisión porque utilizan los ordenadores. ☐
5. Hay demasiados programas concurso; la competición es más importante que la colaboración. ☐
6. La televisión es un buen invento, pero no el uso que se hace de ella. ☐
7. La televisión destruye la unidad familiar. ☐

Total: _____ / 10 puntos

Total: _____ / 50 puntos

Mi progreso

Valora tu progreso después de esta unidad.

Mis habilidades			
- Hablar, entender y escribir sobre los medios de comunicación y las redes sociales			
- Escribir y entender una noticia y una carta formal e informal			
Mis conocimientos			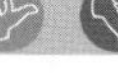
- Léxico relacionado con los periódicos, las revistas, la radio y la televisión, y las redes sociales			
- Comentar noticias			
- Valorar experiencias del pasado			
- Los distintos tipos de carta y correos según los registros formal e informal			
- Los signos de puntuación			
- Información sobre Puerto Rico y los medios de comunicación			
Soy más consciente:			
- Del papel de los medios de comunicación y las redes sociales			
- De ser más crítico ante los medios de comunicación			
- De lo importante que es estar bien informado			

 Bien  Adecuado  Mal

6 Medio ambiente

El calentamiento global

1 Completa el mapa mental con palabras o frases relacionadas con el calentamiento global.

2 Lee este breve artículo sobre la temperatura del planeta y completa los espacios con las siguientes construcciones.

porque • a causa • para • sin embargo • sino • por eso

CLIMA

La temperatura de la superficie del planeta ha subido 0,8 grados desde que empezaron los registros en 1880.

Manuel Ansede

No solo hemos tenido los diez años más calurosos desde 2000, con la excepción de 1998, (1) ___________ que los nuevos datos confirman las predicciones de la Organización Meteorológica Mundial, que advirtió que vamos a batir el récord de temperatura. (2) ___________, estas tendencias son más que simples registros (3) ___________ nos informan de cambios que afectan a todo el planeta.

Estas altas temperaturas se dan principalmente (4) _______ del aumento del CO_2 y otras emisiones de gases (5) ___________ producir energía en la atmósfera. (6) ___________, los fenómenos climatológicos como El Niño y La Niña, que calientan o enfrían la región tropical del océano Pacífico, también han sido responsables de la subida de la temperatura.

Basado en www.elpais.com

3 Completa el cuadro con los sustantivos derivados de estos verbos.

Verbos	Sustantivos
1 provocar	*la provocación*
2 derretir	
3 cambiar	
4 elevar	
5 calentar	
6 aumentar	
7 disminuir	
8 incrementar	

4 Añade los sustantivos o verbos de la actividad anterior a estas frases. Puede haber más de una opción.

1 El *cambio* en los sistemas marinos.
2 La temperatura ___________ la superficie de la Tierra.
3 El ___________ de la capa de hielo.
4 El ___________ en las precipitaciones.
5 Los huracanes ___________ en las zonas tropicales.
6 El ___________ de la desertificación

5 ¿A qué fenómenos naturales corresponden estas definiciones? Utiliza una de las siguientes palabras.

huracán • desertificación • derretimiento
incendio • inundación • sequía

1 Fuego grande que lo destruye todo: *incendio*.
2 Tiempo seco de larga duración: __________.
3 Gran cantidad de agua que cubre terrenos y, a veces, poblaciones: __________.
4 Fenómeno atmosférico violento que gira a gran velocidad: __________.
5 Disolución por medio del calor de algo congelado: __________.
6 Transformación en desiertos de zonas de tierras fértiles: __________.

6 ¿Cuáles son las principales consecuencias del calentamiento global? Haz una lista en tu cuaderno y coméntala con un compañero.

7 Escribe un breve artículo en tu cuaderno sobre una de las consecuencias del calentamiento global que afecta más al lugar donde vives.

Los recursos naturales

8 Marca los que son recursos naturales.

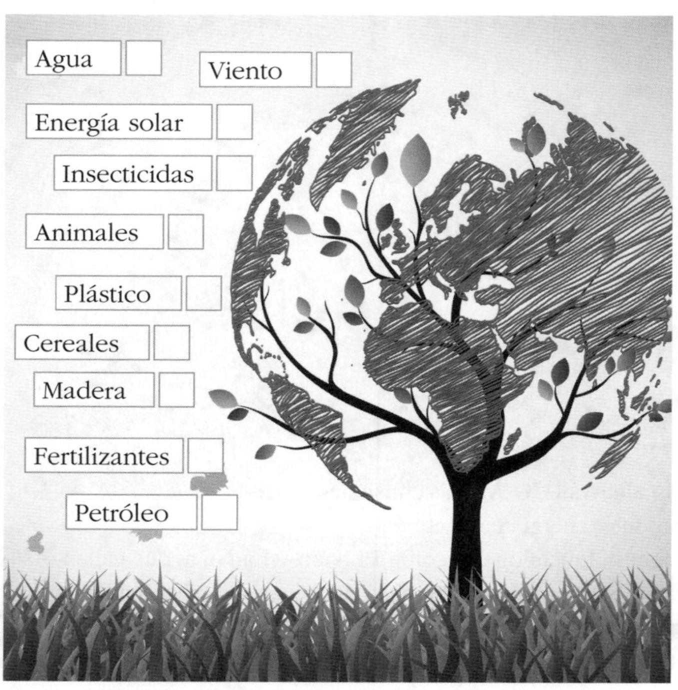

9 Escribe cuáles son los recursos naturales de tu país.

____
____
____
____
____
____
____

10 (45) Escucha a un experto hablando sobre el medio ambiente en un programa de radio: ¿a qué problemas ambientales se refiere?

1 __________
2 __________

11 En este foro sobre el medio ambiente puedes ver las opiniones de cuatro personas. Completa sus respuestas. Utiliza las siguientes expresiones.

estoy seguro (x2) • estoy de acuerdo (x2)

Medio ambiente

Hugo (México)
10 mar 2015 (17:35)

1 El problema más grave para mí es la contaminación de las ciudades. __________ de que para eso no hay una solución fácil.

3 comentarios

José Antonio (Venezuela)
13 mar 2015 (13:05)

2 Creo que es una problemática muy difícil de solucionar, pero __________ de que podemos hacer algo.

13 comentarios

Verónica (Argentina)
15 mar 2015 (12:01)

3 ¡__________ con los dos! Aquí hay más problemas con el derretimiento de los glaciares que con la contaminación. Tenemos el Perito Moreno, que cada año pierde masa de hielo.

1 comentarios

María Alejandra (Venezuela)
15 mar 2015 (19:31)

4 Claro, depende de donde la persona vive. Aquí, además de la contaminación que mencionan José Antonio y Hugo, hay otros problemas, pero __________ con José Antonio en que siempre podemos hacer algo…

0 comentarios

12 **Las siguientes expresiones se utilizan en una conferencia. ¿A qué partes se refiere cada una de ellas? Relaciona la expresión con las partes correspondientes.**

El tercer problema es • Todo el mundo dice
Señoras y señores • En último lugar
El problema es • Lo segundo es • En primer lugar
Ha sido un placer • Para terminar

1 Saludo inicial: ___________
2 Introducción al tema: ___________
3 Presentación de la problemática: ___________
4 Primer punto: ___________
5 Segundo punto: ___________
6 Tercer punto: ___________
7 Último punto: ___________
8 Conclusión: ___________
9 Saludo final (cierre): ___________

13 **Lee este fragmento de una conferencia sobre la educación medioambiental y añade las frases que le faltan.**

a Lo primero
b La cuestión es
c Lo segundo
d es un placer estar aquí
e A continuación, voy a hablar de algunas medidas

Señoras y señores, estimado público, (1) _____ para hablar de la educación medioambiental y de cómo podemos educar a nuestros niños y jóvenes en las escuelas.
(2) _____ tratar de encontrar soluciones que se adaptan a esta escuela en particular. (3) _____ que pueden ser útiles.
(4) _____ es comenzar la educación medioambiental desde casa y tomar medidas, como reciclar cartón, plásticos, vidrio, etc.; utilizar el transporte público, apagar las luces, utilizar papel reciclado, entre muchas otras. (5) _____ es concienciarnos de que el medio ambiente es una cuestión de todos…

14 **Mira las fotos, completa las frases y, luego, habla con tu compañero sobre el problema ambiental que representan.**

1 ____________________ de especies.

2 ____________________ de la masa de hielo.

3 ____________________ ambiental.

15 Busca palabras con diptongos relacionadas con la unidad y clasifícalas en las columnas.

vocal abierta + vocal cerrada	vocal cerrada + vocal abierta	vocal cerrada + vocal cerrada
	superficie	

La educación medioambiental

16 Estas son algunas medidas para contribuir a la educación medioambiental en nuestra vida diaria. Relaciona las frases de las dos columnas.

1 Hacer un uso eficiente
2 Utilizar
3 Limitar
4 Caminar o utilizar
5 Reciclar
6 Apagar las luces

a el transporte público
b cuando salimos de casa
c envases de plástico, vidrio, cartón y papel
d del automóvil
e el consumo de agua
f papel reciclado

17 Lee el título y subtítulo del siguiente artículo: ¿te parece interesante como iniciativa?, ¿por qué? Coméntalo con tu compañero.

Agua potable hecha de desechos

El OmniProcessor es una máquina que convierte los *desechos orgánicos de los desagües en agua adecuada para beber.

Ángel Luis Sucasas. Madrid

El OmniProcessor, una máquina capaz de transformar *heces en agua.

Cambiar el mundo es un sueño del imaginario colectivo que se repite una y otra vez en la ficción. Pero es con esa meta, «cambiar el mundo», con la que dice enfrentarse Peter Janicki desde que Bill y Melinda Gates le encargaron [...] un proyecto [...] con un enorme impacto social: construir una máquina que convierta los *excrementos en agua. Una máquina que ya es realidad.

Su nombre es OmniProcessor y es capaz de transformar 100 toneladas de desechos orgánicos al día, que convierte en unos 80 000 litros de agua potable, dependiendo de la humedad del material tratado. El tránsito es posible gracias a un complejo sistema de sucesivo refinado de los residuos. [...] Todo este proceso, de los desperdicios al agua, dura cinco minutos.

El OmniProcessor es una máquina grande. Janicki invita a imaginarla como dos autobuses públicos aparcados uno junto al otro y necesita también de espacio a su alrededor para la carga de desecho. [...]

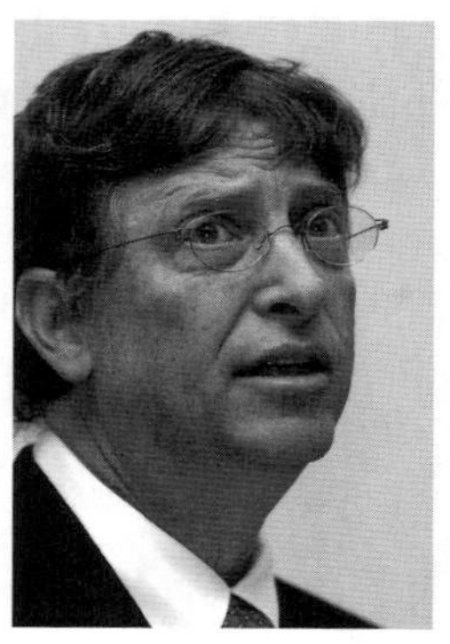

El impacto que esta compañía calcula [...] en países en vías de desarrollo es enorme. Las muertes por diarrea, causadas tanto por el agua contaminada como por su escasez para la higiene, se elevan a más de 2,2 millones al año. [...]

Pero Janicki no solo piensa en los beneficios que puede tener el OmniProcessor, sino en la lucha contra la pobreza. Profetiza un cambio ecológico a escala global. [...] Eso significa menos contaminación para los ríos y para el medio ambiente, en general. Esa es la idea. «Hemos trabajado muy duro para reducir al mínimo nuestras emisiones. El objetivo es acabar con la contaminación, no generarla. Creemos que vamos a tener un impacto enorme».

*Desechos orgánicos=heces=excrementos

Extraído de www.elpais.com

18 **Lee el párrafo del artículo anterior en negrita y completa la información sobre la máquina.**

Nombre:
Funcionamiento:
Duración del proceso:

19 **Lee los últimos tres párrafos y contesta a las preguntas.**

1 ¿Con qué se compara la máquina?

2 ¿Por qué va a tener un impacto enorme en países en vías de desarrollo?

3 ¿Cómo va a contribuir al medio ambiente?

20 **Clasifica estas frases de un debate en la columna correspondiente. Hay varias opciones.**

1 En primer lugar, estoy de acuerdo con el experto...
2 No estoy de acuerdo contigo cuando dices que el medio ambiente es...
3 Por último, no se necesita mucho dinero para contribuir a la educación medioambiental...
4 Tercero, siempre depende de lo que pasa en otros países...
5 Estoy totalmente de acuerdo con tu idea de concienciar a la gente primero...
6 Desde mi punto de vista, es importante tener alternativas para resolver los problemas ambientales...

Organizar la información	*1*
Expresar opiniones	
Presentar argumentos	
Resumir / Concluir	

21 (46) **Escucha a una representante de una ciudad del Caribe venezolano en un programa de radio y completa la información con un compañero.**

Nombre de la ciudad:

Número de habitantes:

Iniciativa / Medida:

22 (46) **Vuelve a escuchar el programa y toma notas sobre las siguientes cuestiones.**

Problemas producidos por las bolsas de plástico.

Lugares donde se han desarrollado otras iniciativas.

23 **Con un compañero, pensad en una iniciativa para contribuir a la educación medioambiental y escribid los argumentos a favor y en contra.**

INICIATIVA:

A FAVOR:

EN CONTRA:

Lengua y comunicación

Marca la respuesta correcta.

1 ____ del calentamiento global, se producen climas extremos.
a) ☐ Debido
b) ☐ A causa
c) ☐ Porque

2 Hay un ____ de las precipitaciones por la elevada temperatura de la Tierra.
a) ☐ aumento
b) ☐ elevación
c) ☐ derretimiento

3 El ____ climático afecta a todo el planeta.
a) ☐ derretimiento
b) ☐ aumento
c) ☐ cambio

4 Parte de la energía solar llega al suelo. ____, no toda esa energía es aprovechada.
a) ☐ Sin embargo
b) ☐ Por eso
c) ☐ Para

5 Los gases de invernadero controlan la Tierra. ____ es importante controlar la cantidad.
a) ☐ Porque
b) ☐ Por eso
c) ☐ Sino que

6 Estoy totalmente ____ con que la educación medioambiental es una tarea de todos.
a) ☐ desacuerdo
b) ☐ depende
c) ☐ de acuerdo

7 Hay cada vez más consecuencias del calentamiento global, ____ seguro de eso.
a) ☐ tenemos
b) ☐ tengo
c) ☐ estoy

8 En ____ lugar, no estoy de acuerdo con ese punto.
a) ☐ primero
b) ☐ primer
c) ☐ resumir

9 El ____ problema es la falta de concienciación de la gente, en general.
a) ☐ último
b) ☐ última
c) ☐ primero

10 Tenemos que ____ papel, plástico y cartón.
a) ☐ apagar
b) ☐ derretir
c) ☐ reciclar

11 Por una parte, es importante utilizar el transporte público, ____, hay que hacer un uso eficiente del automóvil.
a) ☐ es importante
b) ☐ por otra parte
c) ☐ por un lado

12 Muchas gracias, ha sido ____ estar hoy con ustedes.
a) ☐ una cuestión
b) ☐ un placer
c) ☐ un agradecimiento

13 Hay ventajas y ____ en el uso de los recursos naturales.
a) ☐ desventajas
b) ☐ partes
c) ☐ puntos a favor

14 En ____, es importante limitar el consumo de agua.
a) ☐ mi punto de vista
b) ☐ mi opinión
c) ☐ me parece

15 No, no estoy ____ con lo que dices.
a) ☐ seguro
b) ☐ de acuerdo
c) ☐ desacuerdo

16 La ____ se produce por las emisiones de gases tóxicos.
a) ☐ contaminación
b) ☐ deforestación
c) ☐ sequía

17 Los problemas ____ afectan a todo el planeta.
a) ☐ ambiente
b) ☐ ambientales
c) ☐ atmósfera

18 Los ____ afectan a las zonas tropicales y a veces ocasionan catástrofes.
a) ☐ inundaciones
b) ☐ huracanes
c) ☐ precipitaciones

19 La ____ de animales y plantas es un problema muy grave.
a) ☐ deforestación
b) ☐ extinción
c) ☐ energía

20 No solo tenemos que concienciarnos, ____ que tenemos que hacer algo para contribuir a la educación ambiental.
a) ☐ por
b) ☐ a causa de
c) ☐ sino

Total: ____ / 10 puntos

Destrezas

1. COMPRENSIÓN ESCRITA

1 **Lee el apartado de conferencias de la siguiente página web y marca (X) la respuesta correcta.** (__ / 2 puntos)

El texto tiene como función:

1 Invitar a participar en las conferencias. ☐
2 Informar sobre las conferencias. ☐
3 Entretener a los adolescentes. ☐

R21 Latinoamérica Sustentable

Juntos, podemos lograrlo.

CAUSAS CONSECUENCIAS SOLUCIONES COMUNIDAD R21 QUÉ HAGO CONFERENCIAS QUIÉNES SOMOS

Ciclo de conferencias ambientales R21* de la Provincia de Buenos Aires (Argentina)

La iniciativa surge del entendimiento de que la educación y concientización* son el primer paso en el camino de construir un planeta sustentable.
El ciclo está dirigido a los alumnos de escuelas secundarias públicas y está compuesto por conferencias sobre el cambio climático, que se realizan a lo largo de toda la provincia de Buenos Aires.
Las charlas están destinadas a generar conciencia sobre las causas, consecuencias y soluciones del cambio ambiental global, presentadas siempre con un mensaje realista y positivo para motivar a los adolescentes.
El objetivo es despertar su interés y hacerlos más conscientes de que no es solo el futuro del planeta lo que está en juego, sino también sus propias vidas y el futuro inmediato.
Solo en su primer año, el ciclo de conferencias ambientales ha concientizado* a más de 43 000 alumnos.

Las disertaciones están a cargo de Mariana Díaz, periodista y conductora especializada en cambio climático, quien realiza una exposición de las causas y consecuencias que se están observando en todo el mundo a raíz del cambio ambiental global, y del reconocido músico y fundador de R21 Charly Alberti, quien sube al escenario para realizar una presentación audiovisual que incluye fotos, gráficos y videos que transforman la exposición en una historia llena de emociones.

* Revolución 21: movimiento que trabaja para una Latinoamérica sustentable "sustentable" aquí significa "sostenible".
* Concienciación.

Extraído de www.revolucion21.or

2 **Vuelve a leer el texto y marca si las siguientes afirmaciones son verdaderas o falsas. Justifica tu respuesta con palabras extraídas del texto.** (__ / 8 puntos)

1 Lo primero que se necesita para construir un planeta sustentable es educar y concienciar a la gente.
Verdadero ☒ Falso ☐
Justificación: *...la educación y la concienciación son el primer paso en el camino de construir un planeta sustentable.*

2 Las conferencias están dirigidas a alumnos de escuelas secundarias públicas de todo el país.
Verdadero ☐ Falso ☐
Justificación: ______________________

3 El mensaje de las conferencias es optimista.
Verdadero ☐ Falso ☐
Justificación: ______________________

4 En los últimos años, las conferencias han concienciado a más de 40 000 alumnos.
Verdadero ☐ Falso ☐
Justificación: ______________________

5 Una de las personas que está a cargo de las conferencias es un músico famoso.
Verdadero ☐ Falso ☐
Justificación: ______________________

Total: _____ / 10 puntos

2. PRODUCCIÓN ESCRITA

(100 palabras, aproximadamente)

Escribe una breve conferencia sobre cosas que podemos cambiar en nuestra vida diaria para contribuir a la educación medioambiental.

Incluye:
- saludo inicial
- introducción al tema
- dos cosas que podemos cambiar en nuestra vida diaria
- conclusión

▶ EVALUACIÓN DE TU PRODUCCIÓN ESCRITA

- **Lengua** (__ / 4 puntos)
  - Léxico: medio ambiente
  - Gramática: presente, conectores
- **Contenidos** (__ / 4 puntos)
  - Saludo inicial
  - Introducción al tema
  - Dos cosas que podemos cambiar en nuestra vida diaria
  - Conclusión: tu opinión sobre el tema
- **Formato: conferencia** (__ / 2 puntos)
  - ¿Has incluído referencias al público?
  - ¿Hay saludo y despedida?

Total: _____ / 10 puntos

3. PRODUCCIÓN ORAL (Expresión)

(Mínimo, un minuto)

Elige dos consecuencias del calentamiento global y explícalas.

▶ EVALUACIÓN DE TU PRODUCCIÓN ORAL

- **Lengua** (__ / 4 puntos)
  - Léxico: calentamiento global / medio ambiente
  - Gramática: presente, conectores
- **Contenido** (__ / 4 puntos)
  - Incluyes dos consecuencias del calentamiento global
  - Explicas cómo se producen
- **Expresión** (__ / 2 puntos)
  - Hablas con fluidez
  - Tienes una buena pronunciación y entonación

Total: _____ / 10 puntos

4. COMPRENSIÓN ORAL

(47) Escucha la siguiente noticia en la radio e indica si se menciona (V) o no (X) la siguiente información.

1. El nivel del mar en España ha subido. ☐
2. El estudio está financiado por la Unión Europea. ☐
3. El aumento se va a producir el año que viene. ☐
4. El gobierno del Reino Unido ha comenzado a contribuir para solucionar este problema. ☐

Total: _____ / 10 puntos

Total: _____ / 50 puntos

Mi progreso

Valora tu progreso después de esta unidad.

Mis habilidades			
- Hablar, entender y escribir sobre el calentamiento global, los recursos naturales y la educación medioambiental			
- Entender y producir una infografía, un debate, un *blog*, un folleto informativo			
Mis conocimientos			
- El calentamiento global, los recursos naturales, la educación medioambiental			
- Construcciones finales, adversativas, causales y consecutivas; nominalización de los verbos			
- Expresiones: *estar de acuerdo, estar seguro*			
- Expresiones utilizadas en una conferencia y en un debate			
- El diptongo			
- Información sobre Venezuela y el medio ambiente			
Soy más consciente			
- De las consecuencias del calentamiento global y la importancia de la educación medioambiental			
- Del valor de los recursos naturales			
- Del compromiso global con los problemas ambientales			

 Bien  Adecuado  Mal

7 Migración

Culturas con historia

1 Escribe las siguientes cifras en números romanos.

1 ____________ 10.
2 ____________ 8
3 ____________ 13
4 ____________ 16
5 ____________ 4
6 ____________ 18

2 Relaciona los siguientes datos sobre la historia de España y de América. Puedes buscar la información en internet.

1 El Imperio romano
2 Al-Ándalus
3 Los Reyes Católicos
4 Cristóbal Colón
5 La Guerra Civil
6 Napoleón Bonaparte
7 Simón Bolívar y José de San Martín

a Entre 1936 y 1939, hay una guerra en España.
b Territorio en la península ibérica que durante ocho siglos ocupan diferentes reinos musulmanes.
c Con sus tropas francesas, invade España a principios del siglo XIX.
d Sus legiones ocupan gran parte de Europa hasta el siglo V d. C.
e Conquistan el último reino musulmán de la península ibérica.
f Quiere encontrar una nueva ruta comercial para llegar a las Indias.
g Luchan por la independencia de muchos países de América.

3 Escribe un dato histórico relevante para el mundo en las siguientes fechas.

1 Siglos VI-I a. C.: ____________
2 Siglos I-XII d. C.: ____________
3 Siglos XIII-XVIII: ____________
4 Siglos XIX-XX: ____________

4 Lee los siguientes datos históricos sobre España y ordénalos cronológicamente.

1 Hasta el siglo III a. C.: ☐
2 Del siglo V al VIII: ☐
3 Del siglo VIII al XV: ☐
4 Siglo XV: ☐
5 Principios del siglo XIX: ☐
6 Finales del siglo XIX: ☐
7 Siglo XX: ☐

1 En 1808 Napoleón invadió la Península Ibérica, pero el 2 de mayo de ese año hubo una sublevación popular que provocó la Guerra de la Independencia, que duró hasta 1814. En el mismo periodo, a partir de 1810, se independizaron la mayoría de los territorios bajo dominio español en América: Venezuela, México, Argentina, Colombia...

2 Las primeras civilizaciones llegaron a lo que hoy se conoce como España hace 12 000 años. Celtas, fenicios, cartagineses y griegos la invadieron y colonizaron, hasta que en el 200 a. C. pasó a formar parte del Imperio romano.

3 Con la Guerra de Cuba contra Estados Unidos, en 1898, España perdió sus últimas colonias de ultramar: Cuba, Puerto Rico y Filipinas.

4 En el año 711 los musulmanes, procedentes del norte de África ocuparon casi toda la península y reinaron en un área llamada Al-Ándalus. Permanecieron allí 750 años.

5 En 1931 se proclamó la II República, que acabó con un golpe de estado militar y la Guerra Civil (1936-1939). Después de la guerra, el general Franco impuso una dictadura que duró hasta su muerte, en 1975.

6 Los Reyes Católicos (Isabel I de Castilla y Fernando II de Aragón) se casaron y unieron sus reinos en 1469. En 1492 protagonizaron dos hechos muy importantes: conquistaron Granada, el último reino musulmán de la península, y financiaron el proyecto de Cristóbal Colón para buscar una nueva ruta comercial con Asia.

7 Los visigodos, procedentes de un pueblo germánico oriental, invadieron Italia y saquearon Roma en el año 410. Se establecieron en el sur de la Galia (actual Francia) y en la península ibérica donde crearon el Reino Visigodo, hasta que fueron derrotados por los árabes en la batalla de Guadalete en el año 711.

5 En parejas, leed en voz alta un párrafo cada uno y transformad los verbos en pretérito indefinido a presente histórico.

6 Continúa las frases con alguna información relacionada con la historia o la política de tu país.

1 A finales del siglo XIX ______________________________
____.

2 A mediados del siglo XX ______________________________
____.

3 Actualmente ______________________________
____.

7 Escribe los sustantivos.

1 gobernar: *el gobierno*
2 expandirse: ____________
3 conquistar: ____________
4 colonizar: ____________
5 independizarse: ____________
6 influir: ____________

Antes y ahora

8 Completa el cuadro con las formas regulares en pretérito imperfecto.

	estar	poder	recibir
yo			
tú	estabas		
él, ella, usted			
nosotros/-as		podíamos	
vosotros/-as			
ellos/-as, ustedes			recibían

9 Ahora completa el cuadro con las formas de los siguientes verbos irregulares en pretérito imperfecto.

	ser	ver	ir
yo	era		
tú			
él, ella, usted			
nosotros/-as			íbamos
vosotros/-as			
ellos/-as, ustedes		veían	

10 Completa las frases en pretérito imperfecto.

tener • ser • escuchar • vivir • hablar • haber • convivir • ver

1 En la época del Imperio romano la gente ____________ latín.
2 Los mayas ____________ expertos en astrología.
3 En la Edad Media, en España ____________ judíos, musulmanes y cristianos.
4 A finales del siglo XIX muchos países europeos ____________ colonias por todo el mundo.
5 Entre los años cuarenta y setenta, en España no ____________ democracia.
6 Mis abuelos piensan que antes la gente ____________ mejor.
7 A mediados del siglo XX muy pocas personas ____________ televisión.
8 Hasta la llegada de la televisión, todo el mundo ____________ la radio.

11 Lee el siguiente texto sobre la higiene en la Edad Media y subraya dónde se ofrecen las siguientes informaciones. Hay una información que no está en el texto.

1 Los reyes solo se bañaban cuando se lo recomendaban los médicos.
2 Los médicos pensaban que el agua caliente hacía enfermar a la gente.
3 En lugar de lavarse, la gente se cambiaba de ropa.
4 La gente no tenía cuarto de baño y utilizaba las calles y los patios.
5 Toda la familia se bañaba en la misma bañera, sin cambiar el agua.
6 Solo se bañaba la gente rica.
7 La gente se casaba antes del verano, porque estaban más limpios.
8 Las novias llevaban flores para oler bien.

Costumbres sobre la higiene en la Edad Media

En la Edad Media los médicos creían que el agua, sobre todo caliente, abría los poros de la piel y provocaba enfermedades. Incluso empezó a difundirse la idea de que la suciedad protegía contra las enfermedades y que, por lo tanto, el aseo personal debía realizarse «en seco», solo con una toalla limpia para frotar las partes visibles del organismo.

El rechazo al agua llegaba a las más altas clases sociales. Las damas más limpias se bañaban dos o tres veces al año y el propio rey solo lo hacía por indicación de su médico, y con muchas precauciones, como demuestra este relato de uno de los médicos privados de Enrique VIII, ya en la Edad Moderna.

Los baños eran tomados en una bañera enorme llena de agua caliente. El padre de la familia era el primero en tomarlo, luego los otros hombres de la casa, por orden de edad, y después, las mujeres, también en orden de edad.

Al final se bañaban los niños, y los bebes los últimos. Los ricos no se lavaban realmente, sino que se cambiaban de camisa con más frecuencia que los pobres. Pero, incluso quienes se cambiaban mucho de ropa, solo lo hacían una vez al mes.
En la Edad Media la mayoría de la gente se casaba en el mes de junio, al comienzo del verano. La razón era sencilla: el primer baño del año era tomado en mayo, así, en junio, el olor de las personas aún era tolerable. Asimismo, como algunos olores en ese mes ya empezaban a ser molestos, las novias llevaban ramos de flores para evitar el mal olor. Hoy es considerado como mes de las novias, y de allí nace la tradición del ramo de novias.
En los palacios y las casas la existencia de los baños era nula, los callejones y patios eran sus cuartos de baño. Los sistemas de alcantarillado aún no existían; por lo tanto, las ciudades medievales eran verdaderos vertederos de basura. Grandes metrópolis como Londres o París estaban consideradas en aquel tiempo como algunos de los lugares más sucios del mundo.

Extraído de www.taringa.net

12 Lee las siguientes frases y escribe otras con *ya no* o *todavía*.

1 En el siglo XIX mucha gente iba en bicicleta.
Actualmente *hay mucha gente que todavía va en bicicleta*.

2 Hace unos años todo el mundo, cuando quería dar una noticia, enviaba un telegrama.
Hoy en día ______________________________
______________________________.

3 Hasta que llegó el ordenador, la mayoría de la gente escribía con una máquina de escribir.
Ahora ______________________________
______________________________.

4 Antes, las parejas hacían una gran fiesta cuando se casaban.
En el siglo XXI ______________________________
______________________________.

5 En los años cincuenta la gente iba al cine para entretenerse.
En la actualidad ______________________________
______________________________.

6 A principios del siglo XX, en muchos lugares no había luz eléctrica.
En la actualidad ______________________________
______________________________.

7 En la Edad Media se comía con las manos.
Actualmente ______________________________
______________________________.

8 En el siglo XIX las mujeres no podían votar.
Hoy en día ______________________________
______________________________.

13 (48) Escucha una entrevista con una especialista sobre Madrid. Lee las siguientes frases y marca si son verdaderas (V) o falsas (F).

	V	F
1 En Madrid hay una plaza y una calle que se llaman Lavapiés.		
2 El nombre del barrio viene de una plaza donde había una fuente.		
3 Antes del siglo XV, en el barrio ya vivía gente.		
4 Hasta los años ochenta, en el barrio solamente vivía gente mayor.		
5 En los años noventa los precios de los alquileres subieron mucho.		
6 Lavapiés es el primer barrio de Madrid donde se empezaron a ocupar casas.		
7 Muchos inmigrantes se instalaron en Lavapiés porque era más barato.		
8 Actualmente, en Lavapiés se celebran el Año Nuevo chino y el ramadán.		

Recuerdos

14 ¿A qué etapa de la vida corresponden las siguientes definiciones?

Juventud | Adolescencia | Infancia / Niñez | Vejez | Madurez

1 Se dice que es una de las mejores etapas. En ella ya somos adultos y tenemos mucha fuerza física y mental. Empezamos a pensar en tener una familia, empezamos a trabajar, etcétera. ___________

2 Es cuando empezamos a experimentar cambios físicos en nuestro cuerpo, y mentales. Es el paso de la infancia a la vida más independiente y adulta. ___________

3 En esta etapa de la vida empezamos a descubrir el mundo que nos rodea y aprendemos las cosas más básicas, como hablar, leer o escribir. Es una etapa en la que vivimos felices y sin preocupaciones. ___________

4 Es cuando nuestras fuerzas físicas y nuestra salud empiezan a empeorar. Nos volvemos más dependientes y necesitamos más cuidados y atenciones. Uno tiene mucha experiencia de la vida y sabiduría. ___________

5 Esta es una etapa en la que nuestra vida, en cuanto a familia, trabajo, etc., ya está formada. ___________

15 ¿Cómo era la escuela cuando eras pequeño? Escribe una frase sobre cada uno de los siguientes temas.

1 tus profesores ___________
2 tus compañeros ___________
3 tu tiempo libre ___________
4 tus asignaturas ___________
5 tus exámenes ___________
6 tus deberes ___________

16 Completa con *recordar* o *acordarse*.

1 No ___________ del nombre de la película que vi ayer.
2 ¿___________ cuando tu abuelo jugaba contigo al fútbol?
3 ¿Vosotros no ___________ del vecino que vivía en el segundo piso? Era muy simpático.
4 Mi madre tiene muy poca memoria y nunca _______ de dónde ha dejado las llaves de casa.
5 ___________ que cuando era pequeña, desayunábamos todos juntos en casa y ahora desayuno solo.
6 ¿No ___________ de que no te gustaba la sopa cuando eras pequeña?

17 ¿Sabes quiénes son los *nikkei*? Lee el resumen de lo que comentan dos *nikkei* sobre su cultura y completa los textos con las siguientes palabras.

latinoamericano • japoneses • diferencias • cultura
responsabilidad • opuestas • comunes • costumbres

❶ Alfredo Kato (periodista peruano)

Ser nikkei es mucho más que ser descendiente de ___________; ser *nikkei* es tener la ___________ de tener dentro de uno dos conceptos, dos culturas, que son completamente ___________, pero que debemos mantener.

Extraído de www.discovernikkei.org

❷ Roberto Hiroshe (empresario chileno)

El desarrollo de lo que es ser *nikkei* ha sido diferente en cada país ___________. Tenemos raíces ___________ y también hay ___________. En los lugares donde hay muchos japoneses hay colegios japoneses, organizaciones japonesas... En cambio, en Chile, no. Por lo tanto, en esos lugares las ___________ y la ___________ se preservaron durante más tiempo

Extraído de www.discovernikkei.org

18 (49) **Ahora, escucha y comprueba tus respuestas.**

19 Lee el siguiente blog de una chica argentina y responde a las preguntas.

1 ¿Por qué se reían de ella cuando era pequeña?

2 ¿Por qué se sentía diferente al resto de los *nikkei*?

3 ¿Crees que se siente más japonesa que argentina?

4 ¿Qué es para ella ser *sansei*?

Hafu[1] y *sansei*[2]

Recuerdo que cuando iba al colegio muchos de mis compañeritos se reían de mí porque tenía ojos rasgados. Me miraba al espejo tratando de descubrir quién era yo y no lograba ver mi reflejo en los ojos orientales de mi mamá y en los ojos verdes y la nariz prominente[3] de mi papá.

Cuando terminé la secundaria y me convertí en una joven adulta que acababa de mudarse[4] a una metrópoli, otra vez tuve la conciencia de que era diferente (y me sentía diferente) a los *nikkei* que iba conociendo en la comunidad, porque no tenía los ojos completamente rasgados y mi cabello no era negro. Luego de un tiempo entendí que las facciones del rostro[5] eran solo características externas de mi persona; mis compañeros no me conocían realmente. No sabían que en mi casa, cuando estábamos almorzando o cenando, le pedía a mi mamá *gohan*[6], o que a la hora del té, ella me preguntaba si deseaba tomar una taza de ocha[7] o que no me resultaba extraño comer pescado crudo. Y creo que tampoco sabían que junto con mi papá amasaba tallarines caseros y que cocinábamos *pizza*, ñoquis, canelones y salsas caseras para pastas con el mejor toque italiano. Me llevó un tiempo descubrir que era bueno ser distinto del resto y que era bueno saber quién era uno.

Desde mi experiencia y perspectiva, ser *nikkei* es una elección, es como te han educado, es la adopción de la cultura japonesa para adaptarla al espacio y al tiempo que se vive; es respetar y mejorar lo que heredamos de los primeros japoneses que se instalaron en la Pampa, es escuchar al que se encuentra allá en la isla, es ayudar y apoyar lo que aquí hacen las personas (descendientes o no) que intentan enseñar qué es la cultura oriental.

Creo que es bueno adoptar la identidad *nikkei* o cualquier otra identidad si eso te ayuda a pertenecer a una colectividad y sentirse parte de ella. El *sansei* de hoy y de acá es un argentino que tiene la posibilidad de adoptar lo mejor de la cultura japonesa y mezclarla con la cultura criolla[8] (o española, o italiana, o alemana, o francesa, etc.)

[1] *hafu*: hijo de matrimonio mixto.
[2] *sansei*: tercera generación que no vive en Japón.
[3] prominente: grande
[4] mudarse: cambiarse de casa
[5] rostro: cara
[6] *gohan*: arroz blanco al estilo japonés
[7] ocha: té verde
[8] criollo: nacido en América y descendiente de europeos

Extraído del blog de Laura Rigoni

20 Lee la siguiente información sobre estas tres minorías étnicas y completa el cuadro.

	¿Dónde viven?	¿Cuál es su origen?
SEFARDÍES Y ASQUENAZÍES		
GARÍFUNAS		
GITANOS		

SEFARDÍES Y ASQUENAZÍES

El judaísmo tiene dos grupos étnicos mayoritarios, el formado por los asquenazíes, procedente de Europa central y oriental, y el de los sefardíes, que son los que tienen sus raíces en la península ibérica. A estos últimos los caracteriza hablar el ladino (el castellano medieval que han transmitido de generación en generación durante más de medio milenio) y algunas prácticas especiales en el rito y en el rezo. Tanto los judíos sefardíes como los asquenazíes viven hoy en día por todo el mundo, principalmente en Israel, Estados Unidos y algunos países europeos y latinoamericanos.

GARÍFUNAS

Los garífunas son un grupo étnico descendiente de africanos que vive en varias regiones de Centroamérica y el Caribe. También se los conoce como caribes negros. Se estima que son más de 600 000, en diferentes países americanos.

GITANOS

Se denominan gitanos, romaníes, zíngaros o pueblo gitano a la comunidad o etnia originaria del subcontinente indio con rasgos culturales comunes, aunque con enormes diferencias entre sus subgrupos. Viven principalmente en Europa; de hecho, son la mayor minoría étnica de la Unión Europea, aunque viven también, pero en menor proporción, en el resto del mundo.

21 Busca un dato más sobre las minorías de la actividad anterior.

1 Sefardíes y asquenazíes: ____________
2 Garífunas: ____________
3 Gitanos: ____________

Lengua y comunicación

Marca la respuesta correcta.

1 El año 1898 corresponde al siglo ____.
a) ☐ XXI.
b) ☐ XIX.
c) ☐ XX.

2 La Segunda Guerra Mundial ____ en 1945.
a) ☐ desaparece
b) ☐ termina
c) ☐ procede

3 Roma se funda en el año 753 ____
a) ☐ d. P.
b) ☐ A/A
c) ☐ a. C.

4 Hoy ____ hay muchos países que no tienen democracia.
a) ☐ en día
b) ☐ en la actualidad
c) ☐ en esta época

5 El gallego y el catalán también son ____ idiomas oficiales en España.
a) ☐ estos días
b) ☐ actualmente
c) ☐ en presente

6 La mayoría de las palabras en español ____ principalmente del latín.
a) ☐ toman
b) ☐ proceden
c) ☐ existen

7 En ____ la gente empieza a escuchar música en inglés.
a) ☐ los sesenta
b) ☐ años sesenta
c) ☐ sesentas

8 Mis abuelos dicen que en su época la gente ____ mejor.
a) ☐ vivieron
b) ☐ vivían
c) ☐ vivía

9 Mis padres en casa ____ italiano, no ____ hablar bien español.
a) ☐ hablaron / supieron
b) ☐ han hablado / han sabido
c) ☐ hablaban / sabían

10 Antes, en Europa, la moneda no ____ el euro.
a) ☐ había
b) ☐ existía
c) ☐ era

11 Ahora voy en bicicleta al instituto, antes ____ a pie.
a) ☐ iba
b) ☐ era
c) ☐ fui

12 En mi ciudad, hace unos años, ____ más trabajo que ahora.
a) ☐ había
b) ☐ era
c) ☐ fue

13 Ayer ____ al cine con unos amigos.
a) ☐ fui
b) ☐ iba
c) ☐ íbamos

14 Cuando no ____ los correos electrónicos, la gente escribía cartas.
a) ☐ habían
b) ☐ eran
c) ☐ existían

15 Yo ____ como carne, porque ahora soy vegetariano.
a) ☐ ya
b) ☐ todavía
c) ☐ ya no

16 Julián llegó ayer, pero ____ he hablado con él.
a) ☐ ya
b) ☐ todavía
c) ☐ todavía no

17 En mi país ____ hay crisis, hay mucha gente sin trabajo.
a) ☐ ya no
b) ☐ todavía
c) ☐ todavía no

18 Cuando tenía catorce años, en mi ____, me llamaban Tobi.
a) ☐ adolescencia
b) ☐ niñez
c) ☐ juventud

19 No ____ del nombre del recepcionista, pero era muy simpático.
a) ☐ recuerdo
b) ☐ me acuerdo
c) ☐ acuerdo

20 ____ de pequeña, en mi casa teníamos solo un teléfono.
a) ☐ Acuerdo que
b) ☐ Recuerdo que
c) ☐ Recuerdo

Total: ____ / 10 puntos

Destrezas

1. COMPRENSIÓN ESCRITA

1 Lee el fragmento de este reportaje y continúa las frases con la opción más adecuada según la información del texto.

1 En Little Italy...
- a) ya no viven italianos. ☐
- b) todavía viven algunos italianos. ☐
- c) viven algunos italoamericanos. ☐

2 Todavía hay muchos restaurantes italianos...
- a) pero casi todos los propietarios son chinos. ☐
- b) pero la mayoría de los camareros son hispanos. ☐
- c) y los trabajadores son italoamericanos. ☐

3 El barrio es conocido...
- a) porque Madonna es de Little Italy. ☐
- b) por la Mafia. ☐
- c) porque fue el escenario de muchas películas. ☐

4 Actualmente, Little Italy es un barrio...
- a) turístico. ☐
- b) peligroso. ☐
- c) mafioso. ☐

5 Larry Gagliardotto...
- a) lleva dos décadas viviendo en Little Italy. ☐
- b) tiene un acento muy especial. ☐
- c) es chino-italiano, pero solo habla inglés. ☐

Cada vez más **Little Italy**

El barrio de Nueva York, idealizado por las películas de mafiosos, hace tiempo que dejó de ser italiano.

BÁRBARA CELIS

Los neoyorquinos saben bien que el barrio de Little Italy, idealizado por Hollywood en decenas de películas sobre mafiosos, hace décadas que dejó de ser italiano. Y las cifras del último censo son claras: de los 8600 residentes, no hay ni uno nacido en Italia. La razón es obvia: la inmigración hoy tiene otros pasaportes. Pero tampoco quedan muchos italoamericanos. Solo son unos 2000, frente a los más de 10 000 que había oficialmente a mediados del siglo pasado. [...]

Las cuatro manzanas que aún pueden llamarse italianas viven sobre todo de alimentar las apariencias: es prácticamente imposible encontrar un chef italiano en restaurantes con nombres como La Mela o Il Palazzo, y hasta en locales como el célebre Ferrara Caffé o el Caffé Roma la mano de obra es hispana. «El local aún está en manos de la familia original, pero aquí todos los que trabajamos hablamos español», explican Ramón y Yaniris, dos de los camareros del elegante y decadente Caffé Roma, en la esquina de Broome y Mulberry, con un siglo de vida. Ambos, además, residen desde hace años en este barrio, que Ramón, dominicano, ha visto transformarse aceleradamente. [...]

Ávidos por conocer aquellas calles en las que Robert de Niro y Harvey Keitel aprendían el oficio de gánster en películas como *Malas calles*, de Martin Scorsese, los turistas siguen acudiendo para saborear la historia de un barrio que los chinos comenzaron a colonizar en los años sesenta, cuando cruzaron la calle Canal, hasta entonces *la frontera*, y abrieron una tienda de esmóquines en Elisabeth Street. [...] Con su chaqueta de cuero y ese inconfundible acento, Frank Aquilino, de 64 años, acaba de entrar en el Mulberry's Bar, antes conocido como el Tony's, abierto, desde 1908. Viene simplemente a saludar a Larry Gagliardotto, uno de los *managers* de este local de bellos suelos de mosaico, paredes amarillentas con más de un siglo de nicotina a cuestas y fotos desvaídas de Frank Sinatra y otros italoamericanos célebres, incluida Madonna, que utilizó el local para grabar uno de sus primeros videos. Gagliardotto, de ojos rasgados y cuerpo fornido, es un producto inequívoco de la transformación que ha sufrido el barrio: «Soy chino-italiano, aunque no sé hablar ninguno de los dos idiomas. Nací en Little Italy, crecí en Brooklyn, pero trabajo en este bar desde hace casi dos décadas».

Extraído de www.elpais.com

Total: _____ / 10 puntos

2. PRODUCCIÓN ESCRITA

(100 palabras, aproximadamente)

Describe en un blog cómo es tu barrio u otro barrio que conoces.

Incluye:

- descripción general del barrio
- gente que vive en él
- el barrio antes y ahora
- algo especial o destacable

▶ EVALUACIÓN DE TU PRODUCCIÓN ESCRITA

- **Lengua** (__ / 4 puntos)
  - Léxico: vocabulario relacionado con lugares de interés, historia y multiculturalidad.
  - Gramática: pretérito imperfecto, *ya no / todavía*
- **Contenido** (__ / 4 puntos)
  - Descripción general del barrio
  - Gente que vive en él
  - El barrio antes y ahora
  - Algo especial o destacable
- **Formato: blog** (__ / 2 puntos)
  - ¿Has incluido un título?
  - ¿Has incluido el nombre del autor?

Total: _____ / 10 puntos

3. PRODUCCIÓN ORAL (expresión)

(Mínimo, dos minuto)

Habla sobre una época de la historia (puede ser también una década).

Incluye:

- sitúa la época (dónde y cuándo)
- da información sobre la historia o la política
- da información sobre la vida de la gente
- compara la época con la actualidad

▶ EVALUACIÓN DE TU PRODUCCIÓN ORAL

- **Lengua** (__ / 4 puntos)
  - Léxico: variado y correcto
  - Gramática: pretérito imperfecto y presente histórico
- **Contenido** (__ / 4 puntos)
  - Dónde y cuándo
  - Información histórica o política
  - Información sobre la vida de la gente
  - Compara la época con la actualidad
- **Expresión** (__ / 2 puntos)
  - Hablas con fluidez
  - Tienes una buena pronunciación y entonación

Total: _____ / 10 puntos

4. COMPRENSIÓN ORAL

(50) Escucha esta presentación de una alumna de un liceo de Montevideo sobre la vida en Uruguay a principios del siglo XIX. Anota un aspecto o información sobre cada uno de estos temas.

1 Educación ____________________
2 Diversión ____________________
3 Medios de comunicación ____________________
4 Religión ____________________
5 Comida ____________________

Total: _____ / 10 puntos

Total: _____ / 50 puntos

Mi progreso

Valora tu progreso después de esta unidad.

Mis habilidades	 
- Hablar, entender y escribir sobre historia, política y sociedad, y migración	
- Escribir y hacer una presentación	
Mis conocimientos	  
- Léxico relacionado con historia, política y migraciones	
- Hablar de hechos históricos	
- Describir y recordar el pasado	
- El hiato	
- Información sobre Uruguay y las corrientes migratorias	
Soy más consciente:	  
- De la influencia de las migraciones en las culturas	
- De los diferentes orígenes que tenemos	
- De la importancia del trabajo en equipo	

 Bien  Adecuado  Mal

8 Arte

Pintura

1 Mira el cuadro y completa la descripción.

En primer plano • siento que • La estética del cuadro transmite • ~~El cuadro muestra~~ • Me parece que • Me recuerda • En el fondo

(1) *El cuadro muestra* un paisaje muy tranquilo. (2) __________ se observa un río, y a las orillas del río, en ambos lados, hay un bosque. (3) __________ es otoño, por las hojas de los árboles flotando en el río. (4) __________ vemos un cielo azul casi sin nubes. Me gusta mucho el cuadro porque (5) __________ mucha calma y (6) __________ te puedes relajar en un lugar como este. (7) __________ mucho al lugar donde vivía en mi infancia. (8) __________ es muy bonita, por la naturaleza que muestra y por las formas.

2 (51) Escucha la descripción anterior y comprueba tus respuestas.

3 Elige una de las obras y descríbesela a tu compañero. Después, elige una obra diferente y escribe la descripción.

____

____

____

4 Lee el blog dedicado al artista hondureño José Antonio Velásquez y contesta a las preguntas.

1 ¿Por qué se trasladó Velásquez a la costa norte de Honduras?

____

2 ¿Qué significó para él San Antonio de Oriente?

____

3 Además de pintar, ¿qué hizo Velásquez en este pueblo hondureño?

____

4 ¿Qué dejó a su muerte?

____

El pintor más importante de Honduras

José Antonio Velásquez nació en Caridad, Honduras, en 1906. Es el pintor más importante de Honduras. Después de la muerte de sus padres, Velásquez se trasladó a la costa norte de Honduras en busca de mejores condiciones de vida, y posteriormente se mudó a San Antonio de Oriente, un pequeño lugar localizado a unos treinta kilómetros de Tegucigalpa, capital de Honduras. Velásquez llegó a amar tanto a este pueblo que este se convirtió en la inspiración de la mayor parte de sus obras y fue su alcalde en tres períodos. José Antonio Velásquez fue considerado el primer pintor primitivista de América. Por invitación de la Unión Panamericana, Velásquez expuso sus obras en 1954 en la ciudad de Washington. Después de esto, la fama de Velásquez se expandió, y sus obras también fueron expuestas en un buen número de países. Falleció en 1983, dejando un cuadro incompleto.

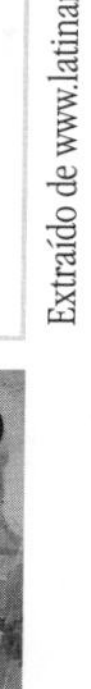

5 ¿Qué significan las señales? Elige una frase para cada señal.

a Prohibido usar el ordenador. ☐
b Se prohíbe entrar con comida. ☐
c No está permitido fumar. ☐
d Prohibido pasar con cinturones. ☐
e No se permiten las cámaras de vídeo. ☐
f Está prohibido entrar con bebidas. ☐

1 2 3 4 5 6

6 ¿Dónde puedes encontrar estas señales? Coméntalo con tu compañero.

La 2 la puedo encontrar en un lugar público.

7 ¿Conoces todas estas señales? Escribe en tu cuaderno qué significan. Utiliza las siguientes frases.

Está prohibido / permitido
Prohibido • Se prohíbe
no se permite

Literatura

8 Completa el cuadro.

		yo	tú	él, ella, usted	nosotros/-as	vosotros/-as	ellos/-as, ustedes
PRETÉRITO INDEFINIDO	cantar						
	ir	*fui*					
PRETÉRITO IMPERFECTO	cantar						
	ir	*iba*					

9 Completa las frases con el pretérito imperfecto o el indefinido.

1 Estaba tranquilo en casa cuando *llegaron todos mis amigos para celebrar mi cumpleaños* (llegar-amigos-celebrar cumpleaños).
2 Salí con un abrigo porque ________________ (hacer frío y comenzar a nevar).
3 Me encontraba fatal, así que ________________ (decidir-ir-médico).
4 Mientras comíamos en un restaurante en Barcelona, ________________ (ver a-futbolista famoso).
5 Me encontré con un amigo de la infancia mientras ________________ (salir-concierto-Alejandro Sanz).
6 Me caí por las escaleras y me rompí el pie mientras ________________ (hablar-amigo-móvil).

10 Elige la opción correcta.

Cuando **tenía / tuve** 15 años, **viajaba / viajé** con mi colegio para hacer un intercambio a la ciudad de Valencia. Todos los días, **me levanté / me levantaba** muy temprano, **desayunaba / desayuné** en la casa de mi nueva familia, **iba / fui** a la escuela de español donde **tuve / tenía** clases de 9:00 a 12:30. Después, **comí / comía**, casi siempre ¡carne! y **practicaba / practiqué** deportes o **visité / visitaba** la ciudad. El último día, mientras **estuve / estaba** en un centro comercial, **conocí / conocía** a un escritor famoso que **presentó / presentaba** su último libro. Todos **compramos / comprábamos** el libro. Todo el viaje **era / fue** una experiencia inolvidable y **aprendía / aprendí** mucho de las culturas española y valenciana.

11 (52) **Escucha y lee a continuación cuatro fragmentos de obras literarias. Observa la diferencia de entonación, ¿cuáles son parte de un poema y cuáles de un relato? Coméntalo con un compañero.**

A

Conjuro entre hierbas sin nombre

Está bien por la Juana,
La Juana Torres;
La que hacía crecer la ruda y el misterio.
La enemiga de Dios y del Infierno.
Ella tuvo la flor de los amantes.
El castillo en el aire…

José Roberto Cea (escritor salvadoreño)

B

EL GRILLO MAESTRO

Allá, en tiempos muy remotos, un día de los más calurosos del invierno, el director de la Escuela entró sorpresivamente al aula en que el Grillo daba a los Grillitos su clase sobre el arte de cantar, precisamente en el momento de la exposición en que les explicaba que la voz del Grillo era la mejor y la más bella entre todas las voces…,

Augusto Monterroso (escritor de nacionalidad guatemalteca, nacido en Honduras)

C

EN EL JARDÍN DE TUS OJOS HACIENDO PASTAR CONEJITOS DE AZÚCAR

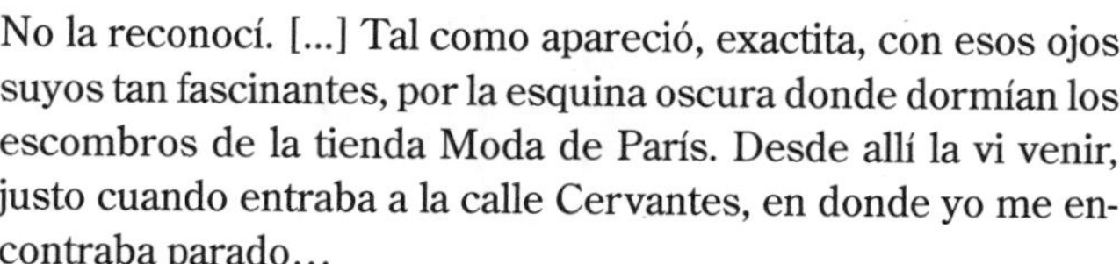

No la reconocí. [...] Tal como apareció, exactita, con esos ojos suyos tan fascinantes, por la esquina oscura donde dormían los escombros de la tienda Moda de París. Desde allí la vi venir, justo cuando entraba a la calle Cervantes, en donde yo me encontraba parado…

Javier Abril Espinoza (escritor hondureño)

D

4 Canción que te hizo dormir

La noche del mundo:
¡qué largos cabellos!...
Los suelta en la torre,
la torre del viento.

Los peina en el valle,
los trenza en el cerro,
los abre en las ramas
frías del almendro.

Claudia Lars (escritora salvadoreña)

12 ¿De qué hablan los fragmentos de la actividad anterior? Escribe la letra que corresponde.

1 Se refiere a una persona que le parece muy atractiva y que encontró en la calle. ☐
2 Es el principio de una historia en la que los animales son los protagonistas. ☐
3 Compara la noche con el cabello de una mujer. ☐
4 Habla sobre una mujer con mucha personalidad. ☐

13 Lee el fragmento del cuento de Julio Cortázar *La Casa Tomada* y relaciona los párrafos con los usos del pretérito imperfecto e indefinido.

A Descripción del espacio físico o de los hábitos de los personajes (pretérito imperfecto)
B Sucesión de acciones (pretérito indefinido)
C Descripción y acción (pretérito imperfecto / pretérito indefinido)

1 ☐ (La casa) guardaba los recuerdos de nuestros bisabuelos, el abuelo paterno, nuestros padres y toda la infancia.
2 ☐ El comedor, [...] la biblioteca y tres dormitorios grandes quedaban en la parte más retirada, la que mira hacia Rodríguez Peña. Solamente un pasillo con su maciza puerta de roble aislaba esa parte del ala delantera, donde había un baño, la cocina, nuestros dormitorios y el living central, al cual comunicaban los dormitorios y el pasillo. Se entraba a la casa por un zaguán con mayólica, y la puerta cancel daba al living.
3 ☐ [...] Irene y yo vivíamos siempre en esta parte de la casa, casi nunca íbamos más allá de la puerta de roble.
4 ☐ Yo andaba un poco perdido a causa de los libros, pero por no afligir a mi hermana me puse a revisar la colección de estampillas de papá, y eso me sirvió para matar el tiempo.
5 ☐ Fui a la cocina, calenté la pavita, y cuando estuve de vuelta con la bandeja del mate le dije a Irene:
6 ☐ Tuve que cerrar la puerta del pasillo.

14 Escribe en tu cuaderno un breve relato de un viaje que hiciste o de unas vacaciones. Utiliza el pretérito imperfecto y el indefinido.

Incluye:

- dónde fuiste
- cómo era el lugar
- cuándo fuiste
- qué hacías todos los días
- cómo fue la experiencia

Música

15 Completa el mapa mental con los tipos de música que conoces.

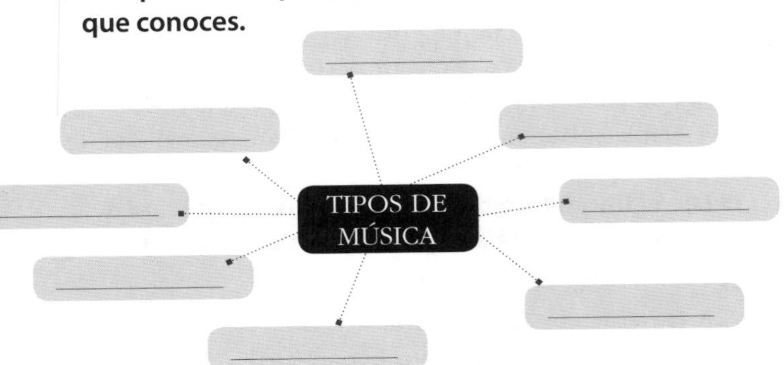

16 Completa estas oraciones sobre tu clase de español.

todos • ninguno • algunas • muchos • la mayoría de

En mi clase de español:

1 ________ los alumnos estudian mucho.
2 ________ actividades son más difíciles, por ejemplo, las actividades de pronunciación.
3 ________ somos de países diferentes.
4 ________ de nosotros es experto en español.
5 ¡A ________ nos gusta mucho el profesor!

17 Lee el título del artículo de la actividad siguiente. ¿Crees que la música puede influir en una enfermedad como el cáncer? Coméntalo con tu compañero.

18 Lee el artículo y marca si las afirmaciones son verdaderas (V) o falsas (F).

1 Algunas artes musicales pueden mejorar aspectos físicos y psicológicos de los enfermos de cáncer. ☐
2 Muchos artistas de todo el mundo están involucrados en el espectáculo *Danza en Concierto*. ☐
3 Todas las ciudades importantes de España han realizado el programa. ☐
4 El programa no está destinado a ningún niño enfermo de cáncer. ☐
5 La mayoría de los estudios que existen muestran el beneficio de la terapia musical. ☐
6 En *Danza en concierto* han elegido muchas canciones con diferentes estilos. ☐

«La terapia musical, por el arte y la emoción, mejora al enfermo oncológico*»

J. MORÁN

Arte y emoción, dos conceptos combinados que se hallan tanto en las disciplinas de la música –«canto, *ballet* clásico, danza, interpretación coral»–, como «en la propia medicina», apuntó ayer Luis Olay, jefe del departamento de Oncología y Radioterapia del Hospital Universitario Central de Asturias (HUCA).

Olay presentó el programa «El desarrollo artístico como terapia en el paciente oncológico», sobre la base de que las artes musicales pueden inducir a una mejoría en ciertos aspectos «físicos y psicológicos del enfermo de cáncer». A Olay le acompañaron en la presentación Viengsay Valdés –desde 2001, primera bailarina del Ballet Nacional de Cuba–, y Tina Gutiérrez –soprano y directora de la Fundación Cultural Don Pelayo. [...] Ambas artistas hablaron del espectáculo benéfico *Danza en Concierto* [...].

Luis Olay describió un «ambicioso programa que aún no se ha realizado en ningún sitio» y que consiste en «medir el efecto de la música y del arte escénico en la mente y el cuerpo del ser humano», y particularmente, «en todo tipo de pacientes oncológicos, desde los más pequeñitos hasta el paciente mayor con su enfermedad en evolución». Existen «numerosos estudios que muestran los beneficios de todas las artes que rodean a la música, desde la audición pasiva hasta las clases de baile, de coro o el teatro musical».

[...] Tina Gutiérrez resaltó la gran capacidad de Valdés «para causar una honda emoción», y explicó que «para *Danza en concierto* hemos elegido canciones de distintos estilos, y muy dispares, dirigidos a muchos tipos de público para que, al menos, una canción les llegue al alma».

*Enfermo oncológico: enfermo de cáncer

Extraído de www.lne.es

19 **Con tu compañero, escribe en el mapa de los países que hablan español como lengua oficial algunos estilos musicales típicos. Busca información en internet si lo necesitas.**

20 **Añade el pronombre interrogativo o exclamativo correspondiente.**

1 ¡__________ bonito día! Voy a salir a correr por el parque.
2 No me dijiste __________ se llama tu nuevo novio.
3 No sé __________ siempre estás aburrido.
4 ¿__________ vive tu prima?
5 Me sorprendió __________ bailaba, ¡es una bailarina increíble!
6 ¿__________ va al viaje de fin de curso?
7 No sé __________ gente va a venir a cenar.
8 El director siempre me pregunta __________ es mi apellido.

21 **Este fragmento está basado en una entrevista real al escritor argentino Jorge Luis Borges. Completa los espacios con los siguientes pronombres interrogativos y exclamativos.**

qué (x2) • cuándo • cómo • dónde • quién

ENTREVISTADORA: ¡Empecemos por el principio! ¿__________ y __________ nació?

J. L. BORGES: Nací en Buenos Aires el 24 de agosto del año 1899. Esto me agrada porque me gusta mucho el siglo XIX.

E.: ¿__________ significa la literatura para usted?

J. L. B.: [...] yo sabía, de un modo misterioso e indudable, que mi destino era literario.

E.: ¿__________ recibe el hecho que todos saben __________ es usted en la calle?

J. L. B.: ¡__________ pregunta difícil! [...] Siento amistad por ellos y siento gratitud.

22 **Esta es la letra de uno de los boleros más conocidos del cantante y compositor mexicano Armando Manzanero. Léela y complétala con los versos que faltan. Después, puedes buscarla en internet y comprobar las respuestas.**

al mar oí cantar • la otra noche vi brillar
si me extrañas o me engañas • que un ave enamorada

ESTA TARDE VI LLOVER
(Armando Manzanero)

Esta tarde vi llover,
vi gente correr
y no estabas tú.

(1) __________
un lucero azul
y no estabas tú.

La otra tarde vi
(2) __________
daba besos a su amor
ilusionada
y no estabas.

Esta tarde vi llover,
vi gente correr
y no estabas tú.

El otoño vi llegar,
(3) __________
y no estabas tú.
Ya no sé cuánto me quieres,
(4) __________
solo sé que vi llover,
vi gente correr
y no estabas tú.

Lengua y comunicación

Marca la respuesta correcta.

1 La foto ____ un hombre con un niño.
a) ☐ transmite
b) ☐ muestra
c) ☐ dice

2 ____ derecha, vemos un bosque muy grande.
a) ☐ A la
b) ☐ De la
c) ☐ La

3 Está ____ fumar en las instalaciones.
a) ☐ prohibido
b) ☐ prohibida
c) ☐ prohíbe

4 No está ____ usar móviles o cámaras fotográficas.
a) ☐ permite
b) ☐ prohíbe
c) ☐ permitido

5 ____ prohíben los tacones.
a) ☐ Está
b) ☐ Se
c) ☐ Están

6 En el ____ de esta pintura hay un río y un camino.
a) ☐ fondo
b) ☐ izquierda
c) ☐ derecha

7 Mientras ____ en la ducha, escuché un ruido muy raro.
a) ☐ estuve
b) ☐ estaba
c) ☐ estoy

8 El verano pasado ____ a uno de los mejores chefs de Barcelona.
a) ☐ conocí
b) ☐ conocía
c) ☐ he conocido

9 Cuando al final ____ mi hermano, mi madre estaba muy preocupada.
a) ☐ llegamos
b) ☐ llegáis
c) ☐ llegó

10 ____ tanto calor que decidí irme a la playa muy temprano.
a) ☐ Hace
b) ☐ Hacía
c) ☐ Hizo

11 ____ caminábamos, nos divertíamos muchísimo hablando de nuestra época en el colegio.
a) ☐ Como
b) ☐ Mientras
c) ☐ Así que

12 Me sorprendió ____ pintaba esa niña tan pequeña.
a) ☐ cómo
b) ☐ quién
c) ☐ como

13 No sabe ____ es su profesora de francés.
a) ☐ quien
b) ☐ que
c) ☐ quién

14 La ____ de los alumnos disfrutan mucho de la clase de arte.
a) ☐ cantidad
b) ☐ mayoría
c) ☐ grupo

15 ____ chicos de mi clase prefieren el pop.
a) ☐ Muchas
b) ☐ Algunas
c) ☐ Muchos

16 A ____ mi familia le gusta la salsa.
a) ☐ toda
b) ☐ todo
c) ☐ todas

17 ____ gente piensa que la música es la mejor medicina.
a) ☐ Mucha
b) ☐ Muchas
c) ☐ Mucho

18 Uno de los relatos más breves en español es de Monterroso: «Cuando ____, el dinosaurio todavía ____ allí».
a) ☐ despertaba / estuvo
b) ☐ despertó / estaba
c) ☐ han despertado / estaba

19 El año pasado ____ ir a Alemania, pero al final decidí viajar a Austria.
a) ☐ quería
b) ☐ quiero
c) ☐ he querido

20 Cuando ____ a Honduras y El Salvador por primera vez, tenía 25 años.
a) ☐ ha viajado
b) ☐ viajaba
c) ☐ viajé

Total: ____ / 10 puntos

Destrezas

1. COMPRENSIÓN ESCRITA

1 Lee el blog y señala la respuesta correcta.
(___ / 2 puntos)

El texto:

1 Describe sentimientos con respecto al arte. ☐
2 Informa sobre lo que significa arte. ☐
3 Ayuda a persuadir al lector para comprar obras de arte. ☐
4 Analiza las distintas manifestaciones artísticas. ☐

2 Lee la definición de *arte* del primer párrafo. ¿Qué expresión significa lo mismo que *música*? (___ / 2 puntos)

____

3 Observa la palabra en negrita «mismo» en el segundo párrafo. ¿A qué se refiere? (___ / 2 puntos)

____

4 Lee el tercer párrafo y contesta a la pregunta: ¿qué pasó en el siglo XVIII? (___ / 2 puntos)

____

5 Lee el último párrafo y escribe al menos dos de las razones por las cuales hay una similitud en la definición de *arte* y *ciencia*. (___ / 2 puntos)

____

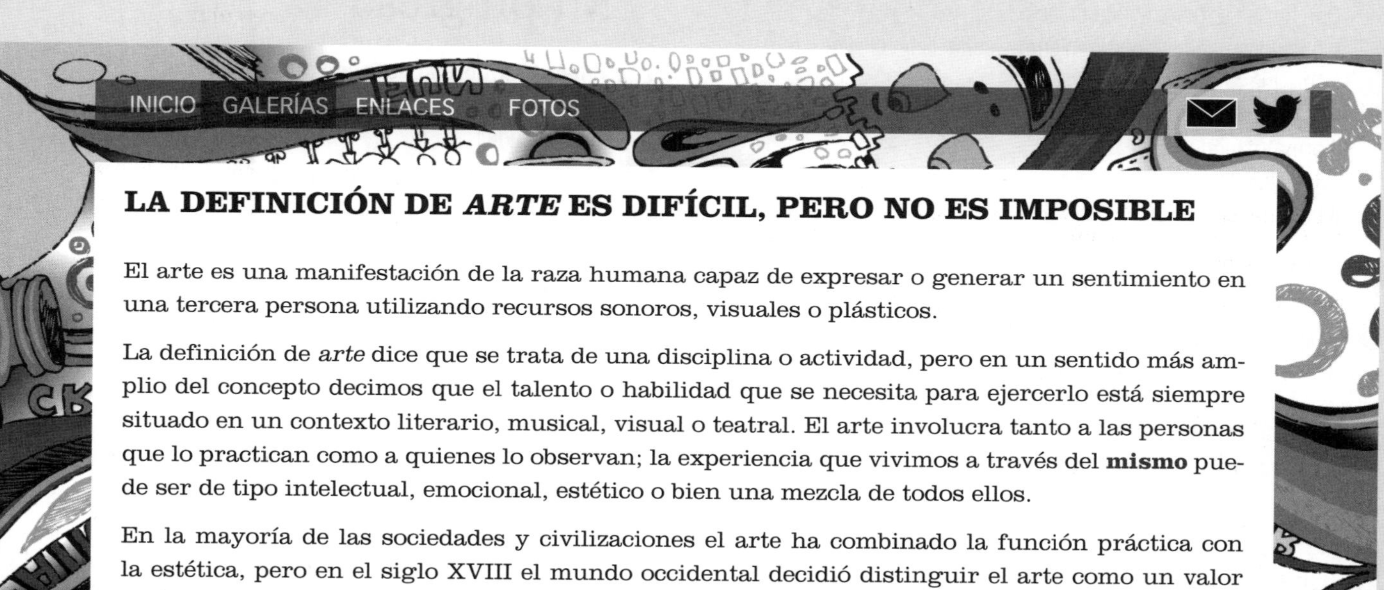

INICIO GALERÍAS ENLACES FOTOS

LA DEFINICIÓN DE *ARTE* ES DIFÍCIL, PERO NO ES IMPOSIBLE

El arte es una manifestación de la raza humana capaz de expresar o generar un sentimiento en una tercera persona utilizando recursos sonoros, visuales o plásticos.

La definición de *arte* dice que se trata de una disciplina o actividad, pero en un sentido más amplio del concepto decimos que el talento o habilidad que se necesita para ejercerlo está siempre situado en un contexto literario, musical, visual o teatral. El arte involucra tanto a las personas que lo practican como a quienes lo observan; la experiencia que vivimos a través del **mismo** puede ser de tipo intelectual, emocional, estético o bien una mezcla de todos ellos.

En la mayoría de las sociedades y civilizaciones el arte ha combinado la función práctica con la estética, pero en el siglo XVIII el mundo occidental decidió distinguir el arte como un valor estético que, al mismo tiempo, contaba con una función práctica. **Si buscamos una definición de *arte* de índole más «pura», decimos que es un medio por el cual un individuo expresa sentimientos, pensamientos e ideas;** es así como vemos a este conjunto representado en pinturas, esculturas, letras de canciones, película y libros. Las bellas artes centran su interés en la estética; nos referimos a la pintura, la danza, la música, la escultura y la arquitectura; las artes decorativas suelen ser utilitarias, es decir «útiles» específicamente.

Aunque nos resulte difícil creerlo, la definición de *arte* hace un paralelismo con la ciencia; se asegura que tanto el arte como la ciencia requieren de habilidad técnica: tanto los artistas como los científicos tratan siempre de ofrecer un orden partiendo de sus experiencias. Ambos pretenden comprender el universo en el que habitan y se desarrollan, hacer una valoración de él y transmitir lo que interpretan a otros individuos [...].

Extraído de www.abcpedia.com

Total: _____ / 10 puntos

2. PRODUCCIÓN ESCRITA

(100 palabras, aproximadamente)

Hiciste un intercambio el año pasado en un país hispano. Escribe tu blog de viaje.

Incluye:

- dónde y cuándo viajaste
- qué hacías durante el intercambio
- algo curioso que te ocurrió en el viaje
- cómo fue tu experiencia

▶ EVALUACIÓN DE TU PRODUCCIÓN ESCRITA

- **Lengua** (___ / 4 puntos)
  - Léxico: relacionado con la narración o el relato de un viaje
  - Gramática: pretérito imperfecto e indefinido, conectores
- **Contenido** (___ / 4 puntos)
  - Dónde y cuándo viajaste
  - Qué hacías durante el intercambio
  - Algo curioso que te ocurrió mientras estabas en el viaje
  - Cómo fue tu experiencia
- **Formato: blog** (___ / 2 puntos)
  - ¿Hay título?
  - ¿Incluyes quién escribe el blog?

Total: _____ / 10 puntos

3. PRODUCCIÓN Y COMPRENSIÓN ORAL (interacción)

(Mínimo, un minuto cada uno)

Con un compañero, habla de la música que escuchas.

Incluye:

- qué música escuchas y por qué
- cuándo y dónde la escuchas
- tu experiencia en un concierto: cuándo fuiste, cómo era el lugar
- qué te transmite o comunica la música en tu vida

▶ EVALUACIÓN DE TU PRODUCCIÓN ORAL Y DE LA COMPRENSIÓN ORAL DE TU COMPAÑERO

- **Lengua** (___ / 4 puntos)
  - Léxico: relacionado con la música
  - Gramática: presente, pretérito imperfecto / indefinido
- **Contenido** (___ / 4 puntos)
  - Qué música escuchas y por qué
  - Cuándo y dónde la escuchas
  - Tu experiencia en un concierto, cuándo fuiste, cómo era el lugar
  - Qué te transmite o comunica la música en tu vida
- **Expresión** (___ / 2 puntos)
  - Hablas con fluidez
  - Tienes una buena pronunciación y entonación
- **Interacción** (___ / 10 puntos)
  - Comprendes lo que dice tu compañero
  - Respondes de forma coherente a lo que dice tu compañero

Total: _____ / 20 puntos

Total: _____ / 50 puntos

Mi progreso

Valora tu progreso después de esta unidad.

Mis habilidades			
- Hablar, entender y escribir sobre pintura, literatura y música			
- Entender y escribir un artículo, un blog, y una señal			
Mis conocimientos			
- Las manifestaciones artísticas: la pintura, la literatura y la música			
- Contraste pretérito indefinido / pretérito imperfecto			
- *Está prohibido / permitido, prohibido, se prohíbe, no se permite* + infinitivo			
- Cuantificadores			
- Acentuación de pronombres interrogativos y exclamativos			
- Información sobre Honduras y El Salvador y sus manifestaciones artísticas			
Soy más consciente			
- De las manifestaciones artísticas; en especial, la pintura, la literatura y la música			
- De la importancia del arte en mi vida diaria			
- De la función estética y comunicativa del arte			

 Bien  Adecuado  Mal

9 Tecnología

Grandes inventos del pasado

1 Completa la tabla.

verbos	sustantivos
construir	la construcción
	el uso
	la utilización
	la contribución
	la patente
	la fabricación
	la invención

2 ¿Te parece que estas frases son verdaderas (V) o falsas (F)? Después, lee el texto y compruébalo.

1 Los orígenes del cine tuvieron lugar en América. ☐
2 Las voces de los actores han sido siempre muy importantes. ☐
3 Al principio no había color en las películas. ☐
4 Durante la película se interpretaba música en directo. ☐
5 A los inmigrantes no les gustaba el cine porque no lo entendían. ☐
6 La industria del cine se trasladó de la costa este a la oeste de Estados Unidos. ☐
7 Los actores del cine mudo tuvieron mucho éxito con el cine sonoro. ☐
8 Muchos músicos se quedaron sin trabajo con el cine sonoro. ☐

La historia del cine

El cine o cinematógrafo, como se llamaba al principio, comenzó como espectáculo en 1895, exactamente un 28 de diciembre en París. Sus creadores fueron los hermanos Lumière. En un principio el cine era mudo, es decir, no tenía sonido directo. No obstante, las proyecciones se acompañaban de música en vivo, normalmente de un pianista. En aquella época las imágenes eran todavía en blanco y negro.

A principios del siglo XX comenzaron a abrirse pequeños estudios cinematográficos. En Estados Unidos el cine tuvo un gran éxito, sobre todo en las grandes ciudades, como Nueva York, llenas de inmigrantes que no sabían inglés y que no podían entender otros tipos de manifestaciones culturales, como el teatro, la radio o incluso la literatura. Para ellos, el cine mudo era una buena manera de entretenerse a partir de imágenes y música.

El negocio del cine empezó a ser interesante, pero Thomas Alva Edison, que tenía la patente del cinematógrafo, no quiso ceder los derechos de explotación a los productores independientes; por ese motivo muchos de ellos emigraron de Nueva York al oeste y buscaron un lugar ideal para rodar, y así nació Hollywood, en las soleadas tierras de California.

Los primeros experimentos con el sonido los hizo el físico francés Dèmeny en 1893. Pero no fue hasta 1918 cuando se patentó el sistema sonoro. A partir de entonces, se introdujeron grandes cambios en la técnica y la expresión cinematográficas. Algunas estrellas de cine de Hollywood de esa época perdieron su popularidad debido a que al público no le gustaban sus voces. El cine sonoro hizo desaparecer también a los músicos que acompañaban las proyecciones de las películas y, al mismo tiempo, el silencio se convirtió en un nuevo elemento dramático desconocido por el cine mudo.

Elaborado con información extraída de la Wikipedia.

3 Completa las frases con las siguientes palabras.

aparato • máquina • motor • sistema • moderno
primero • revolucionario • eléctricas

1. Bell fue el ____________ en patentar el teléfono, aunque él no fue su inventor.
2. La ____________ de vapor fue el invento más importante de la Revolución Industrial.
3. Este ______ sirve para controlar la temperatura de alguien que tiene fiebre.
4. Los frigoríficos produjeron un cambio ____________ en los hogares para siempre.
5. El cine ____________ es, con pocas excepciones, en color.
6. El canal de Panamá tiene un ____________ de esclusas.
7. La potencia del ____________ de los automóviles se cuenta en caballos.
8. Las máquinas de afeitar ____________ no utilizan agua.

4 Completa la tabla.

presente	p. perfecto	p. indefinido	p. imperfecto
es	ha sido	fue	era
tenemos			
hay			
invento			
aparece			
pide			

5 Añade estas frases en pretérito imperfecto al texto en los lugares correspondientes.

a era muy difícil usar espuma y agua
b los soldados utilizaban esta maquinilla regularmente
c que tenía un motor incluido
d quien trabajaba en las minas de Alaska
e que proporcionaba seguridad y protección durante el afeitado
f estas se oxidaban muy rápidamente y tenían que cambiarse con frecuencia

La maquinilla de afeitar

Debemos la primera máquina de afeitar eléctrica al soldado norteamericano Jacob Schick, (1) ____. Debido al clima tan frío, de temperaturas bajo cero, (2) ____ y por eso buscó otra forma de afeitarse. La primera máquina, (3) ____, apareció en 1928.

La maquinilla de afeitar (4) ____ la inventó el estadounidense King Camp Gillette a finales del siglo XIX. Tuvo un gran éxito porque durante la Primera Guerra Mundial (5) ____. Se utilizaron alrededor de 3,5 millones de maquinillas y 32 millones de cuchillas de afeitar.

Gillette fabricó cuchillas de acero al carbono hasta los años sesenta, pero (6) ____. En 1965, la compañía británica Wilkinson Sword empezó a vender cuchillas de acero inoxidable. De esta forma, esta compañía capturó rápidamente los mercados británico y europeo, forzando a Gillette a fabricar cuchillas de acero inoxidable para poder competir.

Basado en información extraída de Wikipedia

6 (53) **Escucha este *podcast* y completa el texto.**

Hoy en día no nos podemos imaginar nuestras vidas sin los coches, también llamados automóviles. Pero, ¿cómo (1) __________ todo? Los primeros automóviles, aunque todavía no se llamaban así, aparecieron en el siglo XVIII y (2) __________ de vapor. Sin embargo, fue en el siglo XIX cuando se (3) __________ el primer motor con combustión de gasolina. Aunque ya se (4) __________ en diversos países, en 1908 el estadounidense Henry Ford (5) __________ a producir automóviles en una cadena de montaje. Este nuevo sistema permitió la fabricación en masa. Y a partir de ahí, todo (6) __________ cambios e innovaciones hasta tener los coches de hoy en día. Pero ¿qué nos espera en el futuro? ¿Coches que conducen solos, que pueden volar, o que funcionan con otro tipo de energía? Esto todavía está por ver…

Tecnología actual

7 Contesta a estas preguntas con un compañero. Después, lee este texto sobre los teléfonos móviles y comprueba tus respuestas.

1 ¿Cuándo se crearon los primeros teléfonos móviles?
2 ¿Cómo se llamaba la primera compañía de teléfonos móviles?
3 ¿Cuál era el problema de los primeros teléfonos?

Los teléfonos móviles

Durante muchos años se intentó crear un teléfono sin cables para poder tener movilidad. Landell de Moura, un cura e inventor brasileño, fue el primero en transmitir la voz por ondas de radio y patentó el transmisor de ondas, el teléfono inalámbrico y el telégrafo inalámbrico. Todo esto ocurrió a principios del siglo XX, pero su trabajo no fue conocido o reconocido, y podemos decir que los primeros logros tuvieron lugar a comienzos de la Segunda Guerra Mundial, cuando se tenía la necesidad de la comunicación a distancia. La compañía Motorola creó entonces un equipo llamado *Handie Talkie*. Estos primeros sistemas eran muy grandes y pesados, y se utilizaban casi exclusivamente dentro de los vehículos. Se tardaron varias décadas en conseguir un móvil ligero, del tipo de los que utilizamos hoy en día. Se considera que fue la empresa telefónica Motorola la que, en 1983, creó el primer móvil.

Su uso ha causado una gran revolución en los sistemas de comunicación. Con la invención del SMS a través del teléfono móvil se introduce por primera vez la comunicación escrita en un aparato que en principio era para la comunicación oral. Y eso era solo el principio…

La evolución del teléfono móvil ha permitido disminuir su tamaño y peso; desde el primer teléfono móvil, que pesaba 800 gramos, a los actuales, más compactos, ligeros y con muchas prestaciones. Ha sido a partir del siglo XXI cuando los teléfonos móviles han adquirido funcionalidades que van mucho más allá de llamar y recibir llamadas o mensajes; son pequeños ordenadores.

Basado en información extraída de Wikipedia

8 Continúa el texto de los móviles añadiendo dos párrafos más sobre los teléfonos móviles en la actualidad.

1 Primer párrafo: características

2 Segundo párrafo: uso

9 Escribe tres argumentos a favor de las TIC en el aula y tres en contra.

1 ______________________
2 ______________________
3 ______________________

1 ______________________
2 ______________________
3 ______________________

10 Completa las frases con los verbos del recuadro.

descargar • conectar • copiar • colgar • pegar
instalar • cortar • guardar • crear

1 El documento es demasiado largo. Creo que tengo que ____________ algunos párrafos.
2 Debes ____________ tu proyecto si no quieres perderlo.
3 Puedes ____________ un nuevo archivo para tener toda la gramática junta.
4 ¡Tienes que ____________ el portátil antes de empezar a trabajar!
5 Para poder ver las fotos tienes que ____________ la nueva versión.
6 Puedes ____________ gratis el programa antivirus de internet.
7 Tienes que ____________ el proyecto para el lunes en Moodle. Lo ha dicho la profesora.
8 No se puede ____________ y ____________ cualquier foto de internet, tienes que escribir la referencia.

11 Completa la tabla con los imperativos.

tú	vosotros
habla	
	abrid
escoge	
	colgad
escribe	
	haced
sal	
	decid
ve	
	comprobad

12 Añade el pronombre adecuado a estas frases.

me • te (x2) • le • lo • la • os (x2)

1 Conécta_____ con tus amigos.
2 Senta_____ todos con la espalda recta.
3 Cómpra_____ el móvil, porque tú te lo mereces.
4 Da_____ el cable, por favor; yo ya no tengo batería.
5 Levanta_____ despacio y haced el ejercicio en parejas.
6 Enciende el ordenador y conécta_____ a internet.
7 Coge la silla y pon_____ en el medio de la habitación.
8 Escoge a un compañero y da_____ las instrucciones.

13 Estas instrucciones están desordenadas. ¿Puedes ponerlas en orden para una página web? Hay varias opciones.

- INSTALA EL PROGRAMA ☐
- ABRE UNA CUENTA ☐
- ACEPTA LAS CONDICIONES ☐
- DESCARGA LOS PDF ☐
- LEE LAS INSTRUCCIONES ☐
- ESCOGE LA LENGUA ☐
- PAGA CON TARJETA DE CRÉDITO ☐
- RELLENA LA FICHA CON TUS DATOS PERSONALES ☐

14 Pon este anuncio en tu cuaderno en segunda persona del plural (vosotros).

15 Escribe cinco consejos para un alumno que quiere aprender español.

1 ______
2 ______
3 ______
4 ______
5 ______

La ciencia ficción

16 Escoge una película de ciencia ficción y escribe una pequeña sinopsis.

______
______
______
______
______

17 ¿Cuál es tu opinión sobre los robots? Escribe dos cosas buenas y dos malas.

Buenas
1 ______
2 ______

Malas
1 ______
2 ______

18 Lee el diálogo y coloca las respuestas apropiadas.

a Sí, toma; ¿azul?
b Sí, pero toma unas cuantas.
c Pues no, Marta: el trabajo lo imprimes tú. Yo me voy a la cafetería.
d Claro, ahora mismo.
e Marta, ¿qué has traído hoy a clase?

MARTA: ¿Me das una hoja de papel? Se me ha olvidado el cuaderno.
FELIX: (1) ______.
MARTA: Oye, préstame también un boli, por favor. Tampoco tengo.
FÉLIX: (2) ______.
MARTA: Ya sé que soy pesada, pero ayúdame con este ejercicio, es que no lo entiendo.
FÉLIX: (3) ______.
MARTA: Félix, pásame el libro.
FÉLIX: (4) ______.
MARTA: Ah, el trabajo, pero ¿me lo imprimes tú?, es que tengo hambre y me voy a la cafetería.
FÉLIX: (5) ______.

19 (54) Escucha este programa de radio sobre los nuevos avances de la medicina e indica quién dice lo siguiente: la señora García (G) o el señor Romero (R).

1 Los ordenadores ayudan a predecir y evitar enfermedades. ☐
2 Las máquinas no lo pueden hacer todo. ☐
3 Hay que confiar en la ciencia. ☐
4 Las personas necesitan un trato personal. ☐
5 Las personas siempre tienen miedo a lo desconocido. ☐

20 Coloca en estas frases las tildes necesarias en: *mi, tu, el, se* y *si*.

1 ● Si tengo tiempo, le envío el documento esta noche.
■ Gracias, se lo agradezco.
2 ● No se si voy a ir a la fiesta de Luis.
■ Yo si que voy, se que el nos lo va a agradecer.
3 ● Mi móvil no funciona.
■ Para mi que no tienes batería.
4 ● ¿Tu tienes un cable?
■ ¡Pero si tienes uno en tu mochila!

21 ¿Conoces el sombrero panamá? Lee el texto y contesta a estas preguntas.

1 ¿Cómo es el sombrero?
2 ¿De dónde es el sombrero?
3 ¿Por qué se llama así?

El sombrero de paja-toquilla (o simplemente panamá, o jipijapa) es un tradicional sombrero de color crema, con una cinta negra y de ala ancha. Se confecciona con las hojas trenzadas de la palmera. A pesar del nombre, los sombreros son originarios de Ecuador, donde también se fabrican; su nombre viene del hecho de que alcanzaron relevancia durante la construcción del canal de Panamá, cuando millares de sombreros fueron importados desde Ecuador para el uso de los trabajadores de la construcción. Cuando Theodore Roosevelt visitó el Canal, usó dicho sombrero, lo que aumentó su popularidad.

Extraído de www.es.wikipedia.org

Lengua y comunicación

Marca la respuesta correcta.

1 Alrededor del año 1857, Meucci ____ el primer teléfono.
a) ☐ inventó
b) ☐ contribuyó
c) ☐ apareció

2 La primera máquina de afeitar con motor incluido ____ en 1928.
a) ☐ utilizó
b) ☐ usó
c) ☐ apareció

3 James Watt ____ su máquina de vapor en 1769.
a) ☐ imprimió
b) ☐ contribuyó
c) ☐ patentó

4 La máquina de vapor fue un invento ____ para la industria.
a) ☐ eléctrico
b) ☐ revolucionario
c) ☐ comercial

5 El alemán Johannes Gutenberg ____ quien inventó la primera imprenta.
a) ☐ era
b) ☐ fue
c) ☐ ha sido

6 Los nuevos frigoríficos ____ mantener los alimentos fríos durante días.
a) ☐ podían
b) ☐ pudieron
c) ☐ han podido

7 La máquina de vapor ____ la industria en los siglos XVII y XVIII.
a) ☐ revolucionaba
b) ☐ revolucionó
c) ☐ ha revolucionado

8 En los últimos años, internet ____ nuestra forma de comunicarnos.
a) ☐ cambió
b) ☐ ha cambiado
c) ☐ cambiaba

9 El canal de Panamá ____ en 1914.
a) ☐ se inauguraba
b) ☐ se inauguró
c) ☐ se ha inaugurado.

10 El trabajo es demasiado largo. Creo que tengo que ____ algunas frases.
a) ☐ cortar
b) ☐ copiar
c) ☐ pegar

11 Para el martes, debéis ____ el trabajo en Moodle.
a) ☐ instalar
b) ☐ colgar
c) ☐ descargar

12 Acordaos de que tenéis que ____ los documentos.
a) ☐ guardar
b) ☐ conectar
c) ☐ instalar

13 Si quieres formar parte de nuestro grupo, primero ____ la ficha con tus datos.
a) ☐ rellenad
b) ☐ rellene
c) ☐ rellena

14 ____ el nuevo teléfono, te va a cambiar la vida.
a) ☐ Prueba
b) ☐ Pruebe
c) ☐ Prueben

15 Todos juntos, ____ los dos brazos a la vez.
a) ☐ levantad
b) ☐ levanta
c) ☐ levante

16 Este libro le va a gustar. Es un buen regalo. ____
a) ☐ Cómprasela.
b) ☐ Cómpraselo.
c) ☐ Cómpramelo.

17 ____ en la silla con los ojos cerrados.
a) ☐ Sentáis
b) ☐ Sentad
c) ☐ Sentaos

18 ____ a mí el cable, por favor, que está ahí, a tu lado.
a) ☐ Dale
b) ☐ Dame
c) ☐ Da

19 ● Pásame el pegamento.
■ ____
a) ☐ Sí, toma.
b) ☐ Sí, tome.
c) ☐ Sí, tomad.

20 ____ que voy a la playa con ____. Me apetece mucho.
a) ☐ Sí / él
b) ☐ Si / él
c) ☐ Sí / el

Total: ____ / de 10 puntos

Destrezas

1. COMPRENSIÓN ESCRITA

1 Relaciona estas frases con cada uno de los párrafos. (___ / 7 puntos)

a Hace más de veinte siglos se construyó una especie de robot. ☐
b En muchas películas aparecen robots. ☐
c Lo que significa *robot*. ☐
d La mayoría de robots son parecidos al ser humano. ☐
e Los robots se utilizan en muchos campos. ☐
f Los robots hacen lo que ordena el ser humano. ☐
g Ya existen robots muy conocidos que realizan tareas muy útiles. ☐

2 Busca en los párrafos 3 y 4 una palabra que signifique lo mismo en cada caso. (___ / 2 puntos)

1 exacta ____________
2 reaccionar ____________
3 vieja ____________
4 datan de ____________

3 Lee el párrafo 6 y contesta a la pregunta: ¿qué ventaja sobre las personas tiene el robot Riba II? (___ / 1 punto)

____

Definición de ROBOT

por SONIA TALAVERA

PÁRRAFO 1
Del inglés *robot*, que a su vez deriva del checo *robota* «prestación personal», un robot es una máquina programable que puede manipular objetos y realizar operaciones que antes solo podían realizar los seres humanos.

PÁRRAFO 2
El robot puede ser tanto un mecanismo electromecánico físico como un sistema virtual de *software*. Ambos coinciden en que dan la sensación de que cuentan con capacidad de pensamiento o resolución, aunque en realidad se limitan a ejecutar órdenes dictadas por las personas.

PÁRRAFO 3
Pese a que no existe una definición precisa del concepto, se suele considerar que un robot tiene la capacidad de imitar el comportamiento de los humanos o los animales. Existen robots humanoides, surgidos a partir de la segunda mitad del siglo XX, que pueden caminar, mover un brazo mecánico, manipular su entorno y hasta responder a los estímulos.

PÁRRAFO 4
La robótica moderna difiere de la antigua debido al lógico avance científico. Sin embargo, los primeros intentos de crear robots se remontan al siglo IV a. C., cuando el matemático griego Arquitas de Tarento logró construir un ave mecánica que funcionaba con vapor.

PÁRRAFO 5
Los robots, en la actualidad, se utilizan en el ámbito industrial (para montar piezas de diversos mecanismos, desplazar grandes pesos y otras tareas), en la medicina (para operar en partes de difícil acceso) y en el campo militar (para reducir las bajas humanas), entre otros sectores.

PÁRRAFO 6
Entre los robots más importantes que han ido surgiendo en los últimos años tendríamos que destacar, por ejemplo, a Riba II, que suele ejercer como enfermero ya que es de gran utilidad para ayudar a las personas que no pueden levantarse de la cama por sí mismas. Riba II tiene una estructura contundente y fuerte que permite que pueda sacar de la cama a los enfermos. De la misma forma, tampoco podemos olvidar la existencia de ATLAS. Este es un robot humanoide creado por el Pentágono en Estados Unidos que puede ejercer un papel fundamental en las situaciones de emergencia. Tiene la capacidad de realizar funciones que son muy peligrosas, además de excesivamente complicadas, para el ser humano.

PÁRRAFO 7
En el campo artístico, desde hace años, los robots han tenido un gran protagonismo. Así, por ejemplo, en el cine, algunos de ellos se han convertido ya en parte de nuestro acervo cultural. Este sería el caso de dos de los personajes más carismáticos y queridos de la saga *La guerra de las galaxias*: «C-3PO» y «R2-D2».

Extraído de www.definicion.de

Total: _____ / 10 puntos

2. PRODUCCIÓN ESCRITA

(100 palabras, aproximadamente)

Escribe un artículo sobre un invento importante en la historia.

Incluye:
- ¿quién lo inventó y cuándo?
- ¿qué había antes del invento?
- ¿qué características y ventajas tiene?
- ¿qué ha aportado el invento a la humanidad?

▶ EVALUACIÓN DE TU PRODUCCIÓN ESCRITA

- **Lengua** (___ / 4 puntos)
  - Léxico: vocabulario relacionado con los inventos
  - Gramática: los tiempos de pasado

- **Contenidos** (___ / 4 puntos)
  - Quién y cuándo
  - Antes del invento
  - Características y ventajas
  - Aportación a la humanidad

- **Formato: artículo** (___ / 2 puntos)
  - ¿Has incluído un título? ¿Has escrito una introducción y una conclusión?
  - ¿Has organizado el texto en párrafos y has usado conectores?

Total: _____ / 10 puntos

3. PRODUCCIÓN Y COMPRENSIÓN ORAL (interacción)

(Mínimo, un minuto cada uno)

Con un compañero, hablad de las películas o libros de ciencia ficción que conocéis.

Incluye:
- una pequeña sinopsis de la película o del libro
- por qué te gusta
- comenta la opinión de tu compañero sobre su película o su libro.
- recomienda a tu compañero la película o el libro.

▶ EVALUACIÓN DE TU PRODUCCIÓN ORAL Y DE LA COMPRENSIÓN ORAL DE TU COMPAÑERO

- **Lengua** (___ / 4 puntos)
  - Léxico: vocabulario relacionado con la tecnología, las películas y la ciencia ficción
  - Gramática: imperativo (para recomendar / aconsejar)

- **Contenido** (___ / 4 puntos)
  - Resumir el argumento de una película
  - Expresar gustos
  - Reaccionar ante una opinión
  - Recomendar una película o un libro

- **Expresión** (___ / 2 puntos)
  - Hablas con fluidez
  - Tienes una buena pronunciación y entonación

- **Interacción** (___ / 10 puntos)
  - Comprendes lo que dice tu compañero
  - Respondes de forma coherente a lo que dice tu compañero

Total: _____ / 20 puntos

Total: _____ / 50 puntos

Mi progreso

Valora tu progreso después de esta unidad.

Mis habilidades			
- Describir y contar hechos sobre el pasado			
- Dar instrucciones, consejos y anunciar un producto			
- Hacer peticiones			
- Escribir en un foro			
Mis conocimientos			
- Léxico relacionado con la tecnología			
- Algunos acentos diacríticos			
- Información sobre Panamá y la tecnología			
Soy más consciente			
- Del impacto de la tecnología en nuestras vidas			
- De nuestra responsabilidad ante la tecnología			
- Del poder y los peligros de la tecnología			

 Bien  Adecuado  Mal

LIBRO DEL ALUMNO

1 Educación

Cambios en los sistemas educativos

1 A y C (1)

Entrevistadora: Es un honor tener con nosotros al experto en educación Eduardo Vallejo, que nos habla hoy de los cambios que están ocurriendo en la educación a nivel mundial. Vamos con la primera pregunta: ¿cuál cree que es el cambio más importante en la educación actual?
Eduardo: Creo que la educación está cambiando, principalmente por las tecnologías. Las TIC están revolucionando la forma de enseñar.
Entrevistadora: ¿Eso quiere decir que el rol del profesor está perdiendo importancia?
Eduardo: No, en absoluto; al contrario, el profesor sigue teniendo un papel muy importante, crucial, pero como guía, como facilitador del aprendizaje, y no como transmisor de conocimientos. El profesor debe promover el pensamiento crítico, es decir, los estudiantes deben cuestionar, analizar y criticar antes de tomar una decisión.
Entrevistadora: Está diciendo algo muy interesante, que me lleva a la próxima pregunta: ¿cuáles son los retos principales para este cambio que está sucediendo en la educación actual?
Eduardo: El alumno debe prepararse con diversas herramientas; estas herramientas son capacidades, actitudes o habilidades que ayudan a aprender a vivir en este mundo globalizado. Muchos gobiernos están invirtiendo en los sistemas educativos, pero su contribución debe ser mayor. La educación, en mi opinión, está cambiando positivamente en muchos países, pero, a la vez, está viviendo una crisis en muchos otros aspectos...

Otras formas de educarse

3 A (2)

Acabo de salir de un curso que en menos de un mes me ha cambiado la vida. Me siento muy bien, puedo expresar mis emociones, mis sentimientos; estoy aprendiendo técnicas teatrales y esta clase realmente me ha enseñado muchísimas cosas sobre mí, ¡una verdadera educación emocional y física! Empiezo a sentir un equilibrio en mi vida, ¡estoy muy contenta!

4 A (3)

1 creatividad; **2** deber; **3** alfabetización; **4** Bolivia; **5** nivel; **6** educativos; **7** establecer; **8** iniciativas; **9** cambiar; **10** investigación; **11** innovación; **12** actividades; **13** acrobacia; **14** viajes; **15** acabar; **16** vida

2 Consumo

La moda

3 B (4)

1 zapatillas – tenis; **2** bragas – cucos; **3** pendientes – aretes; **4** sudadera – buzo; **5** bañador – vestido de baño; **6** gorra – cachucha

De compras

2 A (5)

A ● Hola, ¿le puedo ayudar?
■ Hola, quiero un traje para ir a una boda.
● ¡Ah, muy bien! ¿Cómo lo quiere? ¿Gris, azul marino...?
■ No sé, ¿azul marino?
● Mire, ¿le gusta este?
■ ¿Es muy caro?
● Espere, que miro el precio en la etiqueta. Cuesta 150 euros. ¿Quiere probárselo?

B ● ¿Y si le compramos este casco?
■ ¿No es muy caro?
● Pero somos cinco para el regalo, ¿no? ¿Y si se lo compramos juntos?
■ Vale, tienes razón. Vamos a comprárselo.

C ● ¿Les gusta este vestido?
■ Sí, mucho, es muy bonito.
▲ Sí, me encanta, ¿cuánto cuesta?
● Antes, 60; ahora, 30 euros.
▲ ¡Qué barato!
■ ¿Por qué no te lo pruebas? Seguro que te queda muy bien.
▲ De acuerdo, voy a probármelo.

D ● ¡Me gusta!
■ Sí, pero te queda un poco grande.
● Pero es que me gustan grandes. ¿Me puedes traer una talla más grande? ¡Por favor!
■ Vale, pero a mí me parece demasiado grande...

De segunda mano

4 B (6)

rebajas; estilo; algodón; traje; abrigo; regalar; marca; zapatos; cinturón; música; comprar; universidad; mercadillo; número; vestir; moda; hábito

Colombia

1 B (7)

Colombia es un país situado en el noroeste de América del Sur. Tiene costas en el océano Pacífico y también en el mar Caribe. Su nombre viene de Cristóbal Colón. Tiene casi cincuenta millones de habitantes, que provienen del mestizaje entre europeos, indígenas y africanos. También hay inmigrantes de Oriente. En Colombia se habla español, que coexiste con más de sesenta lenguas amerindias. Las ciudades más importantes son: Bogotá (la capital), Medellín, Santiago de Cali, Barranquilla y Cartagena de Indias. Escritores como Gabriel García Márquez y Álvaro Mutis, el artista Fernando Botero y los músicos Juanes y Shakira son colombianos. En Colombia se interpretan muchos tipos de música, pero el vallenato y la cumbia, entre otros, son originarios de este país. Colombia es el tercer productor de café del mundo.

3 Trabajo

Profesiones

3 A (8)

1 peluquero; **2** abogado; **3** diseñador; **4** médico; **5** policía; **6** bloguero; **7** violinista; **8** piloto; **9** farmacéutico; **10** camarero; **11** bombero; **12** filólogo

3 B (9)

1 Paco; **2** Cata; **3** Toni; **4** Pepe; **5** Pili; **6** Gabi; **7** Bibi; **8** Berto

Desarrollo profesional

1 A (10)

● Tenemos la primera llamada de la mañana. Hola, buenos días.
■ ¿Hola?
● Hola. ¿Nos dices tu nombre?
■ Fátima, Fátima Rodríguez.
● ¿Y cuántos años tienes?
■ Diecinueve.
● Muy bien, Fátima. Dinos, ¿qué fue lo más importante que te pasó el año pasado en tu vida profesional?
■ Pues lo más importante fue que aprendí a conducir un autobús.
● ¡Pero tú eres muy joven! ¿Y cómo aprendiste?
■ Me enseñó mi padre... Es que mi padre es conductor de autobuses... ¡Pero después fui a una autoescuela para sacarme el carné de conducir!
● ¿Y ahora estás trabajando como conductora de autobuses?
■ Sí, en la empresa de mi padre. ¡Y estoy encantada!
● Muchas gracias por tu llamada, Fátima. ¡Y enhorabuena!
■ Gracias. ¡Adiós!

1 B (11)

● Buenos días a todos, queridos amigos. En nuestro programa vamos a hablar de cosas positivas. A veces nos ocurren cosas que cambian nuestra vida personal o nuestra vida profesional. Por eso, la pregunta de hoy en nuestro programa es: ¿qué fue lo más importante que te pasó el año pasado profesionalmente? Esperamos vuestras llamadas. Tenemos la primera llamada de la mañana. Hola, buenos días.
■ ¿Hola?
● Hola. ¿Nos dices tu nombre?
■ Fátima, Fátima Rodríguez.
● ¿Y cuántos años tienes?
■ Diecinueve.
● Muy bien, Fátima. Dinos, ¿qué fue lo más importante que te pasó el año pasado en tu vida profesional?
■ Pues lo más importante fue que aprendí a conducir un autobús.
● ¡Pero tú eres muy joven! ¿Y cómo aprendiste?
■ Me enseñó mi padre... Es que mi padre es conductor de autobuses... ¡Pero después fui a una autoescuela para sacarme el carné de conducir!
● ¿Y ahora estás trabajando como conductora de autobuses?
■ Sí, en la empresa de mi padre. ¡Y estoy encantada!
● Muchas gracias por tu llamada, Fátima. ¡Y enhorabuena!
■ Gracias. ¡Adiós!

***

● Vamos con la segunda llamada. ¡Hola! ¡Buenos días! ¿Con quién hablamos?
■ Hola, soy Alberto.
● ¡Hola, Alberto! Cuéntanos, ¿qué fue lo más importante que te ocurrió el año pasado profesionalmente?
■ El año pasado gané el Concurso Internacional de Piano de Santander. Fue el día más feliz de mi vida.
● ¿Y qué hiciste después?
■ Empecé a trabajar en una de las mejores orquestas de Alemania, y ahora estoy viviendo en Berlín.
● ¡Muchas felicidades, Alberto!
■ Muchas gracias.

***

● Pasamos ahora a la tercera llamada de la mañana. Hola, buenos días.
■ Hola, buenos días.
● ¿Cómo te llamas?
■ Lucía.
● Hola, Lucía. Cuéntanos, ¿qué fue lo más importante que te ocurrió el año pasado en tu vida profesional?
■ Pues es que a mí me encanta cocinar y he trabajado en muchos restaurantes...
● ¿Y qué te pasó el año pasado?
■ Que por fin conseguí ver mi sueño hecho realidad.
● ¿Abriste tu propio restaurante?
■ ¡Sí! ¡Se llama Mamá Lucía!
● ¿Y qué tal te va?
■ ¡Muy bien! Pero trabajo muchas horas, ¿eh?
● Sí, claro... Es que el horario de los cocineros es muy largo, pero... ¡enhorabuena, Lucía! Ya lo saben: si quieren comer bien, no dejen de ir a comer a Mamá Lucía. Mucha suerte con tu negocio.
■ ¡Gracias!

Vida laboral

3 A (12)

Sofía: Javier, necesito dinero y me gustaría trabajar este verano. ¿Me das ideas? ¿Qué trabajos has hecho tú?
Javier: Trabajé en un restaurante, como ayudante de cocina.

Sofía: ¿Cuándo?
Javier: El verano pasado. Trabajé dos meses: de principios de julio a principios de septiembre.
Sofía: ¿Y ganaste mucho dinero?
Javier: Mucho no, pero me compré una bicicleta y me fui de vacaciones después.
Sofía: Es que yo me quiero comprar una moto. Tengo algo de dinero ahorrado, pero me falta un poco más...
Javier: ¿Por qué no buscas trabajo en alguna tienda, como dependienta? En verano, muchas tiendas necesitan contratar a gente... Pero, ¿tú no has trabajado nunca?
Sofía: Bueno, a veces hago trabajos pequeños, trabajos temporales... Doy algunas clases particulares a niños, y el verano pasado hice de canguro para mi vecina...

4 Salud

El cuerpo humano

3 A (13)

Buenos días, hoy te invitamos a realizar un ejercicio de relajación con nosotros.
Debes buscar una silla cómoda, colocar la espalda recta y los pies en el suelo. Si prefieres, puedes cerrar los ojos. Debes llevar la atención a tu cuerpo. Ahora, vas a respirar varias veces para llevar más oxígeno a tu cuerpo. Puedes observar los pies que tocan el suelo: ¿qué sensaciones tienes?, ¿calor, frío, tensión? ¿Cómo están tus piernas?, ¿están relajadas? ¿Y tus rodillas? ¿Y tus pies?, ¿están relajados? Debes observar tu espalda en contacto con la silla: ¿está recta? ¿Cómo está tu estómago? Si está tenso, debes respirar profundamente. ¿Cómo están tus manos? ¿Y tus dedos? Debes relajarlos, igual que los brazos y los hombros. Si notas alguna tensión, tienes que respirar y relajar esa parte. Después, puedes observar el cuello, la cara; todo debe estar relajado. Ahora sientes todo tu cuerpo y puedes respirar una vez más. Si estás totalmente relajado, puedes abrir los ojos: tu cuerpo ya está preparado para trabajar.

Problemas de salud

1 A (14)

1 ● ¡Ay, me duele el pie, creo que me lo he torcido!
■ Pero ¿qué te ha pasado?
● Pues..., jugando al baloncesto...

2 ● ¡Estoy muy mareada!
■ ¿Has desayunado bien?
● ¡Ay, no! Me voy a la cafetería a comer y a beber algo. ¡Me duele la cabeza también!

3 ● ¿Qué te pasa?
■ No sé, me duele mucho el estómago. Creo que tengo un virus...

4 ● ¿Te encuentras mal?
■ Sí, creo que tengo fiebre. Y también tengo mucha tos.
● Seguro que tienes un catarro...

5 ● ¿Te encuentras bien, David?
■ No, ¡estoy agotado! Duermo unas nueve horas y me levanto cansado... ¿Qué crees que me pasa?
● No lo sé, pero debes ir al médico.

6 ● ¿Qué te ha pasado?
■ Me he caído, y me duele mucho el brazo. ¡Creo que me lo he roto!

2 A (15)

● Buenos días, ¿qué le pasa?
■ Me encuentro muy cansado, duermo mal, no tengo ganas de comer...
● ¿Tiene mucho estrés últimamente?
■ Pues sí. Estoy estudiando y trabajando y tengo muy poco tiempo libre.
● ¿Y come bien?
■ Pues, la verdad, no, porque no tengo tiempo de cocinar...
● ¿Y café? ¿Toma usted café?
■ Creo que demasiado, sí.
● Bueno, le voy a hacer unos análisis, pero, para empezar, es conveniente cambiar algunas cosas en su vida. Debe cuidar más la comida. Tiene que intentar tomar siempre productos frescos.
■ Sí, sí, de acuerdo...
● ¡Ah!, y debe dejar de tomar café, al menos durante unos meses.
■ Está bien, puedo tomar té, eso no es un problema...
● Muy bien. Además, lo mejor es practicar algún tipo de ejercicio de relajación contra el estrés. Puede hacer yoga, o meditación, pero hay muchas otras técnicas... ¿Por qué no se apunta a algún curso?
■ Sí, tengo amigos que hacen yoga y puedo ir con ellos.

5 Comunicación

La radio y la televisión

2 (19)

1 Interrumpimos el programa para informar que este fin de semana se esperan grandes tormentas en la mayor parte del país. Se aconseja a los ciudadanos quedarse en casa el mayor tiempo posible y, sobre todo, no ir en bicicleta ni utilizar medios de transporte públicos ni privados.
2 Ayer tuvo lugar el concierto de Ricky Martin en el Teatro Principal. Al cantante lo acompañaron sus músicos y un grupo de bailarines con los que ya ha trabajado en muchas ocasiones. Presentó su nuevo disco, pero también, a petición del público, cantó algunos de sus éxitos más famosos.
3 Hoy ha llegado la noticia a los medios de comunicación: parece que los avances en la lucha contra la malaria en África están causando efecto. Por primera vez, las víctimas mortales han disminuido y las estadísticas muestran una gran esperanza.
4 El domingo pasado, como sabemos, se enfrentaron los dos grandes rivales del fútbol en nuestra ciudad. El resultado fue un partido emocionante que terminó en un empate de 2 a 2. Hoy, algunos de los futbolistas de ambos equipos se han reunido para hacerse unas fotos para la campaña contra la violencia en el deporte. Un buen ejemplo, ¡sin duda!

Mensajes escritos

1 B (17)

1 Es una forma fácil, bonita y divertida de compartir con tus amigos tus momentos más especiales a través de fotos.
2 Sirve para establecer relaciones profesionales y es muy útil para encontrar un trabajo.
3 Es una red social que sirve para publicar y leer mensajes de texto de un máximo de 140 caracteres.
4 Se puede hablar con gente de todas las partes del mundo, ¡y es gratis! Solo tienes que estar conectado a internet.
5 Se pueden colgar fotos, videos, decir que te gusta lo que cuelgan tus amigos, incluso tener conversaciones privadas.

Puerto Rico

2 B (18)

Puerto Rico es una isla que está en el mar Caribe. Es una de las islas de las Antillas y está situada al este de la República Dominicana y al oeste de las islas Vírgenes. A pesar de su pequeño tamaño, posee diversidad de ecosistemas: bosques secos y lluviosos, montañas, costas y, por supuesto, playas.
Puerto Rico es un Estado libre asociado de los Estados Unidos desde 1952, pero no forma parte de los Estados Unidos. El país tiene un clima tropical, con una temperatura media [de] entre 20 y 30 grados, aproximadamente.
Cuando los españoles llegaron a la isla, los habitantes de Puerto Rico eran los indios taínos. Por eso [a] Puerto Rico se le llama también Borinkén, que es una palabra taína. Actualmente, los dos idiomas oficiales son el español y el inglés.
En Puerto Rico, los deportes más populares son el baloncesto y el beisbol. Los boricuas también son grandes amantes de la música, y fueron los que popularizaron la salsa en Nueva York.

6 Medio ambiente

Los recursos naturales

1 A y B (19)

Buenos días a todos y muchas gracias por invitarme a participar en esta conferencia.
Como sabemos, y creo que estamos todos de acuerdo, nuestro planeta, como también Venezuela, es rico en recursos naturales. Poseemos grandes bosques, contamos con mucha agua y muchos de nuestros suelos son ricos y apropiados para el cultivo de muchos tipos de plantas. También tenemos recursos no renovables, como el petróleo. Además, tenemos ecosistemas muy diferentes, por eso contamos con una gran riqueza en biodiversidad: animales y plantas de una gran variedad.
Sin embargo, creo que todos conocemos los problemas ambientales que afectan a todo el planeta en este momento, y nuestro país no es una excepción. Estos problemas son el producto de la forma en que la sociedad ha organizado sus recursos naturales.
A continuación, voy a hablar de los principales problemas ambientales que afrontamos.
El primer problema es el crecimiento de la población: cada día nacen más personas en todo el mundo. Estos nuevos habitantes necesitan recursos, como un espacio para vivir, agua, alimento, ropa... Este aumento de población implica problemas ambientales, como la contaminación y la deforestación.
Precisamente, este es nuestro segundo problema: la deforestación. La deforestación es la destrucción del bosque por la acción humana. Esta práctica se realiza con la finalidad de ampliar los terrenos agrícolas por la mayor demanda de alimentos.
Una consecuencia de la deforestación es la contaminación, y este es nuestro tercer problema. La contaminación es un problema ambiental muy grave y se da a todos los niveles; por ejemplo, cada día hay más ríos, lagos o mares que resultan contaminados (principalmente a causa de las aguas residuales de hogares e industrias).
La contaminación también se da por los residuos sólidos. Muchos turistas y habitantes no son conscientes del impacto que generan cuando dejan plásticos, botellas y otros desechos en montañas, bosques, playas, ríos, etcétera.
El aire sufre también de contaminación, por las emisiones de gases tóxicos de las industrias, los automóviles y las petroleras.
El último problema que voy a mencionar es el tráfico de especies. El tráfico de especies amenaza nuestra fauna y flora. Cuando un animal salvaje deja su hábitat para vivir en un zoológico o en la casa de una familia, su biología natural se ve afectada y, normalmente, queda imposibilitado para reproducirse.
Como vemos, nuestro planeta sufre graves problemas ambientales. En Venezuela, poco a poco, estamos tomando conciencia de nuestras acciones y de cómo estas repercuten sobre el ambiente. Pero tenemos que estar convencidos de que depende de nosotros. Tenemos que empezar por acciones concretas, como no tirar basuras en ríos, bosques o parques. Salvar el planeta depende de nosotros. Todos somos parte de la solución.
Muchas gracias. Comencemos con las preguntas...

La educación medioambiental

1 B (20)

El cambio ambiental global es la sumatoria de todas las acciones destructivas que el ser humano genera sobre la tierra día a día. Por eso es tan importante que vos participes, porque con pequeños cambios en tu rutina diaria podemos lograr la solución. Participá, sé parte del cambio.

4 A y B (21)

Moderador: Bienvenidos al debate sobre las medidas que pueden mejorar el medio ambiente en nuestra ciudad. Hoy contamos con la presencia de dos políticos locales muy importantes: Pedro Villanueva y Sara Estévez. Muchas gracias por asistir a este debate. Vamos a comenzar con la señora Estévez.

Sara: ¡Muchas gracias! Uno de los mayores problemas hoy en día es el uso de la energía. Por lo tanto, en primer lugar, debemos reducir el consumo de energía eléctrica utilizando energías renovables, es decir, utilizar más la energía solar, desarrollar sistemas para ahorrar energía...

Moderador: Gracias, señora Estévez. Ahora es el turno del señor Villanueva.

Pedro: Yo no estoy de acuerdo con la señora Estévez. Desde mi punto de vista, lo primero es concienciar a la gente con rutinas diarias, como limitar el consumo de agua, reciclar los envases de plástico o de aluminio, utilizar de forma eficiente el automóvil... Es innegable que esto debe ser lo primero.

Sara: Ya, pero es mucho más importante...

7 Migración

Culturas con historia

4 A (22)

- ¿De qué vas a hacer tu trabajo de Antropología?
- Bueno, creo que voy a hacer un trabajo sobre cómo han influido otras culturas en la cultura española.
- Puede ser muy interesante, pero supongo que te vas a centrar en algún aspecto...
- Bueno, no lo tengo claro porque la verdad es que hay influencia de otras culturas en todo. Es que todas las culturas evolucionan a través del contacto con otras culturas y con las migraciones.
- ¿Por ejemplo?
- He pensado que puedo estudiar las influencias de otras culturas en la gastronomía. Por ejemplo, en los postres como el turrón y otros dulces, que son de origen árabe. O, por ejemplo, la pasta... Hay muchos platos que pensamos que son muy españoles, pero son claramente de origen italiano, como los macarrones...
- ¿Y por qué no basas tu estudio en influencias culturales más recientes? Por ejemplo, la música. Hasta los años cincuenta, en España, no se escucha casi música en inglés. Las películas de Hollywood, con Elvis Presley, por ejemplo, o la música inglesa, con grupos como los Beatles, cambiaron los gustos de la gente joven de la época.
- Es que la influencia de la cultura anglosajona está en casi todos los aspectos de nuestra vida diaria, y no solo en España, sino en todo el mundo... El inglés, por ejemplo, lo estudiamos hoy en día en la escuela como asignatura obligatoria.
- Mis padres estudiaron francés en la escuela.
- Y también está presente en las costumbres; por ejemplo, el *Halloween* es una costumbre muy reciente en España, ¿no?
- Es verdad, ahora cada año hacemos una fiesta en la universidad por *Halloween*.
- Creo que en realidad es una tradición irlandesa que los emigrantes irlandeses importaron a Estados Unidos.
- Es que, a lo largo de la historia, cuando un país ha tenido mucho poder económico y político, ha influido en todos los aspectos de la vida de la gente, especialmente, de los países con los que ha tenido contacto. Mírate: ¿qué ropa llevamos los dos?
- Unos vaqueros y una sudadera.
- ¿Lo ves? Seguro que nuestros abuelos no vestían así cuando eran jóvenes...

Antes y ahora

4 A y B (23)

- Buenos días, señora María. ¿Cómo vamos?
- Bien, guapo, bien..., pero un poco cansada de vivir en este barrio. No sabes las ganas que tengo de irme de aquí.
- Y eso ¿por qué?
- Este barrio ya no es como antes, ya no vive gente de aquí. Todos son extranjeros... A mí no me molestan, ¿eh?, pero es que no los entiendo...
- ¿Y por eso quiere irse? Pero si el barrio ahora es mucho más interesante que antes... Es un barrio multicultural... Además, en el Raval todavía hay muchos españoles. El otro día leí en las noticias que más de la mitad de la población del Raval es española.
- Sí, pero no es como antes. Antes conocía a todo el mundo, y ahora este barrio ya no tiene vida.
- ¿Que no tiene vida? ¡Pero si está lleno de vida y de gente!
- Tú lo ves así porque eres joven...
- Hay mucha gente que viene a pasear, a tomar algo en los bares o en las terrazas... ¡Está muy de moda!
- Sí, sí, viene mucha gente..., pero todas las familias que conocía yo se han ido a vivir a otros barrios, y yo también me quiero ir. ¡Incluso mi hija se ha ido a vivir al extranjero..., y yo me he quedado sola!
- Señora María, eso es otra cosa... Usted se siente sola porque se ha ido su hija, pero ahora en el barrio se vive mejor. Ya no hay tanta delincuencia; el barrio es más tranquilo que antes.
- Sí, eso es verdad, pero todavía hay mucha inseguridad. A mí no me gusta andar por el barrio por la noche. Es verdad que no salgo nunca por la noche, porque a las diez o a las once ya estoy en la cama...
- Señora María, ¿le apetece tomar un café? Venga, que la invito.
- Ay, no, gracias, guapo, muchas gracias. Otro día, que ahora me voy a la peluquería y tengo prisa.

Recuerdos

2 (24)

- Ya estamos en Lavapiés. Aquí vivían mis abuelos y, cuando era pequeña, veníamos los domingos a comer con toda la familia.
- ¿Y te acuerdas de dónde vivían?
- Recuerdo que tenían el piso en esta calle, pero no me acuerdo exactamente del edificio. Es que creo que ya no existe...
- Entonces, ¿tu familia es de Madrid?
- La familia de mi padre, sí, pero la de mi madre, no. Mi madre nació en Madrid, pero mis abuelos no eran de aquí.
- Ah, ¿no? ¿De dónde eran?
- Eran gallegos, de un pueblo que está cerca de Santiago de Compostela. Trabajaban en el campo, pero en aquella época la vida en los pueblos era muy dura. En los años cuarenta, y también en los cincuenta y en los sesenta, mucha gente se iba de Galicia. Muchos se fueron a Argentina o a Uruguay, y también a Francia o a Alemania. Otros vinieron a Madrid, o se fueron a Cataluña o al País Vasco.
- Y tus abuelos vinieron a este barrio...
- Sí, vivían en un piso pequeño con mi madre y con dos familias más, que eran del mismo pueblo que ellos, y compartían el baño entre varios vecinos. Ella trabajaba en el mercado, vendía verduras, y mi abuelo era taxista. Recuerdo que los dos trabajaban mucho. Mi abuela se levantaba todos los días muy temprano para ir al mercado, y mi abuelo estaba todo el día en el taxi. Solo descansaba los domingos para pasar el día con la familia.
- ¡Qué vida tan dura!
- Recuerdo que no hablaban muy bien el castellano, porque en Galicia hablaban gallego. Mis abuelos echaban mucho de menos su tierra y, cuando era pequeña, todos los años íbamos en verano a Galicia a ver a la familia. Todavía tenemos la casa en el pueblo y vamos todos los veranos.
- ¿Con tus abuelos?
- No. Murieron hace unos años, pero yo me acuerdo mucho de ellos siempre que paseo por Lavapiés...

4 B (25)

Yo soy uruguaya, pero también me siento un poco italiana y española, porque mis abuelos eran italianos y gallegos. Mi abuelo era muy alto y moreno, y mi abuela, la gallega, era rubia y tenía los ojos azules. Llegaron a Uruguay en los años sesenta, cuando en Uruguay había muchas más oportunidades que en sus países. En esa época había muy poco trabajo en Europa y la gente que podía emigraba a América: a Brasil, a Argentina o a Uruguay... Tengo familia en Brasil y, por supuesto, también en Italia y en España, pero no los conozco personalmente, aunque nos comunicamos por Facebook o por Skype. Mi madre me cuenta que, cuando ella era pequeña, mis abuelos mantenían el contacto con la familia por carta. Escribían una o dos cartas al año y tardaban muchos días en llegar. Recuerdo que, cuando era pequeña, mis padres enviaban casetes a sus primos y a sus tíos, porque llamar por teléfono era demasiado caro. Es que todo es muy diferente hoy en día. Mis padres, ahora, hacen un viaje a Europa cada dos años. Antes, la gente tenía que viajar en barco y tardaba semanas en llegar, y ahora, con el avión, en doce horas ya estás allá. El mundo es cada vez más pequeño.

8 Arte

Pintura

2 C (26)

Es de estilo moderno y con un aire primitivo, con muchos colores. En primer plano, la pintura muestra a una mujer morena, no muy joven. La figura está sentada y se toca la cara con la mano. Tiene los dedos de las manos muy afilados y una expresión muy misteriosa. Destacan las uñas, porque las lleva pintadas de color rojo. En el fondo, un poco claustrofóbico por el tamaño tan reducido de la habitación, se ve una pared con líneas horizontales y verticales de diferentes colores. Me gusta mucho la estética del cuadro; me encanta la combinación de los colores rojo, amarillo y negro. El cuadro transmite movimiento. Tiene un doble perfil, dos caras... Y el personaje mira hacia el espectador y también hacia la derecha. Yo interpreto que el artista quiere decir que las personas tenemos muchas personalidades. El cuadro, aunque es muy moderno, me recuerda a los retratos clásicos.

Literatura

4 B (27)

Abril florecía
frente a mi ventana.
Entre los jazmines
y las rosas blancas
de un balcón florido,
vi las dos hermanas.
La menor cosía,
la mayor hilaba...
Entre los jazmines
y las rosas blancas,
la más pequeñita,
risueña y rosada
–su aguja en el aire–,
miró a mi ventana.

Música

2 (28)

1 *(jazz)*; **2** (rock); **3** (clásica); **4** (tango); **5** (hip hop); **6** (salsa)

4 B (29)

- ¿Diga?
- ¡Hola!
- ¿Quién habla?
- Soy yo.
- Lo siento, pero se ha equivocado... ¿Con quién quiere hablar?
- ¿Cecilia? Soy Martín, te llamo para quedar contigo, ¿cuándo nos vemos?
- ¡Martín! Me estaba preguntando cuándo me ibas a llamar... ¡Disculpa! No te he reconocido.
- ¡Qué distraída eres!

5 A (30)

Locutor: El tema en el programa de hoy es la conexión entre la cultura y los gustos musicales. Tenemos a María en el centro de Madrid, ¿María?, ¿estás allí?
Entrevistadora: Sí, Joaquín, y voy a entrevistar a un chico español y a una chica uruguaya... Mario, ¿crees que la cultura tiene que ver con la música que escuchas?
Mario: Yo creo que sí. Si, por ejemplo, como es mi caso, estás acostumbrado a escuchar flamenco porque desde pequeño lo ponían en tu casa, lo cantaban en la calle de tu barrio o era la música que escuchaban tus amigos, creo que es normal; a mí me gusta el flamenco y escucho mucho flamenco..., pero también escucho otro tipo de música.
Entrevistadora: Y tú, ¿qué crees, Carolina?
Carolina: Yo no opino exactamente igual. Yo, por ejemplo, nací en Uruguay, que es la cuna del tango, bueno..., ¡Argentina también! A mi familia le encanta el tango, y a mí ¡no me gusta para nada! Yo siempre escucho música pop en inglés. Es cierto que sí me ha influido mi pasión por aprender inglés... A mí me parece que la cultura influye en muchas cosas, pero en mi caso, con la música, no...

9 Tecnología

Grandes inventos del pasado

2 (31)

Buenos días, queridos oyentes, y bienvenidos, una vez más, a nuestro concurso «Quien sabe, gana».
Hoy, nuestra pregunta vale quinientos euros. Como siempre, vamos a dar cinco pistas, pero ustedes pueden llamar, si creen que tienen la respuesta, antes. Y recuerden, solo se puede llamar una vez.
La pregunta de hoy es: ¿de qué invento estamos hablando?
Pista número 1: se originó como resultado de un concurso realizado en 1860 en los Estados Unidos, cuando se ofrecieron 10 000 dólares para producir un sustituto para la fabricación de bolas de billar. Hasta entonces se utilizaba el marfil, que se extraía de los colmillos de los elefantes.
Pista número 2: fue importantísimo para el desarrollo del cine, que comenzó a finales del siglo XIX.
Pista número 3: desde los años treinta se han inventado muchos tipos, algunos con nombres muy difíciles de pronunciar, como el polietileno, el polipropileno y el cloruro de polivinilo, entre otros.
Pista número 4: uno de los tipos más famosos es el nailon, que se usó para la fabricación de paracaídas durante la Segunda Guerra Mundial, pero también para las medias y otras prendas femeninas.
Pista número 5 y última: en la actualidad, su uso está muy extendido. Se utiliza, por ejemplo, en el envasado de botellas, en bolsas y en muchos objetos de uso diario.
Bueno, vemos que todavía no ha llamado nadie, pero esperamos su respuesta ¡Suena el teléfono! Buenos días.

Tecnología actual

1 B (32)

Profesor: Chicos, os voy a hacer varias preguntas sobre los orígenes de internet. Escuchad bien las preguntas y sus posibles respuestas porque os voy a preguntar.
Primera pregunta: se considera que la red, tal como la entendemos hoy, comenzó...
A. En el departamento norteamericano de Defensa, en los sesenta.
B. En Silicon Valley, en los años ochenta.
¿Vanesa?
Vanesa: Yo creo que es la *A*, ¿el Departamento de Defensa de los Estados Unidos en los años sesenta?
Profesor: Muy bien. Correcto.
Segunda pregunta: después, se creó la World Wide Web, o sea, *www*, y el inventor fue...
A. El británico Tim Berners-Lee.
B. El estadounidense Lickider, del Instituto de Tecnología de Massachussets.
¿Lucas?
Lucas: Yo creo que fue Lickider.
Profesor: Pues no, fue Tim Berners-Lee, en 1989.
Pasamos a la tercera pregunta: internet empezó a tener un uso público y abierto en...
A. 1993
B. 1978
Manuela, ¿cuál es la respuesta correcta: *A* o *B*?
Manuela: 1993 es muy tarde... Creo que es la *B*: 1978.
Profesor: Muy bien, Manuela. La respuesta correcta es la *B*.
Vamos con la cuarta y última pregunta: el nombre de Google viene...
A. Del dios mitológico Gogol, que era el mensajero de los dioses.
B. Del término matemático *gúgol*, que se refiere al número 1 seguido por cien ceros.
¿Sabes cuál es la respuesta correcta, Mario?
Mario: Viene del término matemático *gúgol*.
Profesor: ¡Exactamente!

La ciencia ficción

2 B (33)

1 **Olga:** Traednos una jarra de agua muy fría.
Robot 1: ¿Con hielo?
Olga: Sí.
Robot 1: Tomad.
2 **Santi:** Ven y hazme un masaje en los pies.
3 **Olga:** Limpiad la casa, recoged la basura y pasad el aspirador. Papá y mamá van a llegar en cualquier momento.
4 **Santi:** Trae el cuaderno de ejercicios y haz los ejercicios de la página 44.
Robot 2: No estoy autorizado.
5 **Olga:** Preparadnos unos bocadillos de tortilla.
6 **Santi:** Decid a nuestros padres que estamos en la cama.
Robot 2: Un robot no puede mentir a la familia.

CUADERNO DE EJERCICIOS

1 Educación

Cambios en los sistemas educativos

12 (34)

Los alumnos están muy contentos, ¿no? Por ejemplo, cuando nosotros tenemos una clase, una clase ordinaria, digamos en Ciencias Sociales, digamos en tercero, tocan lo que es la Prehistoria, la evolución; en quinto, por ejemplo, tocando lo que es la Constitución y demás. Hay bastante material, tenemos vídeos, tenemos que nosotros diseñar nuestras presentaciones Powerpoint, tenemos que hacer participar a los chicos, entonces ellos se sienten sumamente contentos, comprenden mucho mejor la clase, incluso... *(Extraído de Canal Redorbol en www.youtube.com)*

Otras formas de educarse

17 (35)

Yo no paro durante la semana. El lunes, después del instituto practico equitación, y lo mismo el miércoles, hasta las siete de la tarde. El martes y el viernes, antes de ir a teatro a las seis y media, toco la guitarra, y solo me queda el jueves libre. Bueno, no tan libre, porque después del instituto estoy haciendo un voluntariado en una ONG: visito a niños en hospitales con mis compañeros de teatro. Pero, bueno, esto me encanta, la verdad...

2 Consumo

La moda

3 (36)

1 Voy de compras con mis padres. **2** Siempre compro la ropa en tiendas de ropa de segunda mano. **3** Yo nunca compro ropa en mercadillos. **4** Siempre llevo ropa de deporte. **5** Yo siempre llevo vestidos. **6** No suelo llevar trajes.

8 (37)

En el centro comercial Andino estamos de descuentos. ¡Llegaron las rebajas! No se pierda esta oportunidad, para usted y para toda su familia.
A partir del 2 de enero tenemos unas rebajas increíbles en nuestros almacenes: abrigos de lana y chaquetas de cuero al 50 %; gorros, bufandas y guantes: estas prendas de invierno, ahora 4000 pesos en lugar de 10 000; zapatos y tenis con un descuento del 25 %; todos los pantalones a 60 000 pesos; los *jeans*, antes a 70 000 pesos y ahora, a 50 000; camisetas de manga corta por 15 000 pesos y camisas de manga larga, por 20 000.
¡No se lo pierda! Venga al centro comercial Andino. en la calle 83 con avenida 11. ¡En Bogotá! ¡Recuerde: desde el 2 de enero hasta el 28 de febrero!

3 Trabajo

Vida laboral

19 (38)

(...) Este país, que no solamente es una incógnita en América Latina, sino [que] es un país desconocido incluso en su ubicación geográfica, ¿no? A tal punto que, por momentos, me parece que es un país mágico que han inventado los novelistas, los escritores, esta gente que hace magia con la realidad. Pero hay que decir que es un país que existe realmente en el corazón de América Latina. Un país que tiene su pasado, su gran pasado... *(Extraído de Canal Afondo Entrevistas en www.youtube.com)*

21 (39)

- Alberto, ¿has trabajado alguna vez?
- ■ Sí, trabajé el año pasado como camarero en una cafetería, pero solo los fines de semana, de junio a septiembre.
- ¿Y ganaste mucho dinero?
- ■ Bueno, bastante...
- ¿Y qué hiciste con el dinero?
- ■ Me compré una moto y pagué una parte de la matrícula de la universidad.
- ¡Qué suerte!
- ■ Lola, y tú, ¿qué trabajos has hecho?
- Yo, el verano pasado, di clases particulares a algunos niños de mi calle. Trabajé solo durante el mes de julio, porque en agosto casi todos se fueron de vacaciones. Y durante el año también hago de canguro para una familia, normalmente los fines de semana. Es que me encantan los niños. Por eso quiero ser maestra.
- ■ Y este verano, ¿qué vas a hacer?
- Este verano no lo sé... El año pasado, en agosto, fui a Dublín a estudiar inglés. ¿Y tú?
- ■ Creo que voy a volver a la cafetería...

4 Salud

El cuerpo humano

7 (40)

1 Es importante cuidar la espalda porque estoy muchas horas sentado y una buena postura es importante. Hace muchos años que practico esta actividad porque me gusta estar al aire libre y me encantan los caballos. También participo en competiciones.
2 Pues a mí me gusta porque es bueno para todo el cuerpo y porque he aprendido a relajarme y a respirar mejor. Es verdad que algunas posturas son muy difíciles, pero es cuestión de práctica. Me gustan los estilos activos, o sea, no mucha meditación y esas cosas.
3 Cuando juego muchas horas, tengo problemas con las manos, por el balón, pero también se usan los brazos y las piernas... Bueno, y, por supuesto, al saltar se utiliza todo el cuerpo. ¿Mi favorito? El equipo de Brasil; a mí también me encanta jugar en la playa en verano.
4 Si estoy mucho tiempo, tengo problemas con los ojos, el cuello y la espalda. Tengo que hacer muchas pausas porque si no, estoy todo el tiempo sentada. Bueno, a veces, con mi portátil, estoy tumbada en la cama.

Problemas de salud

10 (41)

1 No debes levantar tanto la pierna, te puedes hacer daño.
2 No debe ir a trabajar hoy, debe quedarse en la cama.
3 No debes ver más la televisión: llevas más de tres horas tumbado en el sofá.
4 No debe preocuparse por su hijo, creemos que ya no está mareado.

11 (42)

- ¿Qué le pasa?
- ■ Creo que estoy resfriado, y tengo mucha tos.
- ¿Le duele la cabeza?
- ■ Sí, mucho; bueno, también me duelen los brazos, las piernas..., todo el cuerpo.
- De acuerdo, en primer lugar vamos a ver si tiene fiebre...

(...)

- Pues sí, tiene 38 °C de fiebre.
- ■ Ah, por eso tengo tanto frío...
- Sí, claro, es normal tener frío y calor. Es más que un resfriado, usted tiene una gripe.
- ■ ¿Una gripe? ¿Y qué me aconseja?
- Es importante quedarse un día o dos en la cama; además, debe beber mucha agua; bueno, líquidos, en general.
- ■ ¿Y tengo que tomar algún medicamento?
- Sí, aquí tiene la receta: unas pastillas contra la fiebre y otras para la tos.
- ■ Muy bien. ¿Tengo que volver?
- Si no se encuentra mejor en unos días, sí.

5 Comunicación

La radio y la televisión

13 (43)

Con lágrimas en los ojos y un poderoso discurso sobre la comunidad hispana, Gina Rodríguez, de raíces puertorriqueñas, recibió ayer por la noche un Globo de Oro en la ceremonia que tuvo lugar en Los Ángeles, como mejor actriz de comedia de televisión por su participación en la serie *Jane The Virgin*.
El galardón de Gina representa un triunfo para la comunidad latina. «Yo no me convertí en artista para ser millonaria. Me convertí en actriz para cambiar la forma en que crecí», dijo durante una conferencia de prensa.

Autoevaluación

4 (44)

Es indudable que la televisión ejerce una gran influencia en los adolescentes. Influye en su forma de comportarse, de hablar, e incluso, de pensar. De manera consciente o inconsciente, los adolescentes adoptan los modelos de la sociedad y de los individuos de los programas que ven.
En primer lugar, debemos hablar de las horas que se pasan los chicos y las chicas frente al televisor y preguntarnos qué otras actividades pueden hacer en esas horas. ¿Qué tal leer un libro? ¿Y si hacen deporte? Tantas horas en el sofá pueden producir obesidad. También es una triste realidad que, en muchas casas, la televisión está encendida a la hora de las comidas, o incluso hay adolescentes que desayunan frente al televisor. Y yo me pregunto...: ¿cuándo hablan esas familias? Las encuestas dicen que los jóvenes ven de 22 a 25 horas semanales la televisión. Aunque es verdad que debido a los ordenadores y, sobre todo, a las redes sociales, actualmente dedican menos horas.
Por otra parte, están los programas que los chicos ven. Muchos de estos programas no tienen ningún contacto con la realidad y ofrecen a los jóvenes un mundo ficticio que nada tiene que ver con su mundo real. Hay demasiados programas de concursos, donde la protagonista es la competición, y también hay muchos programas llenos de violencia. Y no nos podemos olvidar de la publicidad, que cada vez ocupa más espacio en la programación y que nos lleva a un consumismo enfermizo, a comprar y consumir lo que nos venden en los anuncios, lo necesitemos o no.
Y quiero aclarar que no estoy criticando el medio de comunicación en sí. La televisión es un invento maravilloso. Yo critico algunos programas. Por supuesto que si lo que se ve son buenas películas o programas críticos, informativos o de entretenimiento, la televisión puede ser una parte importante de la educación de los adolescentes.

6 Medio ambiente

Los recursos naturales

10 (45)

(...) Se puede producir a muchos niveles. Se puede observar en ríos, lagos, mares con desechos y basura que vienen de nuestros propios hogares e industrias. También puede producirse porque el aire sufre las consecuencias de las emisiones de gases tóxicos de las industrias y los automóviles. Nosotros somos responsables también de la contaminación del aire porque tratamos de forma inadecuada los residuos sólidos en casa.
Otro problema es la destrucción de los bosques: la deforestación es otro problema ambiental grave. Debido a la mayor demanda de alimentos, se amplían los terrenos agrícolas y se destruye el hábitat natural de miles de especies.
Por último, también existen otros problemas...

La educación medioambiental

21 y 22 (46)

- Muchas gracias por aceptar nuestra invitación, señora Díaz.
- ■ El placer es mío.
- La ciudad para la que trabaja se llama Punto Fijo, ¿dónde se encuentra su ciudad?
- ■ Punto Fijo está en el Caribe venezolano, en la península de Paraguaná. Es una ciudad de 270 000 habitantes.
- ¿Por qué no nos dice la razón por la que ha sido invitada hoy al programa?
- ■ Estoy muy contenta de contarles que desde hace ya unos años Punto Fijo es una ciudad libre de bolsas de plástico, no se pueden utilizar bolsas de plástico o comercializarlas.
- ¿Por qué la iniciativa?
- ■ Básicamente, por la contaminación que generan. Estas bolsas de plástico se encuentran en grandes cantidades, con mucha frecuencia, en las carreteras, y afectan al ecosistema y, principalmente, a los ríos, a los lagos y, claro, al mar... El segundo problema es que se recicla muy poco de lo que se consume al año y los gases tóxicos que salen de la quema de plásticos son sustancias muy peligrosas que afectan no solo a las plantas y animales, sino también a los tejidos humanos...
- Es muy interesante conocer esta información y, especialmente, ver cómo se ha concienciado la gente en su ciudad.
- ■ Sí, la verdad es que la medida fue un éxito en esta ciudad, en otras ciudades de Venezuela y en otros países latinoamericanos.

Autoevaluación

4 (47)

El aumento del nivel del mar se ha acelerado más de lo que se pensaba
Un reciente estudio financiado por el Gobierno español ha concluido que el nivel del océano en las costas españolas va a aumentar entre 0,6 y 0,8 metros a lo largo del siglo XXI si no se hace nada por reducir las emisiones.
Es una noticia que puede sorprender, pero refleja la importancia de empezar a tomar muy en serio los problemas ambientales. El Gobierno ya ha comenzado a tomar medidas sobre el asunto.

7 Migración

Antes y ahora

13 (48)

- Buenas tardes, hoy vamos a hablar con una de las personas que más conocen la historia de Madrid, Paloma Soto, autora de varios libros sobre Madrid y doctora en Sociología. Buenas tardes, doctora Soto.
- ■ Buenas tardes, un placer estar con vosotros otra vez en vuestro programa.
- Hoy vamos a hablar de un barrio muy madrileño y con mucha historia: Lavapiés. Cuéntenos qué es Lavapiés.
- ■ Bueno, pues Lavapiés es muchas cosas: es el nombre de una plaza del centro de Madrid; también es el nombre de una calle y de una estación de metro y, además, una parte del barrio de Embajadores, la

zona más popular, pero realmente esa parte se conoce más como Lavapiés que como Embajadores.

● Cuéntenos algo de su historia, por ejemplo, ¿por qué se llama Lavapiés?

■ Pues dicen que el nombre viene de una plaza donde había una fuente donde la gente se lavaba los pies. Hasta el siglo XV, aproximadamente, no vivía nadie en esa parte de Madrid. En esa época, Madrid era una ciudad pequeña y allí no había prácticamente nada, solo campo.

● ¿Y cuándo se transforma el barrio realmente?

■ En el siglo XIX ya vivía bastante gente en el barrio, claro. Pero desde la Guerra Civil, y hasta los años ochenta, Lavapiés era un barrio habitado exclusivamente por gente mayor que vivía en casas viejas y de pequeñas dimensiones construidas alrededor de un patio, las típicas corralas, unos edificios muy típicos de Madrid. Como decía, en los años ochenta, e incluso en los noventa, había muchas casas abandonadas y pisos con alquileres muy bajos, y por eso en esos años se instalaron muchos jóvenes y también muchos okupas. Lavapiés ha sido, probablemente, la zona de Madrid con mayor densidad de casas okupadas, y en ella tuvieron lugar las primeras experiencias de okupación de la capital.

● Dicen que Lavapiés es el barrio más multicultural de la ciudad, ¿es eso cierto?

■ Pues sí. España experimentó un rápido crecimiento a principios de este siglo y muchas personas llegaron de otros países. En Madrid, debido a los altos precios del alquiler en la ciudad, la tendencia de estos inmigrantes fue instalarse en este barrio. Actualmente, alrededor del 50 % de la población del barrio es de origen extranjero. Debido a esta multiculturalidad hay eventos, como el año nuevo chino o el ramadán, que son casi más importantes en Lavapiés que, por ejemplo, la Navidad.

● ¿Qué atractivos tiene Lavapiés, además de su multiculturalidad?

■ Pues es un lugar con mucha vida cultural y un barrio estupendo para ir de tapas, ¡y para comer en restaurantes de medio mundo!

Recuerdos

18 49

1 Es una pregunta bastante difícil, ¿no? Pero creo que el ser *nikkei* es mucho más que ser descendiente de japoneses. Ser *nikkei* es tener la responsabilidad de tener dentro de uno dos conceptos, dos culturas que son completamente opuestas, pero que nosotros debemos trabajar y saber convivir, logrando que los valores, todo lo bueno que tengan ambas culturas, vivan en nosotros, ¿no? Eso yo creo que es ser *nikkei*.

2 Yo pienso que el desarrollo de lo que es *nikkei* sí ha sido algo diferente de acuerdo al país; me refiero, en general, a Latinoamérica, ¿no? A través de la Asociación Panamericana Nikkei he tenido la oportunidad de conocer varias realidades *nikkei* en Latinoamérica, y sí, si bien es cierto..., hay algunas raíces comunes, también hay ciertas diferencias. Quizás, la gran diferencia que veo yo es a través del número de japoneses que se estableció en determinado lugar. En los lugares donde hay muchos japoneses, por supuesto, hay colegios japoneses, hay organizaciones japonesas, hay iglesias japonesas, budistas, ¡o qué se yo! En cambio, en países como Chile no hubo nada de eso. Por lo tanto, el desarrollo de los países donde hubo muchos japoneses, quizás las costumbres y la cultura se preservó más tiempo.
(Extraídos de www.discovernikkei.org)

Autoevaluación

4 

¿Cómo vivía la gente en el Uruguay a principios del siglo XIX? Si imaginamos un viaje a la época de la independencia de Uruguay, nos vamos a encontrar con muchas cosas que eran muy diferentes a las de ahora, desde la escuela hasta la comida.
En esa época, solo los hombres iban a la escuela. En la casa, las chicas aprendían a leer y escribir, además de hacer los trabajos de la casa y, a veces, [a] tocar algún instrumento musical.
En pocos lugares del país se podían cursar estudios secundarios. Para una carrera universitaria, por ejemplo, tenían que trasladarse a Argentina o a Perú, y a veces, directamente a España.
En cuanto a lo que podían hacer en el tiempo libre, no había mucho que hacer. No había cines, ni televisión. Los adultos de familias más o menos ricas se divertían con bailes que organizaban en los salones de las casas. Los pobres y la gente de campo se entretenían con carreras de caballos y en fiestas familiares. Tenían música si alguien tocaba la guitarra.
No había ni teléfono ni correo electrónico. Cuando alguien quería charlar con un amigo o con un pariente, o informarse o informar sobre algo, tenía que ir caminando o a caballo hasta la casa de la otra persona.
La gente era muy religiosa: cuando se celebraba misa la gente llenaba las iglesias.
La comida era muy básica. Desayunaban mate, té o café. Y comían o cenaban papa, legumbres o carne. De postre, normalmente comían fruta.
Como no había heladeras, la gente tenía que comer la comida el mismo día que la compraba. Lo que se conservaba más tiempo era una carne seca y salada llamada charqui.

8 Arte

Pintura

2 

El cuadro muestra un paisaje muy tranquilo. En primer plano se observa un río y, a las orillas del río, en ambos lados, hay un bosque. Me parece que es otoño, por las hojas de los árboles flotando en el río. En el fondo vemos un cielo azul casi sin nubes.
Me gusta mucho el cuadro porque transmite mucha calma y siento que te puedes relajar en un lugar como este. Me recuerda mucho al lugar donde vivía en mi infancia. La estética del cuadro es muy bonita, por la naturaleza que muestra y por las formas.

Literatura

11 52

A Está bien por la Juana,
la Juana Torres;
la que hacía crecer la ruda y el misterio.
La enemiga de Dios y del Infierno.
Ella tuvo la flor de los amantes.
El castillo en el aire...

B Allá, en tiempos muy remotos, un día de los más calurosos del invierno, el director de la Escuela entró sorpresivamente al aula en que el Grillo daba a los Grillitos su clase sobre el arte de cantar, precisamente en el momento de la exposición en que les explicaba que la voz del Grillo era la mejor y la más bella entre todas las voces...

C No la reconocí [...] Tal como apareció, exactita, con esos ojos suyos tan fascinantes, por la esquina oscura donde dormían los escombros de la tienda Moda de París. Desde allí la vi venir, justo cuando entraba a la calle Cervantes, en donde yo me encontraba parado...

D La noche del mundo:
¡qué largos cabellos!...
Los suelta en la torre,
la torre del viento.
Los peina en el valle,
los trenza en el cerro,
los abre en las ramas
frías del almendro.

9 Tecnología

Grandes inventos del pasado

6 

Hoy en día no nos podemos imaginar nuestras vidas sin los coches, también llamados automóviles. Pero, ¿cómo empezó todo? Los primeros automóviles, aunque todavía no se llamaban así, aparecieron en el siglo XVIII y eran de vapor. Sin embargo, fue en el siglo XIX cuando se desarrolló el primer motor con combustión de gasolina. Aunque ya se producían en diversos países, en 1908 el estadounidense Henry Ford comenzó a producir automóviles en una cadena de montaje. Este nuevo sistema permitió la fabricación en masa. Y a partir de ahí, todo han sido cambios e innovaciones hasta tener los coches de hoy en día. Pero ¿qué nos espera en el futuro? ¿Coches que conducen solos, que pueden volar o que funcionan con otro tipo de energía? Esto todavía está por ver...

La ciencia ficción

19 54

Locutor: Buenas tardes a todos y bienvenidos a nuestro programa. Hoy tenemos con nosotros a dos invitados: la señora García y el señor Romero, dos especialistas en investigación médica. Nuestra pregunta hoy es: ¿dónde están los límites de la medicina? Bienvenida, señora García.
Señora García: Buenas tardes y gracias por la invitación.
Locutor: Y, por supuesto, también bienvenido, señor Romero.
Señor Romero: Buenas tardes y encantado de estar aquí en el programa.
Locutor: Empecemos por usted, señora García, y su visión sobre el futuro de la medicina.
Señora García: Pues, por una parte, naturalmente que estoy de acuerdo con todos los avances de la medicina que nos permiten una calidad de vida mejor. Estoy de acuerdo con los trasplantes, las nuevas técnicas para operar, los aparatos y medicinas que aparecen cada día, pero creo que tenemos que poner unos límites. Las máquinas no lo pueden hacer todo. No podemos dejar a las personas enfermas con un ordenador o un robot. Las personas que están enfermas necesitan a un ser humano a su lado, necesitan comprensión y, sobre todo, un trato personal, humano. Nosotros no somos máquinas y no queremos sustituir a los médicos por máquinas.
Locutor: Señor Romero, ¿qué opina usted?
Señor Romero: Bueno, pues yo estoy de acuerdo con la señora García en que el desarrollo de la medicina ha contribuido a mejorar la calidad de vida y, además, quiero añadir que ayuda a predecir y evitar enfermedades con los chequeos regulares que se hacen con los ordenadores. Pero, con lo que no estoy de acuerdo es con los límites. En un pasado, las personas tenían miedo de muchas cosas que hoy en día son una práctica normal. Lo desconocido causa siempre temor, pero tenemos que vencer ese temor, mirar hacia adelante y confiar en la ciencia.
Locutor: Pues muchas gracias por sus respuestas. Ahora, la segunda pregunta...